Acht Schritte zur Hochzeit

Auf der Jagd nach dem richtigen Partner

von Antonio Cipriani Autor und Poet

Inhalt

Autor Antonio Cipriani

Herstellung und Verlag:
BoD – Books on Demand, Norderstedt
ISBN: 978-3-7519-4849-4

Prolog

„Acht Schritte zur Hochzeit“

"Wie andere Menschen dich behandeln, ist ihr Karma. Wie du darauf reagierst, ist dein Karma."

Dr. Wayne Dyer

Es geschah in einem Freilichttheater in Alt-Venedig, wo ich nach einer wundervollen, theatralischen Aufführung entschied, an einem Ratgeber über Beziehungen zu arbeiten. Nach meiner jahrzehntelangen Erfahrung durch Seminare oder auch Sitzungen mit zahlreichen Klienten, lassen sich neun von zehn Partnerschaften mit Leichtigkeit erheblich verbessern. Dieses Grundprinzip hat mich immer sehr siegessicher gestimmt. Denn eine Liebesbeziehung zwischen zwei Individuen ist eine der wichtigsten Lebensaufgaben, da die Liebe die Basis unserer Glückseligkeit darstellt. Doch wie gelingt eine harmonievolle Partnerschaft? Wie und was können Sie tun, damit Ihre Beziehung besser wird? Solche Fragen beschäftigen viele Menschen, die in einer Ehe oder Beziehung gefangen sind und die Hölle auf Erden erleben. Die Sehnsüchte und Erwartungen solcher Menschen laufen ins Leere, ihre Bedürfnisse werden nicht respektiert, jederzeit wartet nur Ärger, zum Teil Aggression und Dunkelheit. Statt Harmonie und Zusammenhalt findet man beim Partner nur noch Verzweiflung und Kälte. Und wie so oft weiß man dann selbst auch nicht, warum man die Beziehung noch weiterführt. Doch die meisten fühlen sich bei Trennungsgedanken wie ein Treuloser oder werden von Schuldgefühlen gequält. Immerhin hat das Gegenüber doch so viel für denjenigen getan,

womöglich so viel aufgegeben, erwartungsvoll sein Herz und Intimes geschenkt und jetzt will man es ihm mit so einem Schlussstrich zertrampeln. Sind das nicht die Gedanken, die Sie hegen? Bei vielen trifft es sicherlich zu und sie liegen auch total falsch. Denn eine Beziehung beruht auf Zuneigung und auf Freiwilligkeit und nicht auf Erwartung und Egoismus. Und wer alles getan hat, um seine Partnerschaft zu retten, aber trotzdem keine Besserung erzielen konnte, braucht kein schlechtes Gewissen zu haben. Spätestens, wenn Sie irgendwann regelrecht zusammenbrechen und nervlich am Ende sind, würde die Beziehung ohnehin zusammenbrechen. Sie haben am Ende nicht nur ihren Partner verloren, sondern auch Ihre Gesundheit und Lebensfreude. Im Grunde geben Sie auch Ihrem Gegenüber eine neue Chance aufs Glück, wenn Sie ihn freigeben.
Außerdem hat dieser es doch verdient, wenn derjenige so viel für Sie getan hat, dass Sie ehrlich zu demjenigen sind. Deswegen sind Sie auch nicht gleich ein Verräter oder ein schlechter Mensch, wie die meisten Partner danach behaupten. Sie wollen ja nicht, dass Ihr Partner unglücklich wird, sondern nur, dass der Eine ohne den Anderen glücklich wird. Im Grunde ist es so etwas wie Notwehr. Eine Beziehung ist ein Geben und Nehmen und wenn dieses Grundprinzip nicht berücksichtigt wird, dann kann dieses Bündnis nicht funktionieren.

Ein Mitglied meiner Familie, der schon seit Jahren in einer Höllenbeziehung lebt, nennt auch als Hauptgrund, für sein Nicht-Handeln, „Mitleid“. Man stellt sich vor, dass der andere leiden wird, und hat große Bedenken, dass derjenige mit diesem Schmerz oder auch in finanzieller Hinsicht allein nicht klarkommen wird. Besonders dann, wenn die Familienanbindung oder der Freundeskreis vielleicht nicht besonders groß sind. Wäre es nicht herzlos und grausam, ihm so etwas anzutun? Auch hier lautet die Antwort ein klares „Nein!“.

Ihr Partner ist kein kleines Kind, sondern war auch vor ihrer Beziehung oder Ehe ein eigenständiges Individuum und Sie sind auch nicht für diesen Menschen verantwortlich. Auch er wird seinen Weg finden und wieder sein neues Glück finden. Das Universum sorgt für uns alle. Außerdem ist die Alternative zu dieser Entscheidung auch keine harmonische Beziehung mit Regenbogen und Sonnenschein, sondern eine dunkler, kalter Tunnel voller Lügen und Ärger, an dessen Ende eine nur noch größere Enttäuschung steht. Und wie ich so schön zu meinen Klienten sage, am Ende jedes Tunnels ist auch Licht. Sie geben im Grunde Ihren Partner frei, denn wenn Sie ihm Gefühle vorspielen, die nicht mehr vorhanden sind, da kann derjenige auch so keine neue Beziehung beginnen. Zudem sollten Sie auch Mitleid mit sich selbst haben, denn Sie haben auch ein erfülltes und glückliches Leben verdient.

Sicher sind wir uns darüber einig, dass die Zuneigung und körperliche Anziehung in einer Liebesbeziehung speziell in den ersten Monaten einfach traumhaft ist. Vielleicht erinnern Sie sich noch daran, wie Sie in den ersten Wochen total verliebt waren, mussten ständig an Ihr Gegenüber denken oder sich ständig berühren. Bei jedem Treffen hatten Sie Schmetterlinge im Bauch und jeder Gedanke an Ihren Partner erfüllte Sie mit Freude. Ist es aber möglich, dass Sie diesen Zustand des Verliebtseins mit ihren jetzigen Partner wiedererlangen? Ist es möglich, das gegenseitige Verlangen wiederzuerwecken? Kann es möglich sein, dass dieses Verliebtsein dauerhaft lebendig bleibt?

Nun wollen wir realistisch sein. Bewiesen ist, dass in den meisten Liebesbeziehungen spätestens nach 6 Monaten die ersten Abflachungen und auch gewisse Enttäuschung eintreten können. Wir wissen, dass es in jeder zwischenmenschlichen Beziehung Krisen und Auseinandersetzungen gibt. Mehrere Faktoren können daran Schuld sein, einer der Hauptgründe kann der

stressige Alltag oder verschiedene Gewohnheiten sein. Zudem schleicht sich die Langeweile an, die sich ganz leise und unbemerkt einen Graben zwischen beiden Seiten gräbt.
Wir wissen, dass in Großstädten jede zweite Ehe in den ersten drei Jahren scheitert. Aber es wäre doch wünschenswert, wenn man trotzdem ein wenig vom Zauber der ersten Liebesphase erhalten könnte. Sonst wäre eine Liebesbeziehung nur eine Zweckgemeinschaft, in der man den Haushalt organisiert, sich im Krankheitsfall hilft oder die Nachkommen großzieht. Das ist sicherlich nicht alles.
Was die meisten von uns suchen, ist also Vertrautheit und Anerkennung. Dieses können wir empfinden, wenn wir nach einem anstrengenden Tag die Wohnung betreten, unser Partner begrüßt uns mit einem Kuss, das Essen steht auf dem Tisch und wir spüren, dass wir angekommen sind. Oder wir wachen morgens auf, der oder die Partnerin gähnt noch, man umarmt sich kurz und man startet den Tag mit Liebe. Vielleicht werden Sie aber einwenden, die Liebe sei doch mehr. Die Geborgenheit empfindet man ja auch bei seinen Eltern, Verwandten und Großeltern. Und wenn unsere Liebesbeziehung in die Jahre gekommen ist, empfinden wir trotzdem oft ein Gefühl der Geborgenheit, während die Erotik auf der Strecke geblieben ist. Was also ist das Typische an der Liebe, was lässt uns am Anfang so schweben, warum sind wir so verrückt, dass wir stundenlang laufen würden, um den anderen zu sehen?

Weil wir uns am Anfang so unendlich stark und lebendig fühlen, wenn wir von der Liebe befallen werden. Die Liebe eines einzigen Menschen reicht aus, dass wir das Gefühl haben, alle Schwierigkeiten überwinden zu können. Und das ist nicht übertrieben, Liebe kann wirklich Berge versetzen. Diese Magie kann uns beflügeln und ermöglicht uns neue Sichtweisen. Doch das Entscheidende ist doch, dass „Ich" für einen anderen

Menschen das Wichtigste auf der Welt bin. Ich bin für diese Person etwas ganz Besonderes und diese Tatsache verstärkt auch die eigene Wertschätzung. Ich fühle mich vom anderen erkannt und geliebt. Ich fühle mich von diesem Menschen verstanden und respektiert. Ich bekomme von ihm enorm viel Zuwendung und Anerkennung. Ich bin für diesen Menschen einzigartig, ein wunderbarer Mensch. Und dieser Partner ist im Allgemeinen auch bereit, meine Wünsche und Bedürfnisse zu erfüllen. Diese Person will, dass es mir gut geht. Deshalb schwebe ich und fühle mich unheimlich stark.

Antonio Cipriani

Die Veränderung

Wie kannst du erwarten,

dass sich in deinem Leben etwas ändert,

wenn du nicht bereit bist,

deine Gedanken, deine Handlungen neu zu ordnen

und dich selbst zu ändern.

Antonio Cipriani Autor und Poet

Schritt 1

Fokussieren Sie sich auf Ihr Ziel

In den meisten Schulungen, Seminaren und Motivationskursen, wie auch auch in Aufbaukursen wird gepredigt, dass die Konzentration und die totale Hingabe auf eine neue Strategie die Grundlage jeder neuen Zielsetzung ist. In einfachen Worten bedeutet das, sich intensiv dem sich gesetzten Ziel zu widmen. Ohne irgendwelche Ausreden, Vorwände und unnötigen Zeitverluste. Jeder Experte oder Motivator in dem Bereich der Zielsetzung, der sich für seine Dienste unglaubliche Gehälter in den Taschen steckt, weiß, dass es die absolute Priorität ist, jede Ressource an Energie in ein neues und wichtiges Vorhaben zu investieren.

Obwohl die Teilnehmer solcher Seminare auch genau wissen, dass was Sie auf die Ohren bekommen absolut logisch und Ihnen bereits bekannt ist. Jedoch zahlen Sie freiwillig hunderte oder auch tausende von Euros um immer das gleiche zu hören, nur in einer anderen Version. Voller Energie und Determination in den Augen verlassen diejenigen den Seminarraum und in dem Moment könnten Sie Bäume ausreißen. In diesem Moment wollen Sie sogar die Welt erobern. Doch sobald Sie in Ihren eigenen Wänden sind und wieder vom Alltag ergriffen werden, verpufft diese Euphorie, wie ein Parfüm, das vor Stunden aufgetragen wurde und die Wirkung einfach verflogen ist. Kaum schauen Sie sich um, schon sitzen Sie wieder in Ihrem Hamsterrad. Von Tag zu Tag schwindet natürlich dann die Intension, die Energie, die Motivation und am Ende ist die Intention verblasst und das Geld futsch.

Die Wahrheit ist, dass es für viele einfacher ist, unzählige Dinge nur zur Hälfte zu erledigen, als die eine wichtige Sache wirklich gut zu tun. Für ein erfolgreiches Vorhaben wird die hundertprozentige Aufmerksamkeit und Engagement erfordert. Diejenigen suchen sich manchmal die verrücktesten Aufgaben, wie zum Beispiel die Wohnung putzen oder das Auto mal waschen und verplempern somit Ihre kostbare Zeit, statt Ihre Kraft und Energie für die eine wichtige Sache einsetzen.

Setzte Sie sich die absolute Priorität

Es reicht nicht aus, sich einen Partner zu wünschen, ihn zu visualisieren oder ein bisschen Lust zu haben, einen zu finden. Um schnelle Ergebnisse mit diesem Buch zu erzielen, muss die Suche nach einem Partner zu Ihrer obersten Priorität werden. Wenn Sie nicht bereit sind, das Vorhaben „Suche nach dem richtigen Partner" sich als absolute Priorität zu setzen und hundert Prozent dafür zu geben, dann lassen Sie es und lesen Sie dieses Buch nicht mehr weiter. Legen Sie es einfach weg und verbringen Sie Ihre Zeit anderweitig. Surfen Sie wie gewöhnlich den ganzen Tag im Netz, auf sozialen Netzwerken und posten Sie irgendwelchen Schwachsinn. Was viele nicht verstehen oder vielleicht auch nicht verstehen wollen, dass was auf sozialen Netzwerken gepostet wird, ist zu 75% Fake. Die Fotos und Abbildungen, die dort gepostet werden, sind zum größten Teil bearbeitet, mit zahlreichen Filtern versehen und meistens nur Fakes. Mark Zuckerberg, der Gründer von Facebook, hat es geschafft, die Menschheit mit einfachen „Likes" zu versklaven. Heutzutage ist es nicht mehr, wie der alte René Descartes mal gesagt hat: „Ich denke, also ich bin?" Heute heißt es: „Ich teile, also ich bin?"

Ich muss manchmal mit dem Kopf schütteln, wenn ich sehe wie Gruppen von Menschen oder auch einzelne Paare sich gegenübersitzen und nur mit ihren Handys beschäftigt sind. Es kommt mir so vor, als würden die Menschen nicht mehr miteinander sprechen, sondern einfach nur tippen. Eine wunderschöne Frau sitzt da ganz allein und keiner spricht sie an, sondern alle spielen lieber mit dem Handy und verpassen die Realität um sich herum. Ist das nicht verrückt?

Einer meiner Klienten hat mir mal erzählt, dass sie manchmal stundenlang in einem Café, in einer Bar oder auch im Restaurant sitzt und sie von niemandem angesprochen wird. Ich kann nicht glauben, dass sie noch Single ist, denn die Frau ist nicht nur intelligent und gebildet, sondern sieht auch wunderschön aus. Nur heutzutage sind die Menschen nicht mehr mutig genug, eine fremde Person anzusprechen. Daher müssen Sie Ihren Alltag verändern. Ihre Gedanken verändern. Ihr Umfeld und Ihre Gewohnheiten, sagen wir neu modellieren. Sie müssen es von ganzem Herzen wollen und dafür bis ans Äußerste gehen.

Nur sich ein bisschen zu engagieren, ist so, als würde man mit vollen Klamotten in einem tiefen Fluss und mit Steinen in den Taschen gegen die Strömung schwimmen. Man geht nirgendwo hin. Man bewegt sich, man verpulvert Unmengen von Energie und Zeit, doch am Ende befindet man sich immer am gleichen Fleck.

Ohne es zu wollen, doch wohlwissend, verschiebt man das erwünschte Ziel in immer fernere Zukunft. Man muss immer bereit sein für den richtigen Moment. Immer wachsam sein für den perfekten Augenblick, um ihn sofort ergreifen zu können. Wie ein Raubtier, das auf der Lauer liegt. Wir sind umgeben von Kräften, von Energien, von verschiedenen Konstellationen, die wir nicht erklären können.

Ein Freund hat mich mal gefragt: „Glaubst du an den Zufall? Gibt es Zufälle? Was ist ein Zufall?“

Ich habe auf diese Fragen ehrlich gesagt nicht konkret antworten können. Doch diese bringen einen ins Grübeln. Der große Sigmund

Freud hat mal gesagt, dass es keine Zufälle gäbe. Alles geschieht und passiert, wie es passieren soll. Wenn es wirklich so ist, dann heißt das, dass wir mehr oder weniger geleitet werden. Dass alles schon vorbestimmt ist. Dies sind natürlich nur Vermutungen und keiner kann es mir mit Sicherheit bestätigen. Ich weiß nur, dass man wachsam sein muss, um den richtigen Augenblick erkennen zu können, diesen ergreifen zu können um daraus etwas großartiges zu machen. Daher denke ich auch, dass es kein Glück gibt. Was ist Glück?

Ein sehr alter Freund von mir hat mir mal gesagt: „Du musst am richtigen Ort, zur richtigen Zeit sein und das Richtige tun und nur dann ist der Sieg dein."

Und das kann nur passieren, indem man nie aufgibt und es immer wieder versucht. Das gilt für alles im Leben. Nicht nur für Beziehungen, sondern auch für Finanzen, für das Berufsleben, für Diäten und für alle möglichen Ziele, die ein menschliches Wesen sich setzten kann.

Das ist wie beim Lottospielen, klar ist Gewinnen mathematisch fast unmöglich. Jedoch allein in Deutschland gibt es jedes Jahr nur durchs Lotto fast 4000 neue Millionäre. Fakt ist, wenn Sie keinen Schein ausfüllen, sind die Gewinnchancen gleich null. Um etwas gewinnen zu können, auch wenn die Chancen sehr gering sind, müssen Sie einen Schein ausfüllen. Ich will nur damit verdeutlichen, dass man manchmal etwas kleines machen muss, um großartiges erreichen zu können. Wie eine Lawine, die nur von einem kleinen Steinchen in Bewegung gesetzt werden kann.

In den kommenden Jahren wird es noch schwieriger werden, den richtigen Partner zu finden. Es wird wichtiger als eine neue Anstellung, als Ihre Freunde, Ihr geliebtes Haustier, Ihre Hobbys oder alles andere, dass die den Großteil Ihrer Zeit in Anspruch nimmt.

Dieses Vorhaben erfordert die absolute Konzentration und den totalen Fokus. Fokussieren Sie sich auf dieses Ziel und beißen Sie sich darin fest, wie ein Pitbull, der einmal zugebissen hat und nie wieder loslässt. Bereits beim ersten Treffen mit einem neuen Schüler weiß ich sofort, ob er oder sie das Zeug hat, in den nächsten Monaten oder spätestens in zwei Jahren einen passenden Partner zu finden.

Ich kann es an der Haltung sehen, an der Art, wie sich derjenige kleidet und an der Körperpflege. Ich achte auf die Bewegungen, darauf wie sich diejenige artikuliert, auf die Umgangsformen, auf die Selbstsicherheit und an der Aura, die derjenige ausstrahlt. Das sind Eigenschaften und Umgangsformen, die bei einem Mensch einfach sehr leicht zu erkennen sind und sein Äußerliches oberflächlich ausmachen. Wenn derjenige oder diejenige sich 08/15 kleidet, sich nicht pflegt, die Haare nicht stylt oder sich seit Tagen nicht rasiert hat, dann kann man sich leicht über das Äußerliche dieser Person ein Bild machen. Aber das Thema Äußerliches Auftreten und bester Look, werden wir später noch etwas vertiefen.

Vielleicht haben Sie dieses Buch im Internet entdeckt, in einem meiner Seminare darüber gehört oder vielleicht sind Sie auch durch einen guten Freund darauf gekommen, der die Anweisungen in diesem Buch erfolgreich befolgt hat und seit kurzem glücklich verheiratet ist. Ich sage immer, alles passiert aus einem bestimmten Grund. Ich glaube, dass dieses Buch Sie ausgesucht hat. Also ergreifen Sie die Chance und ändern Sie Ihre Persönlichkeit und Ihr Leben.

Wenn ein neuer, total verunsicherter Freund oder Klient zu mir kommt, kann derjenige oder diejenige kaum abwarten, den ersten Schritt zu machen. Die Person bombardiert mich gleich mit Fragen, warum er immer noch Single ist. Er oder sie ist fest überzeugt, dass er/sie alles richtig im Leben macht. Und sprechen ungerne über die eigene Person, über die vergangenen Beziehungen oder die eigenen Probleme. Meistens werden aber die tiefsten Zweifel und Gedanken, beziehungsweise die tiefsten Ängste im Verborgenen gehalten. Aber genau diese müssen ans Licht gebracht werden, um eine radikale Änderung vollbringen zu können. Um das Unterbewusstsein eines Menschen neu programmieren zu können. Stattdessen sind gleich die meistgestellten Fragen: "Was muss ich als erstes tun? Wie kann ich schnell jemanden kennenlernen? Oder, wo kann ich jemanden kennenlernen und am besten sollte die Person wohlhabend sein ".

Wenn diejenige Person wirklich entschlossen ist, einen Partner zu finden, dieses Programm ernst zu nehmen, sich innerlich und sowohl auch äußerlich zu ändern, dann beginnt unsere gemeinsame Reise. Wir werden zusammen diese fest verbissenen Gewohnheiten, die sich in dem Unterbewusstsein fest verankert haben, wie ein Geschwür, das nicht leicht loszuwerden ist, beseitigen oder neu programmieren und wenn Sie auch bereit sind, sich leiten zu lassen, dann bin ich für die nächste Zeit Ihr zukünftiger Ehepartner.

Der Kampf mit und in Ihnen selbst

Unser ganzes Leben ist geprägt von Entscheidungen. Ziehe ich heute die blauen oder die schwarzen Jeans an? Esse ich zum Frühstück ein Croissant oder ein Brötchen? Nehme ich heute das Auto oder fahr ich lieber mit den Öffentlichen zur Arbeit? Soll ich meinem Partner noch eine Chance geben und bei ihm bleiben oder mich lieber trennen? Ist mein Job das richtige für mich oder soll ich mir eine andere Beschäftigung suchen? Die meisten Entscheidungen, die wir in unserem Alltag treffen, können wir sehr leicht treffen und sie beschäftigen uns nicht lange.

Wenn Sie sich zum Beispiel am Frühstückstisch entscheiden müssen, ob Sie lieber die Marmelade oder Nutella aus dem Küchenschrank nehmen sollen, dann gibt es verschiedene Möglichkeiten, wie Sie sich für die Marmelade entscheiden. Entweder sind Sie ein Gewohnheitstier und essen jeden Morgen eine Scheibe Brot mit Nutella, dann stellt sich eigentlich gar nicht mehr die Frage, ob Marmelade oder Nutella. Die Frage ist durch die fest einprogrammierte Gewohnheit bereits entschieden. Ohne ein solches Ritual lassen Sie sich vielleicht von Ihrem Bauchgefühl leiten. „Ich mag Nutella eh viel lieber als Marmelade, dann esse ich doch lieber ein Nutella-Brot". Ihre Emotionen sind dabei sehr hilfreich. Ihre Empfindungen zeigen Ihnen intuitiv, was für Sie das beste Ergebnis bringt, ohne, dass Sie groß drüber nachdenken müssen. Das erspart Ihnen viel Nachdenken, was bekanntermaßen gerade am frühen Morgen sehr hilfreich sein kann. Oder aber Sie entscheiden sich mit Ihrem Verstand. „Marmelade ist viel gesünder und enthält weniger Zucker, da sollte ich vielleicht besser Nutella meiden."

Um Entscheidungen dieser Art soll es hier sicherlich nicht gehen, denn sie zu treffen passiert schon ganz automatisch. Ganz anders sieht das schon bei schwierigen Entscheidungen aus. Diese können Sie regelrecht fesseln und gefangen halten. In diesem

Kapitel will ich Ihnen zeigen, wann Sie erkennen, dass Sie in einer Zwickmühle stecken, wie Sie mit den unguten Gefühlen umgehen, die sie mit sich bringt und was Ihnen hilft, solche schwierige Entscheidungen treffen zu können. Und zwar leichter und müheloser.

Nehmen wir doch mal ein typisches Beispiel. Seit ein paar Jahren läuft es in Ihrer Beziehung nicht mehr so rosig. Sie fühlen sich nicht mehr so aufgehoben und geliebt wie am Angang. Seitdem hat sich alles geändert. Sie bemerken es bei jeder Handlung, denn zwischen euch hat sich ein riesen Graben aufgerissen, der von Monat zu Monat tiefer und breiter wird. Die Distanz, die zwischen euch entstanden ist, lässt sich nicht so einfach wieder auflösen. Nun stehen Sie vor einer schwierigen Entscheidung, die große Veränderungen mit sich trägt. Daher werden Sie täglich von der Frage gequält, weiterhin bei Ihrem Partner zu bleiben oder wäre es besser, ihn endgültig zu verlassen, mit allen Konsequenzen, die das Ganze mit sich bringt? Sie werden sicherlich sehr deutlich die verschiedenen Stimmen in Ihrem Kopf spüren und hören. Wie zwei Teufelchen auf den Schultern. Ein Guter auf der einen Seite und ein Böser auf der Anderen. Auf der einen Seite denken Sie, dass ihr zusammen schon so viel in den ganzen Jahren durchgemacht habt. Plötzlich tauchen auch wieder alle schöne Erinnerungen auf, über schöne Zeiten und unvergessliche Momente. Vielleicht lässt sich die Beziehung noch retten, auch wenn Sie jetzt gerade noch nicht weiß, wie? Und was soll erst mit den Kindern passieren, wenn Sie mit Ihrem Partner nicht mehr zusammen sind? Vielleicht kommt dann ein anderer Partner und der behandelt die Kinder schlecht. Das können Sie Ihrem Partner und den Kindern doch nicht antun. Und wie würden Verwandte und gemeinsame Freunde darüber denken? Auf der anderen Seite ist Ihnen aber auch klar, dass es so nicht mehr weiter gehen kann. Sie wissen, dass dies auf Dauer Sie unglücklich machen würde, bei dieser Person weiterhin zu bleiben. Auch sexuell läuft da nichts und ihr habt schon seit einer Ewigkeit nicht mehr miteinander geschlafen. Sie spüren deutlich, dass ihr euch auseinandergelebt habt und Sie sehen eigentlich keine Möglichkeit mehr, sich in irgendeiner Form wieder anzunähern, denn Sie haben schon so vieles ausprobiert und nichts hat funktioniert. Entscheidungen sind unheimlich wichtig, denn diese prägen unseren gesamten Alltag. Ein Entschluss trägt Veränderungen mit sich. Und nur durch Veränderung kann persönliches Wachstum, Glück und Liebe entstehen. Alles verändert sich und alles ist miteinander verknüpft. Wir treffen jeden Tag viele Entscheidungen, ob wir wollen oder nicht. Wenn wir nicht fähig sind Entscheidungen für uns selbst zu treffen, dann treffen andere diese für uns. Tagtäglich müssen wir entscheiden, wie wir den Tag planen, wie wir uns ernähren, was wir anziehen oder welche Orte wir besuchen und mit wem wir uns umgeben. In den meisten Fällen treffen wir Entschlüsse aus dem Bauch heraus. Manche von ihnen sind leicht zu treffen, während andere ein bisschen Bedenkzeit benötigen. Wichtige Lebensentscheidungen sind schwerer zu treffen, denn diese können große Veränderungen mit sich tragen, dennoch ist langes Nachdenken nicht immer erforderlich. Doch dann gibt es da noch eine ganz andere Sorte von Entscheidungen. Die Entscheidungen, die sich so schwierig anfühlen, dass wir am Ende gar nichts entscheiden und doch unglücklich damit sind. Ein regelrechter Kampf findet in uns statt. Und ganz schön oft sitzen Sie in solchen Momenten in einer Zwickmühle fest und quälen sich selbst. Die richtige Entscheidung kann sich zum Sieger Ihres Lebens machen. Wer sich nicht entscheiden kann, bleibt in seinem eingelaufenen Hamsterrad stecken und blockiert dadurch die eigene Glückseligkeit. Entscheiden Sie sich Ihren grauen und langweiligen Alltag hinter sich zu lassen und so zu leben, wie sie es wollen. Verschieben Sie nichts auf morgen, denn jeder Moment ist einzigartig und kehrt nie wieder zurück. Treffen Sie heute selbstbewusst und angstfrei die Entscheidung nichts mehr dem Zufall zu überlassen.

Also sind Sie bereit für die Reise ins eigene „Ich"?

Um zu verstehen, ob Sie bereit sind, dieses Aufbauprogramm mit mir durchzugehen, müssen Sie die folgenden vorrangigen Fragen offen, positiv und so ehrlich wie möglich beantworten. Sie finden es vielleicht sozial nicht akzeptabel und vielleicht auch nicht richtig, auf alle Fragen mit einem „Ja" zu antworten. Allenfalls wollen Sie es auch nicht laut herausposaunen oder Sie sind noch nicht bereit dafür, aber es reicht nur, wenn sie nur nicken. Und wenn sie gar nicht antworten wollen, dann sagen sie es wenigstens zu sich selbst und seien Sie ehrlich zu sich selbst. Es erfordert sehr viel Mut, Überwindung und Kraft, vieles im Leben, das für einen wichtig ist, auf einmal zu ändern. Aber vergessen Sie nicht, Sie können keine Änderungen im Leben erzielen, wenn Sie immer das Gleiche tun.

Wichtige Fragen:

1. Sind Sie bereit, Ihr Äußerliches, Ihr Umfeld und Ihre Gewohnheiten falls nötig zu ändern?
2. Sind Sie bereit, sich zu öffnen, Ihre Gedanken, Ihre Wünsche und Ihr Innerliches preiszugeben?
3. Sind Sie auch bereit, Ihren Freundeskreis zu überdenken und ggf. manche Freunde zu meiden?
4. Ist einen Partner/-in zu finden das wichtigste Ziel Ihres Lebens?

5. Sind Sie bereit, im Rahmen der Legalität und Moralität alles zu tun, um einen Partner/-in zu finden?
6. Sind Sie bereit, Ihre Zeit, Ihre Energie und natürlich auch Geld zu investieren und alles Nötigen zu tun, um Ihren zukünftigen Partner/-in zu finden?

Möglicherweise beantworten Sie nicht alle gestellten Fragen sofort mit einem „ Ja " oder sind noch unschlüssig. Vielleicht ist es nicht der richtige Zeitpunkt, um diese Neuerung in Ihrem Leben zu starten oder Sie sind unsicher und brauchen noch Zeit.

Doch wenn Sie seit geraumer Zeit dauernd dieses quälende Gefühl tief in sich spüren, sich daher unzufrieden, unglücklich fühlen und wissen nicht, wie sie es ändern können. Wenn Sie Zweifel haben und Ängste Sie auffressen Sie auf und egal, wie sehr Sie darüber nachgrübeln, kommen Sie nicht auf keinen grünen Zweig. Egal, wie sehr Sie es wenden und drehen, Sie wissen nicht, wie Sie es anstellen können. Außerdem sind Sie vielleicht auch noch unruhig, wachen mitten in der Nacht auf und können nicht weiterschlafen, daher sind Sie tagsüber müde, können sich nicht konzentrieren und Ihre schlechte Laune ist meterweit spürbar. Auf Dauer wird es dann immer schlimmer, denn Ihr Körper macht das nicht lange mit, die Folgen können verheerend sein. Hoher Blutdruck kann auftreten, Sie werden geplagt von ständigen Kopfschmerzen, Verspannungen im Nackenbereich, Schlaflosigkeit und das kann sich dann weiter ziehen wie ein Rattenschwanz bis zu chronischen und psychischen Krankheiten.

Wollen Sie so weit kommen? Auf was warten Sie? Wäre jetzt nicht der richtige Moment um zu starten? Sie müssen etwas tun und zwar jetzt. Kommen Sie jetzt nicht mit irgendwelchen: „ Ich bin zu dick. Ich habe keine Zeit. Ich bin zu attraktiv, zu alt oder zu dies oder zu das." Denn das sind nur Ausreden und nur Gründe, um nichts zu starten. Die meisten möchten Änderungen haben, Sie möchten alles haben, aber dafür nichts tun. Denken Sie an den Lottoschein, Sie müssen ihn ausfüllen, um gewinnen zu können.

Wenn Sie noch mit Ihren Zweifeln kämpfen oder noch nicht bereit sind aus welchem Grund auch immer, bedeutet dies nicht, dass Sie dieses Aufbauprogramm aufgeben müssen. Ganz im Gegenteil, lesen Sie weiter und picken Sie sich jede Idee, die Ihnen am besten gefällt, heraus. Sie werden anfangen, Ihre Gedanken neu zu ordnen und Ihr Handeln wird dadurch auch selbstbewusster. Denken Sie immer daran, dass Ihr zukünftiger Partner/-in da draußen ist und auch nach Ihnen sucht.

Selbst wenn Sie nicht bei jeder Begegnung in dieser vorgegebenen Reihenfolge vorgehen, werden Sie sich noch viele verschiedene Taktiken und Möglichkeiten aneignen, die Ihnen helfen können, Ihre Liebesromanze in vollen Zügen auszuleben. Mit jeder neuen Begegnung, mit jedem neuen Versuch werden Sie wichtige Fortschritte machen, auch wenn Sie oft Rückschläge einstecken müssen und sich nicht auf dem schnellsten Weg befinden.

Was bedeutet der absolute Fokus?

Wenn Sie die oben gestellten Fragen positiv beantwortet haben, haben wir schon die halbe Miete. Es ist bereits ein sehr guter Anfang, und wenn Ihr absoluter Fokus darin besteht, einen Partner-/in zu finden, müssen natürlich die Taten den Worte folgen. Die meisten meiner Klienten und sogar Freunde sagen oft, dass sie so schnell wie nur möglich heiraten, dass Sie eine Familie gründen und viele Kinder bekommen wollen, aber dann boykottieren Sie ihr Vorhaben selbst und schaffen alle möglichen Hindernisse, sodass Sie Ihre Ziele nicht erreichen können.

Lustig mitanzusehen ist, wie die meisten voll motiviert und euphorisch losstarten, mit reichlich Ideen und Mut im Herzen, doch nach wenigen Wochen und bei manchen sogar nach Tagen ist die Luft raus. Wie bei einem Sprinter, der die ganze Energie in den ersten paar Meter aufwendet. Und kaum schauen sie sich um, schon hocken die meisten wieder mit Pantoffeln vor dem Fernseher und haben das Vorhaben, einen Partner im Leben zu finden, wieder als nicht so wichtig eingestuft.

Bei Unstimmigkeiten ist es ebenso wie in vielen anderen Situationen des beruflichen oder privaten Alltags wichtig, sich nicht zu verlieren, den Fokus zu bewahren und das eigentliche Ziel nicht aus den Augen zu verlieren. Doch im Eifer des Gefechts ist das nicht immer einfach. Viele geben ziemlich schnell auf, sobald sie auf Hindernisse stoßen und alles nicht so glatt läuft, wie sie es sich vorstellen, dann schmeißen sie alles hin und finden alle möglichen Ausreden um nicht weiterzumachen. Und das sind die Kandidaten, die es kaum abwarten können, wieder in ihre langweilige Komfortzone zurückzukehren und dort vor sich hin zu vegetieren. Und dies sind die drei größten Ängste, die dafür sorgen, dass viele ihre Komfortzone nur so ungern verlassen wollen: Die erste Angst ist die zu versagen. Die zweite Angst ist die vor der Anstrengung und die dritte ist die Angst vor Zurückweisung.

Innerhalb der Komfortzone müssen Sie sich diesen Ängsten nicht stellen, dadurch bleibt aber die Chance auf Wachstum und Neuerungen auf der Strecke. Neue Bekanntschaften, privates Glück, neue Erlebnisse, beruflicher Erfolg, körperliche Gesundheit oder persönliche Fortschritte werden Sie zwangsläufig nicht innerhalb Ihrer Komfortzone finden können, sondern Sie müssen den Schritt nach draußen wagen.

Wenn Sie sich aus der Komfortzone wagen, kommen Sie erst mal in eine Angstzone, die unangenehm ist und Sie regelrecht quält mit Unsicherheit und Ablehnung. Wenn Sie diese durchstehen, kommen Sie in eine Lernzone, dort können Sie Selbsterfahrungen sammeln und Selbstvertrauen aufbauen. Erst dann kommen Sie in die Wachstumszone, wo Sie Selbstsicherheit und Zufriedenheit erfahren können. Sie müssen die Komfortzone verlassen, um Ihr Leben ändern zu können. Natürlich können Sie dies bewerkstelligen, indem Sie sich Prioritäten setzen und Ihr Ziel immer vor Augen haben.

Umgeben Sie sich daher mit Menschen, die besser sind als Sie selbst und von denen Sie auch was lernen können. Wählen Sie Menschen aus, deren Verhalten besser als Ihres ist und Sie werden in diese Richtung tendieren.

Personen mit einer positiven Einstellung schaffen es, auch die Personen um sie herum zu motivieren, zu ermutigen und zu inspirieren. Sie haben nicht einfach nur eine gute Zeit, sondern machen aus jedem Moment einen großartigen. Diese Menschen sind unglaublich wichtig, da sie einen nicht nur auf einer emotionalen und geistig-seelischen, sondern auch auf einer intellektuellen Ebene stimulieren.

Denken Sie immer daran: Gleich und Gleich gesellt sich mit Leichtigkeit. Daher fangen Sie selbst an, positive Gefühle und Gedanken auszusenden. Das heißt jetzt nicht, dass Sie sich komplett verstellen müssen. Bleiben Sie sich selbst treu, bleiben Sie jedoch wissbegierig, neugierig, hören Sie anderen zu und unterstützen Sie sie in ihren geplanten Zielen. Setzen Sie sich erreichbare Ziele und sprechen Sie mit Ihrer Feedback-Gruppe darüber, was Sie in nächster Zeit alles erreichen möchten. Wer sich realistische Ziele setzt, ist oftmals motivierter und glücklicher, da die eigene Zukunft so selbst gesteuert werden kann. Schreiben Sie Ihre Ziele auf einen Block oder erstellen Sie eine Bilder-Collage, die Sie immer vor Augen haben, um sich immer wieder an Ihre Ziele zu erinnern. Gute Laune, Zufriedenheit und Fröhlichkeit sind ansteckend, also lächeln Sie, wann immer Sie können. Selbst wenn Ihnen nicht danach ist, ein Lächeln kann Sie direkt ein wenig glücklicher machen und auch Ihre Kollegen werden es Ihnen danken.

Von der Komfortzone zur Entwicklungsphase:

Komfort-Zone:

Wohlgefühl - Kontrolle - Sicherheit – Gewohnheit - Ruhepol

Angst-Zone:

Angstzustand – Unsicherheit – Panikzustand – Desorientierung

Lern-Zone:

Neuheit – Selbstsicherheit – Selbstverwirklichung – Mut-Aufbau

Entwicklungszone:

Motivation – Zielsetzung – Glücksgefühl – Selbstfindung –Spaß

Fangen Sie also bei „Ihnen" an und übernehmen Sie die Verantwortung für sich selbst, denn nur „Sie" sind verantwortlich für Ihr Wohlhaben. Niemand sonst wird Ihnen den perfekten Partner bis vor die Tür liefern, wie eine bestellte Pizza, und Ihnen dann sagen: „Machen Sie die Tür auf. Ihr neuer Partner ist da." Nicht Ihre Geschäftspartner, nicht Ihre Familie und auch nicht die super besten Freunde werden dies tun. Je weniger Verantwortung

Sie für sich selbst übernehmen, desto schlechter wird es Ihnen gehen.

Und es bringt auch nichts, dass Sie immer mehr Schuld den anderen Leuten zuschieben. Sie mögen Ihr Leben nicht, Sie mögen sich auch selbst nicht und jammern nur noch. Und wohin soll so eine Denkweise hinführen, ist ja wohl klar: Sie fühlen sich jeden Tag nur noch mieser. Sie werden wahrscheinlich nicht mehr die Wohnung verlassen und sich natürlich gehen lassen. Bis es Ihnen irgendwann so beschissen geht, dass Sie selber merken, dass Sie etwas ändern müssen. Also übernehmen Sie die Verantwortung für Ihr Glück jetzt und nicht, wenn es zu spät ist.

Darum fangen Sie noch heute an, Ihre Entscheidungen selbst zu treffen und damit bewusst in die Richtung zu gehen, in die Sie gehen wollen. Legen Sie los und ziehen Sie es ohne Jammern und Murren durch. Übertreiben Sie es nicht am Anfang, gehen Sie auch dabei in kleinen Schritten vor. Setzen Sie sich täglich neue, kleine Ziele und seien Sie auch glücklich, wenn Sie positive Änderungen sehen. Überfordern Sie sich aber nicht, da Sie sonst schnell die Motivation verlieren können.

Mit dieser Taktik trainieren Sie täglich Ihre Entscheidungsfähigkeit, Ihr Ego; und Sie sind dann gut gerüstet für größere, schwierigere Entscheidungen. Außerdem verschwenden Sie nie mehr Ihre Zeit und Energie im endlosen Gedankenkarrussel, das zu schlaflosen Nächten führt.

Den Fokus zu behalten, spielt fast überall im Leben eine große Rolle, verstärkt im Geschäft, im Alltag und im privaten Umfeld. Auch in schwierigen Situationen fokussiert bleiben zu können, sollte immer eine elementare Einstellung sein. Dies macht auch einen erfolgreichen Menschen aus, denn da, wo viele aufgeben, bleibt genau jener fokussiert und verfolgt verbissen seinen Traum.

Wer sich hingegen verzettelt und den Fokus verliert, dem wachsen leicht die Dinge über den Kopf. Die Ängste gewinnen die Überhand und der Erfolg bleibt aus. Der ewige Träumer. Und das passiert bei den meisten ziemlich schnell.

Heutzutage sind wir alle in allen Lebensbereichen immer stärker gefordert, wir wollen die vielfältigen Bedürfnisse und Ansprüche auch noch unter einen Hut bringen, was überaus aufreibend sein kann und das Stresslevel steigen lässt. Die Menschen sind ungeduldig, alles muss ziemlich schnell gehen und sofort realisierbar sein. Entwicklungen wie etwa das viel diskutierte „Burnout-Syndrom" dürften hier die Ursache sein. Trotzdem ist es entscheidend, den Blick zu schärfen und fokussiert zu bleiben, um sich damit nicht von den alltäglichen Hindernissen zum Ziel abbringen zu lassen. Daher ist es wichtig, sich Prioritäten zu setzen.

Auch bei Gesprächen mit potenziellen Partnern ist es ratsam, sich die Themen genau auszusuchen, um damit zu versuchen das Gespräch leiten zu können. Natürlich ist es wichtig, sich selbst nicht aus dem Blick zu verlieren und die Kontrolle zu behalten. Wie schön wäre es doch, wenn es dafür ebenfalls eine Erfindung gäbe, ganz so wie der automatische Fokus in der Fotografie. Immer perfekt ausgerichtet, immer messerscharf und an die jeweilige Situation angepasst, ohne dass man sich um weitere Justierungen kümmern muss. Sie sind ständig damit verbunden, das Ziel nicht aus den Augen zu verlieren und den Fokus bei jeder Gelegenheit zu behalten.

In vielen Büchern über Motivation, Erfolg oder sogar Spiritualität wird immer berichtet und felsenfest bestärkt, dass jeder für sein eigenes Leben, für sein eigenes Glück, Wohlergehen und sein eigenes „Ich" verantwortlich ist. Alle Motivatoren, Lehrer und sogar Psychologen auf verschiedenen Seminaren und Vorlesungen bekräftigen, dass jeder aus eigener Kraft etwas tun muss, um glücklich sein zu können. Dass jeder Einzelne von uns selber für sein eigenes Wohlergehen verantwortlich ist.

Viele Autoren oder auch Partnervermittler schreiben darüber, was man alles tun sollte um den perfekten Partner zu finden. Was viele nicht konkret sagen, ist, dass Sie nicht nach dem perfekten Partnern suchen sollten, denn diesen gibt es nicht. Sondern nach einem Partner, der zu Ihnen passt, wie ein Deckel auf einen Topf. Ein Partner fürs Leben. Eine Person, die Sie lieben können, mit allen Macken und Angewohnheiten, die Sie vielleicht anfangs nicht mögen. Denn schließlich verlieben Sie sich in diese Macken und Angewohnheiten, die dieser Mensch mit sich trägt und ihn oder sie auch zu einer besonderen und einzigartigen Person macht. Schließlich haben Sie auch Macken und Angewohnheit, die der Partner akzeptieren sollte, dass eine Zweisamkeit überhabt möglich sein kann. Sie sollten Rückschläge annehmen, sich anpassen und verändern können, denn eine Beziehung ist ein Geben und Nehmen.

Vielleicht sehen Sie das anders oder haben gemischte Gefühle, wenn es darum geht, sich wieder mit einem neuen Partner einzulassen. Sie haben vielleicht Bedenken, die auf alten Narben noch beruhen, Vorahnungen oder Ängste, die Sie noch nicht völlig verarbeitet haben. Alte familiäre Enttäuschungen, die Sie sehr verletzt haben oder auch Wut, die in Ihnen noch brodelt.

Die folgenden Abschnitte helfen Ihnen zu verstehen, oder besser gesagt, sich selbst zu fragen, ob Sie wirklich bereit sind für diesen Schritt. Diese erläutern, was zu tun ist, wenn Sie dieses Vorhaben als eine absolute Priorität in Ihrem Leben sehen.

Die Partnersuche ist mit Kosten verbunden

Die Suche nach dem passenden Partner ist abgesehen von Zeit, Überwindung und viel Kraft auch mit Kosten verbunden. Und mit Kosten meine ich auch richtiges Geld. Ich wäre sehr erfreut, wenn ich Ihnen sagen könnte, dass ich hier geheime Tipps auf Lager habe, damit Sie nicht Geld in der Hand nehmen müssen, aber ich muss Sie leider enttäuschen. Eine erfolgreiche Partnersuche ist mit Investitionen verbunden.

In erster Linie gibt es die direkten Kosten, wie die Registrierung für seriöse Partnerbörsen oder auch Heiratsagenturen, Tickets für bestimmte Veranstaltungen, angesagte Partys und viele andere Dinge, die ausschlaggebend sein können für den Erfolg. Sicherlich gibt es auch kostenlose Partnerbörsen oder Dating-Seiten, aber solche Anbieter sind meistens unseriös und die Profile, die dort angezeigt werden, sind meistens nicht verifiziert und daher auch nicht echt. Hinter den hübschen Fotos verbergen sich meistens skrupellose Betrüger, die versuchen, ein Opfer zu finden.

Und dann gibt es die indirekten Kosten, bzw. die persönlichen Kosten, die wichtig sind für die Verbesserung des Erscheinungsbildes, wie neue modische Klamotten, Friseure, Ästhetik, Fitness-Center und verschiedene Diäten. Natürlich können die Kosten variieren und abhängig von den verschiedensten Situationen kann der Aufwand erheblich sein.

Möglicherweise fangen Sie von Null an. Vielleicht müssen Sie sich sogar einen Computer kaufen und einen Internet-Anschluss in Ihrer Wohnung erst installieren lassen, um mit dem Chatten im Internet beginnen zu können. Kann auch sein, dass Sie auf dem Land wohnen und keinen guten Netzempfang haben, müssen deswegen in einen dichter besiedeltes, zentraleren Gebiet ziehen, um besser vernetzt sein zu können. Nur keine Panik über diese anfangs belastenden Kosten. Wie jeder gute Geschäftsmann Ihnen sagen würde, investieren Sie kosteneffizient, breit gestreut und am besten langfristig.

Investieren Sie bedacht und sinnvoll, in der Hoffnung, dass sich die Investition in der Zukunft wieder auszahlt. Es ist so, als würde man in ein neues Unternehmen investieren, indem man verschiedene Büroräume einrichtet oder sich neue Maschinen zulegt. Weiter haben Sie Kosten für die Beschaffung von Materialien und Personalkosten. Und um den Radius zu erhöhen sollten Sie zielgerichtete Werbekampanien schalten, um damit so viele Aufträge an Land ziehen zu können, wie nur möglich.

Der Return on Investment wäre in dem Fall ein gewinnbringendes Geschäft. In unserem Fall ist der Return on Investment, den richtigen Partner zu finden. Also als erstes setzten Sie ein Budget fest, um damit die Kosten decken zu können, die sicherlich entstehen werden, um Ihren zukünftigen Partner/-in finden zu können. Natürlich wird jeder von Ihnen einen anderen Betrag für dieses Projekt zur Verfügung haben oder bereit sein, zur Verfügung zu stellen, aber als allgemeine Regel wäre ratsam, Sie widmen 10% Ihres Jahreseinkommens diesem Vorhaben. Natürlich erhöhen Sie Ihre Chancen, wenn Sie 15% oder mehr zur Verfügung stellen können. Daher erhöhen Sie mit allen mitteln Ihre Chancen. Je höher der Einsatz umso erfolgreicher kann das Unterfangen werden. Je mehr Sie bereit sind zu investieren, desto wahrscheinlicher und zeitnah wird der Erfolg sich Ihnen offenbaren.

Was könnte es Zufriedenstellendes geben, als das eigene investierte Geld in Freue umzuwandeln um die tiefsten Träume verwirklichen zu können? Welchen besseren Nutzen können Sie für Ihr Geld erzielen, als den langersehnten Partner/-in endlich begegnen zu können, und mit dieser Person lachen zu können, Spaß zu haben und Ihr Leben mit diesem zu verbringen?

Es ist nicht zwingend erforderlich, dass der betreffende Betrag aus der aktuellen Gehaltsabrechnung stammen muss. Sie können es auch von Ihrem Ersparten von einem Sparbuch abheben oder aus einer Kapitalanlage, die Sie vielleicht vorzeitig auflösen können.

Viele werden jetzt sagen: „Oh nein, nicht die Kapitalanlage oder nicht mein Sparbuch. Dieses Ersparte wird nicht angefasst."

Sicherlich haben die meisten diese Ersparnisse auf die Seite getan für die Altersvorsorge, für das eigene Heim oder für wichtige Investitionen. Worüber wir hier gerade sprechen, ist eine fundamentale Investition, einen Lebensveränderung, wenn nicht sogar die wichtigste. Es geht um Ihren Wohlstand, um Ihr Liebesleben und um eine glückliche Zukunft. Was bringt es, wenn Sie irgendwann einen großen Batzen Geld angehäuft haben und dann allein in Ihrem schönen Eigenheim sitzen?

Das ist ein gravierender Fehler, den viele machen. Die meisten denken sich, erst ein Haus kaufen, sich finanziell absichern und sich danach auf die Partnersuche zu konzentrieren. Doch dann kann es zu spät sein. Vielleicht werden Sie nicht mehr die Energie und Motivation haben, die Sie jetzt haben. Je älter man wird, desto kleiner wird die Wahrscheinlichkeit, dem geeigneten Partner begegnen zu können. Man hat dann viel weniger Zeit, um die Partnerschaft festigen zu können, für eventuelle Planungen oder sogar für Kinder. Das gemeinsame Wachstum fehlt einfach und man geht schwer Kompromisse oder Veränderungen ein. Man braucht Jahre, um einen Menschen richtig kennenzulernen, um dieser Person vertrauen zu können oder für diesen Menschen durchs Feuer zu gehen. Also schieben Sie nicht Ihr Liebesglück auf den letzten Platz, denn dieses sollte sogar an erster Stelle sein und dann zusammen mit diesem Menschen die gemeinsame Zukunft aufbauen. Das Kostbarste, was wir nicht im Überfluss haben, ist die Zeit.

Dies ist die große Angst von vielen, die wissen, dass sie ihr Leben mit Unwichtigem einfach verplempern, aber nichts dafür tun und bewusst ihre Ziele, ihre Träume auf morgen schieben. Nur keine Anstrengung, nur kein Risiko, dann kann auch nichts schief laufen. Für diese Menschen wird die Zeit immer ihr schlimmster Feind sein. Solche Menschen verharren in ihrem Hamsterrad, kommen einfach nicht weiter und jammern nur noch. Meiden Sie solche negativen Menschen, auch wenn es sehr gute Freunde sind oder sogar Familienmitglieder. Sie wissen alles am besten, sind richtige Meister darin, die Träume anderer zu zerstören, sind richtige Energieräuber und versuchen ihr eigenes Versagen durch ihre Mitmenschen, Freunde und Verwandte rechtfertigen zu lassen. Wie eine Droge rauben sie Ihre Sinne, Ihre Nerven, Ihre Zeit und können viel Raum in Ihrem Handeln, Denken und Fühlen einnehmen. Diese haben die Fähigkeit, die tiefsten Ängste in Ihnen zu wecken, Sie unsicher zu machen und dadurch zu bremsen. Ununterbrochen jammern sie, beklagen sich über alles und jeden, sie machen sich zum Opfer und fesseln einen, wie eine Spinne im Netz. Meiden Sie solche Menschen, seien Sie nicht respektlos oder unhöflich mit ihnen und, wenn es unvermeidbar ist, lassen Sie sich auch auf einen Smalltalk ein, aber wenn möglich machen Sie einen großen Bogen um solchen Menschen. Sie sind ansteckend, sehr negativ und Gift für Ihre Ohren.

Meiden Sie oder zumindest verringern Sie auch die Teilnahme an dem heißgeliebten Kaffeekränzchen, denn diese werden meistens von Singles besucht, die nur über Paare herziehen, nur Negatives von sich geben und über jeden lästern. Halten Sie sich daher mit Menschen auf, die Ihnen Energie geben, die Sie motivieren, Ihnen

Mut machen und Sie unterstützen. Sie merken dies, indem Sie sich dabei wohl fühlen, motiviert sind und sich gerne mit diesen Menschen unterhalten. Daher setzen Sie eigene Maßstäbe, vermeiden Sie Zeitverluste und lassen Sie sich nicht negativ beeinflussen. Setzen Sie hier ruhig ambitionierte Zeitlimits für die jeweilige Aufgabe ein und lassen Sie sich nicht von Ihrem Weg abbringen.

Für diejenigen, die verstanden haben wie kostbar jede Minute, jede Stunde, jeder Tag ist und für sich selbst das Wesen der Vergänglichkeit begriffen haben, wird die Zeit zu einem Verbündeten, zu einem stillen Begleiter, einem kostbaren Besitz, eine Truhe voller Erinnerungen, jeden Moment unseres Leben auszukosten, wie ein lieblicher Wein, der einem die Sinne raubt.

Zum Thema Zeit und Umfeld werden wir später einige wichtige Punkte noch etwas vertiefen.

Um nochmal auf das Ersparte zurück zu kommen, will ich ein altes Sprichwort zitieren. Und dieser besagt: „Ohne Moos, nix los."

Es steckt sehr viel Wahrheit in diesen vier kurzen Wörtern. Damit will ich verdeutlichen, dass eine gewisse Investition zwingend erforderlich ist. Viele von Ihnen haben sicherlich eine gewisse Summe auf die Seite gelegt, für die dunklen Zeiten, für eventuelle Notfälle. Nun gut, dies ist ein Notfall. Sie sollten die Partnersuche als Notfall sehen und als wichtiger Bestandteil eures Wohlbefindens. Grundlegend ist es, umzudenken und sich neu zu organisieren, denn es ist sehr wichtig, das Richtige die letzten Ressourcen für die Partnersuche einzusetzen. Die Suche nach dem Liebesglück ist einer dunklen Zeit gleichzusetzten. Dem richtigen Menschen zu begegnen kann Ihr Leben verändern und die sonst so trüben, dunklen und bewölkten Tage in einen wunderschönen sonnigen Tag verwandeln.

Und wenn Sie keine Reserven auf die Seite getan haben, erwägen Sie die Möglichkeit, einen Kredit auf sich zu nehmen. Vielleicht bekommen Sie von den Banken kein Geld mehr, dann gibt es die Möglichkeit, Familienmitglieder oder auch gute Freunde darum zu bitten. Muss ja keine große Summe sein, aber zumindest können Sie starten. Sicherlich gibt es auch andere Wege, die finanzielle Situation verbessern zu können. Man kann vorübergehend einen Nebenjob annehmen, versuchen die Fixkosten radikal zu senken oder sich einen effizienten Ausgabenplan erarbeiten.

Natürlich bin ich auch gegen Kredite oder Verleihungen von Geld und ich weiß, dass die meisten jetzt denken: „Oh nein, Schulden auf sich zu nehmen für die Partnersuche finde ich keine so gute Idee."

Wir sprechen hier gerade über einen Ernstfall. Stellen Sie sich vor, Sie hätten einen schlimmen Schaden oder eine wichtige Rechnung dringend zu begleichen, dann würden Sie alle Hebel in Bewegung setzen, um das Geld aufzutreiben. Wie ich Ihnen verdeutlichen will, ist die Partnersuche mit einem Notfall gleichzustellen. Sie müssen massive Maßnahmen anwenden, um erfolgreich sein zu können. Ihre Zukunft, Ihr Glück, Ihre Familie hängen davon ab, was Sie heute tun.

Ich weiß nicht, wie alt sie gerade sind, aber wenn sie Ende 30 oder über 40 sind, kann diese Suche sehr nervenaufreibend und zeitaufwendig sein. Es wird zu einem Rennen gegen die Zeit und ist mit einer absoluten Notsituation gleichzustellen. Ab dem 35. Lebensjahr scheint die Zeit sich viel schneller zu bewegen und wenn Sie bis dorthin noch nicht unter der Haube sind, dann ist die Ehe definitiv ein Notfall. Also müssen Sie schnell und konsequent handeln. Eröffnen Sie ein Bankkonto, um damit Ihr Liebesglück finanzieren zu können.

Wann immer Sie sich entscheiden, einer anspruchsvollen Partnervermittlung oder einer seriösen Heiratsagentur beizutreten, brauchen Sie ein paar Euros. Zum Friseur mal wieder gehen oder der Kosmetikerin einen Besuch abstatten und schon wieder brauchen Sie Geld. Mitglied in einem Fitnesscenter werden, um die Figur wieder auf Vordermann zu bringen oder sich neue Klamotten zu beschaffen, um den Look wieder aufzupeppen, das alles kostet Geld. Daher brauchen sie ein separates Bankkonto, sagen wir ein Partnersuchkonto, von dem sie alle diese oben genannten Ausgaben finanzieren können. Und glauben Sie mir, jeder Cent ist es wert. Scheuen Sie keine Kosten, denn es geht um Ihre Zukunft. Es sind Gelder, die Sie für sich selber investieren.

Nachdem Sie alle Schritte in diesem Buch durchgelesen haben und sich einem Bild vom Ganzen gemacht haben. Können Sie anfangen Schritt für Schritt die Bereitstellung und Verteilung von ganzem Budget, den Sie zur Verfügung haben zu planen. Machen Sie es nicht kompliziert, in der Einfachheit liegt der Erfolg.

Planen Sie wöchentliche oder monatliche Ausflüge am besten mit organisierten Gruppen. Je nachdem, welche Maßnahmen Sie unternehmen werden oder welche Strategien Sie für am effektivsten halten und wie viel Geld Ihnen zur Verfügung steht. In einigen Monaten werden ein paar Euro völlig ausreichen, in anderen werden Sie mehrere hundert Euro brauchen. Je nachdem, wie intensiv Sie an die Sache herangehen.

Mit der Zeit, wenn Sie schon mehrere Maßnahmen, Ausflüge oder Veränderungen durchgeführt haben, können Sie ihr prüfen und vergleichen, welche Maßnahmen am effizientesten waren. Wichtig ist auch, sich alles aufzuschreiben, um festhalten zu können, welche Aktionen Sie weitergebracht haben. Sie wollen ja kein Geld einfach so herauspulvern, sondern es muss was bringen, denn Sie haben ein Ziel.

Die folgenden Punkte habe ich noch mal aufgelistet. Diese sind sehr wichtig für einen neuen Look, für ein frisches und energievolles Auftreten. Jede Maßnahme sollte natürlich auch von Ihrem Partnersuchkonto finanziert werden. In den weiteren Schritten werden wir das Thema Look und ein sicheres Auftreten noch etwas vertiefen.

Wichtig für einen neuen Look:

- Sie brauchen neue Kleidung. Kaufen Sie Klamotten, die zu Ihnen passen. Lassen Sie sich ruhig von einem Stylisten oder einer Person, die sich mit Moder auskennt beraten.
- Eventuell brauchen Sie auch einen neuen Haarschnitt. Haben Sie keine Angst die Haare abzuschneiden. Versuchen Sie etwas Neues.
- Wenn Sie mit dem Abnehmen oder auch Zunehmen nicht weiterkommen, dann holen Sie sich professionelle Hilfe von einer Ernährungsberatung oder Diätologe.
- Gehen Sie regelmäßig ins Fitness-Center oder besuchen Sie auch Tanzkurse. Diese Aktivitäten bringen Sie auf andere Gedanken, schütten Glückshormone aus und Sie kommen mit anderen Menschen in Verbindung.
- Registrieren Sie sich bei Online-Partnervermittlungen. Vergleichen Sie die verschiedenen Angebote und lesen die Bewertungen von anderen.
- Besuchen Sie Single-Partys. Seien Sie nicht schüchtern oder zurückhaltend. Denken Sie nicht soviel. Stürzen Sie sich ins Getümmel und trauen Sie sich.
- Besuchen Sie Veranstaltungen wie Speed-Dating oder Blind-

Dating. Solche Aktionen können sehr lustig sein und bringen Sie in Verbindung mit anderen Singles.

Sonstige Kosten:

- Beschaffung eines neuen Computers / Smartphone
- Internetschluss
- Fotoshootings / Werbevideos
- Schulungen / Seminare / Aufbaukurse
- Ästhetische Kosten für verschiedene Behandlungen

Verbessere Sie Ihre Chancen

Nachdem Sie ein Budget für die Partnersuche zur Verfügung gestellt haben, konzentrieren Sie sich jetzt darauf, ihre Chancen zu erhöhen, um schnell einen Partner/-in finden zu können. Die verschiedensten Praktiken, die wir hier durchgehen, befassen sich hauptsächlich mit den Möglichkeiten und mit den Chancen, die sich einem bieten. Das Motto lautet, wir müssen zur richtigen Zeit am richtigen Ort sein und das Richtige tun. So ist es bei allem im Leben.

Leider sind die Chancen nicht zugunsten von denjenigen, die Ende 30 oder über 40 Jahre alt sind. Sie müssen viel mehr tun, sich viel mehr einfallen lassen, um Ihre Chancen zu erhöhen. Wenn Sie Ihr Ziel fest vor Augen haben und fokussiert sind, werden Sie jede Entscheidung genau durchdenken und Sie werden sich immer vergewissern, ob Sie sich auf dem richtigen Weg befinden.

Angenommen, Sie gehen mit Freunden weg und kennen eine reizende Person, die Ihnen wahnsinnig gefällt und auf Anhieb verstehen Sie sich auch mit der Person super. Nach mehreren Drinks landen Sie am gleichen Abend mit der neuen Errungenschaft direkt im Bett und haben mit der Person irrsinnig viel Spaß. Wie seriös würden Sie so eine Person einschätzen? Würden Sie mit so einer Person eine ernsthafte Partnerschaft eingehen? Wahrscheinlich sind die Chancen nicht sehr hoch. Es gibt sicherlich Ausnahmen und man sollte nicht alles über einen Kamm scheren.

Aber basierend auf meinen Recherchen und jahrelangen Erfahrungen, durch Erzählungen, Beratungen und auch aus eigenen Erlebnissen, kann ich sagen, dass es nur wilder Sex ist. Und auf das Thema Sex werden wir auch später zu sprechen kommen.

Eine Person, die am gleichen Abend mit Ihnen ins Bett geht, ohne Sie zu kennen, ist meistens jemand, der nur Spaß haben will und sicherlich nicht an einer ernsthaften Bindung interessiert ist. Nehmen Sie es auch als solches an. Sie haben Spaß gehabt und es hat Ihnen gut getan, aber bilden Sie sich nichts ein, in den meisten Fällen können Sie auf so einer Person nicht aufbauen. Ich muss auch dazu sagen, dass solche schnellen Sexaktionen ein sehr schneller Weg sein können, Spaß zu haben und sogar eine Enttäuschung loszuwerden.

Um Ihre Chancen zu optimieren, um den richtigen Partner/-in begegnen zu können, ist es ratsam, nicht gleich am ersten Date mit dieser Person ins Bett zu hüpfen und somit sich die Wahrscheinlichkeit auf einer Partnerschaft zu vermiesen. Durchleuchten Sie die Person. Mit einfachen Fragen können Sie herausfinden wie diese tickt, welche Prioritäten sie hat oder ob diese Person mit jedem ins Bett geht.

Dazu eine kurze Erzählung von mir. Ich habe einen sehr guten Freund, der genau solche Spielkameradinnen sucht. Der Typ sieht super aus, er ist groß und schlank, eine Art George Clooney-Verschnitt. Und die Frauen fliegen auf ihn, er zieht sie regelrecht magnetisch an und er nutzt es voll aus, denn er ist sexsüchtig. Er sucht sich genau solche Kandidatinnen aus, die er sofort am gleichen Abend nageln kann. Natürlich meldete er sich bei derjenigen nicht mehr, denn er ist verheiratet und hat sogar zwei Kinder. Ein paar Tage danach kriegt er meistens die gleiche Message und die lautet: „Du bist ein Schwein! Sicherlich hast du Frau und Kinder daheim und gehst mit jeder ins Bett."

Darauf antwortet er meistens: „Und du bist eine Schlampe! Denn du gehst gleich mit jedem ins Bett."

Ich weiß, dass es verrückt ist und absolut krank, aber er kann es nicht lassen. Er hat wahnsinnigen Spaß dabei und er sagt immer, dass es sein Hobby ist. Außerdem zwingt er keinen, sondern die Frauen gehen freiwillig mit ihm ins Bett. Und obwohl er grob und sehr frech mit den Mitspielerinnen ist, melden sich 95 % der Frauen wieder und wollen weiterhin mit ihm Sex haben. Obwohl sie wissen, dass er eine Frau und Kinder daheim hat. Ist die Welt nicht verrückt?

Glauben Sie mir, dass es voll da draußen ist von Individuen, die verheiratet sind und hemmungslos mit jedem ins Bett steigen. Daher ist es wichtig, eine Person kennenzulernen, diese zu durchleuchten bevor man diesen Menschen als Lebenspartner bezeichnen kann. Sicherlich wollen Sie auch nicht mit einer Person zusammenkommen, die mit jedem ins Bett steigt.

Wenn Sie stattdessen mit einer Person weggehen, die bereits verheiratet ist, wie hoch denken Sie stehen die Chancen, dass diese sich vom Ehepartner trennt und sich mit Ihnen einlässt?

Nach den vielen Erzählungen von meinen Klienten, Freunden und aus eigenen Erfahrungen kann ich Ihnen sagen, dass die Chancen gleich null stehen. Dazu gebe ich Ihnen einen Ratschlag von meiner Seite, den ich immer jedem empfehle: Lassen Sie die Fingern von anscheinend perfekten Personen, die bereits verheiratet sind. In den meisten Fällen ziehen Sie den Kürzeren und Sie verbrennen Sie sich die Finger.

Dass eine bereits verheiratete Person sich von Ihrem Ehepartner trennt und sich mit Ihnen einlässt, passiert in den seltensten Fällen und ist einem Lottogewinn gleichzustellen.

Am Ende sind Sie dann der Grund, warum die Ehe in die Brüche ging, haben vielleicht eine Tragödie verursacht, die Kinder sind traumatisiert, dazu sage ich nur Karma. Schließlich sind Sie dann der große Verlierer, haben eine Familie auf dem Gewissen, Schuldgefühle ohne Ende und ein gebrochenes Herzen.

Natürlich wird es immer eine geringe Chance geben, dass etwas einfach so passiert, nennen wir es Zufall. Zum Beispiel, dass Sie beim Einkaufen im Supermarkt, während Sie an der Schlange stehen zum Bezahlen Ihnen eine Münze aus der Hand fällt, die dann von der richtigen Person aufgehoben wird und sie sie Ihnen wieder in die Hand drückt. Ihre Blicke treffen sich. Sie versinken in diesen wunderschönen blauen Augen und Sie wissen gleich: Sie oder er ist die / der Richtige. Jetzt Stopp! Das ist Wunschdenken. Kommen Sie wieder in die Realität zurück. Sie waren ja gleich mit den Gedanken ganz woanders. Natürlich kann so etwas passieren und vielleicht werden Sie bei der nächsten Ziehung den Jackpot gewinnen, aber wie gesagt vielleicht.

Alles im Leben ist möglich und Außergewöhnliches passiert, aber man sollte nicht drauf aufbauen oder Berechnungen anstellen, denn die Wahrscheinlichkeit ist sehr gering. Daher müssen Sie mit den Waffen arbeiten, die Sie realistisch zur Verfügung haben. Träumen können Sie sicherlich den ganzen Tag, aber nur konkrete Aktionen bewirken Reaktionen.

Seien Sie daher wachsam, mutig, frech und nutzen Sie jede Gelegenheit, um ins Gespräch zu kommen, auch im Supermarkt. Ich finde, dass Supermärkte oder Läden an sich wunderbare Orte sind, um mit Leichtigkeit ins Gespräch zu kommen. Sie sind eine Riesenantenne, die jedes Signal aufnimmt. Ihnen entgeht nichts, wie ein Raubtier liegen Sie auf Lauer und nehmen Sie jede noch so kleine Witterung auf.

Verändern Sie Ihre Gewohnheiten

Wie stehen Ihre Chancen, den richtigen Partner/-in finden zu können, wenn Sie jeden Morgen allein in Ihrer Küche hocken und Kaffee trinken? Oder ein leckeres Frühstück vorbereitet haben und es allein essen? Egal wie Sie es drehen und wenden, es ist praktisch fast unmöglich, zuhause die richtige Person finden zu können.

Aber vielleicht ist es auch möglich, dass während Sie Ihren Kaffee in der Küche genießen, Ihre Kaffeemaschine auf einmal einen Kurzschluss hat, diese explodiert und ein Feuer bricht aus. Rauchschwaden bilden sich, die aus dem Fenster gleiten und das ganze Treppenhaus riecht nach verbrannt. Plötzlich eilt die gutgebaute Nachbarin her und klingelt bei Ihnen, um sich zu vergewissern, ob es Ihnen gut geht oder der große, starke Feuerwehrmann bricht in ihr Appartement und rettet Sie aus dem Flammeninferno, während er Sie in den muskulösen Armen hält und Sie liebevoll nach draußen trägt.

Hallo! Wachen Sie auf! So etwas passiert in einem Hollywoodstreifen. Na gut, kann ja sein, dass Ihr Kaffee so gut duftet, dass die hübsche Nachbarin oder auch Nachbar einfach bei Ihnen klingelt, um nach der Kaffeesorte zu fragen. Aber ehrlich gesagt, wie wahrscheinlich sind solche Szenarien?

Wie gesagt, alles im Leben ist möglich. Aber wenn Sie auf solche Gelegenheiten spezifisch warten, dann werden Sie lange warten. Schließlich läuft Ihnen die Zeit weg, Sie werden alt, grau und verpassen dutzende Gelegenheiten da draußen.

Wie wahrscheinlich ist es aber, dass Sie in der stylischen Bar gegenüber einer interessanten Person begegnen können? Oder wie wäre es, wenn Sie in der Früh Ihren Kaffee in einem Einkaufzentrum trinken, wo es viel Bewegung gibt, wo Sie viele elegante Menschen um sich haben? Sicherlich sind die Chancen dort viel höher als in Ihrer Küche, auch wenn vielleicht Ihr Kaffee daheim besser schmeckt und Sie sich dort wohler fühlen. In einem Café können Sie mit jemandem ins Gespräch kommen, vielleicht während Sie an der Kasse anstehen, oder sich mit jemandem einen Tisch teilen, oder Sie fragen nach dem Zucker, usw..., usw...

Die wichtigste Regel ist, dass Sie aus der Wohnung raus müssen. Sie müssen aus der Komfortzone raus. Dass die Chancen, einen Partner zu finden, viel höher draußen sind, als wenn Sie allein im Haus bleiben, steht außer Frage. Sie müssen kein Professor, Mathematiker oder ein hochgebildeter Mensch sein, um das zu wissen.

Um Ihre Erfolgschancen zu optimieren, gehen Sie jeden Vormittag in eine Bar und trinken dort Ihren Kaffee. Und das gilt auch für Ihre Mahlzeiten, essen Sie nie alleine daheim. Mit einer Gruppe essen gehen macht erstens viel mehr Spaß und ist auch der beste Weg, um mit anderen Menschen ins Gespräch zu kommen.

Ihre Freizeit

Am Wochenende haben Sie noch keine besonderen Pläne. Warum nicht? Auch wenn Sie die ganze Woche berufstätig sind, haben Sie sicherlich von Montag bis Freitag genügend Zeit, Ihr Wochenende effektiv planen zu können. Sie hätten zum Beispiel nachsehen können, ob es irgendwo in der Stadt am Wochenende interessante Veranstaltungen geboten werden, oder vielleicht Vorlesungen, Theaterstücke oder Aufführungen.

Vermeiden Sie, wenn möglich immer wiederholende Kaffeekränzchen mit alten Freunden oder auch Familienmitgliedern, denn diese sind oft negativ und können Sie von Ihrem Vorhaben abbringen. Der negative Einfluss durch unsere Mitmenschen kann Ihr Vorhaben und Ihre Denkweise drastisch beeinflussen. Das Umfeld, in dem Sie sich bewegen, hat einen enormen Einfluss auf Ihr Leben. Und zwar in einem viel größeren Ausmaß, als Sie es sich im Moment noch vorstellen. Wenn Sie in einer Gruppe von Menschen oder auch Freunden, die viel Zeit miteinander verbringt, täglich verkehren, werden Sie mit der Zeit bestimmte Veränderungen an der eigenen Person feststellen. Nach einiger Zeit werden Sie gewisse Verhaltensweisen, Redewendungen und manchmal sogar Meinungen der anderen als die eigenen übernehmen. Das liegt daran, dass wir uns unterbewusst anderen Menschen anpassen indem wir versuchen sie zu verstehen oder auch, in dem wir uns ungewollt in deren Lage versetzten. Dadurch strahlen wir ein gewisses Mitgefühl aus und wollen Zugehörigkeit und Verständnis ausstrahlen. Selbst starke Persönlichkeiten oder auch sehr erfolgreiche Menschen können diesen negativen Menschen zum Opfer fallen. Diese sind wie ein unsichtbares Spinnennetz, das sich um Ihren Verstand wickelt und Ihr ganzes Dasein und Ihre Gedanken auf einmal durcheinander bringen kann. Und das Kuriose ist, dass Sie nichts dagegen tun können, es passiert, ohne dass Sie es mitbekommen. Dieses klebrige Netz zu kennen ist ausschlaggebend für Ihre Entwicklung, für Ihre Entscheidungen und Denkweise als Einzelner. Daher ist es unglaublich wichtig, dies frühzeitig zu erkennen und sofort damit anzufangen, die falschen Menschen aus Ihrem Umfeld zu verbannen.

So laufen Sie nicht Gefahr, die schlechten Eigenschaften und die Ängste von diesen Menschen zu übernehmen. Hierbei rede ich aber nur von den wirklich negativen Menschen. Ich rede von der Art von Mensch, der alles nur schwarz sieht, der wie ein mörderisches Virus für Ihre Träume sind.

Diese giftigen Menschen sind vollkommen negativ veranlagt und ziehen alles in ihrer Umgebung mit in den Abgrund, wie eine Singularität, wie ein schwarzes Loch, das alles verschlingt. Sie reden mit ihren Mitmenschen nie auf eine kreative, aufbauende Art. Stattdessen machen sie alle anderen nieder, machen die Träume von anderen kaputt, verbreiten Angst und sind mit nichts zufrieden.

Diese Leute, sicherlich können es auch sehr gute Freunde sein, sehen alles negativ und verbreiten eine bedrückte Stimmung, wenn sie in einer Gruppe unterwegs sind. Und verrückterweiße brauchen diese Menschen die Gruppe, um ihre Ängste, ihr Versagen und ihre Unzufriedenheit verarbeiten zu können.

Daher müssen Sie wachsam sein, solche Energiefresser erkennen, regelrecht meiden und dafür Veranstaltungen, wo sich viele positive Menschen versammeln, nicht entgehen lassen. Schauen Sie im Netz, fragen Sie Freunde oder blättern Sie das

Stadtprogramm durch. Irgendwelche Aktivitäten bieten sich sicherlich, auch wenn es im Nachbarort stattfindet.

Nehmen wir an, dieses Wochenende gibt es nur zwei neue Seminare ganz in Ihrer Nähe: Im den ersten Kurs wird die neueste Harley Davidson-Maschine vorgeführt, mit all ihren Neuerungen und neusten Techniken. Das zweite Seminar ist ein Back-Workshop, in dem Sie lernen können, wie man leckere Cupcakes zaubert.

Der erste Kurs mit den Harleys macht definitiv viel mehr Spaß und ist sicherlich interessanter als der zweite. Denken Sie aber nicht, dass der zweite Kurs mit den Cupcakes von viel mehr weiblichem Publikum besucht wird? Natürlich habe ich jetzt den Fall hingestellt, dass Sie ein Mann sind und nach einer Partnerin Ausschau halten. Heutzutage ist aber alles möglich, er sucht einen er, sie sucht eine sie, dann gibt es auch noch die Diversen. Die Vorlieben sind unterschiedlich. Daher ist es wichtig, dass Sie die Veranstaltungen besuchen, die vom gewünschten Geschlecht auch besucht werden. Das Seminar mit den Harley-Maschinen können Sie irgendwann mal besuchen, wenn Sie mit dem richtigen Partner zusammen sind.

Wenn Sie wirklich entschlossen sind, müssen Sie dorthin gehen, wo auch der mögliche Partner/-in hingeht. Damit erhöhen Sie die Chance, jemanden zu treffen, der Ihnen die Sinne verdreht.

Beachten Sie, dass dies eine völlig andere Denkweise ist. Sie haben sich eine Priorität gesetzt und Ihren Fokus messerscharf geschärft. Ziel ist, den richtigen Partner an Land zu ziehen. Anstatt ein Seminar basierend auf Ihren Interessen zu besuchen, wählen Sie ihn basierend auf der Anwesenheit möglicher Partner/-innen.

Es kann vorkommen, dass Sie Geschäft mit Vergnügen verbinden können und einen Kurs finden, der von verschiedenen Personen besucht wird. Wenn zum Beispiel Fitness Ihre große Leidenschaft ist, dann sind die Möglichkeiten immens, von Gerätetraining bis Ausdauer oder Outdoor-Aktivitäten. Ich muss dazu sagen, dass ich im Fitness-Center hunderte von Frauen kennengelernt habe, von Sex-Affären bis gute Freundinnen. Aber zum Thema Ansprechtechniken werden wir etwas später zu sprechen kommen.

Ich kann Ihnen zusichern, dass Sie etliche Zeit brauchen werden, um Ihre Denkweise zu ändern. Es ist ein sehr langsamer und mühsamer Vorgang, die Gedanken neu zu programmieren, weil Ihr altes „Ich" Sie fest im Griff hat und sich einfach nicht verabschieden will.

Programmieren Sie Ihre Denkweisen und Handlungen um

Nicht jeder hat die Fähigkeit, sich 100 % mit Herz und Seele auf ein Ziel zu konzentrieren. Hartnäckig zu sein, Durchhaltevermögen zu haben und bereit, alles zu geben, ist nicht jedermanns Sache. Nach den ersten Schwierigkeiten oder Rückschlägen geben die meisten auf oder verringern die Intensität und flüchten wieder in ihrer Komfortzone.

Uns allen wurde schon als Kinder Luftschlösser verkauft. Man brachte uns bei, dass wir eines Tages, wenn wir hart arbeiten, schließlich glücklich sein werden. Wenn ich dies oder jenes jetzt mache, dann werde ich eines Tages alles erreichen. Das Gleiche gilt auch für die Partnersuche, dass wenn wir den idealen Partner finden, wenn wir genug Geld verdienen, wenn wir den perfekten Körper haben, wenn wir dafür bereit sind oder wenn wir schließlich unter der Erde liegen und uns die Radieschen von unten anschauen.

Doch die Wahrheit ist, dass das, was wir bekommen werden uns, schließlich keineswegs glücklich machen wird. Sich aber eingewöhnen, wie Sie von eigener Kraft und augenblicklich Ihre Gefühlslage ändern, aber schon. Denn warum wollen Sie im Grunde all diese Dinge? Warum sind Sie jetzt nicht glücklich? Warum streben Sie nach einer möglichen Realität?

Weil Sie glauben, dass Sie sich mit mehr Geld oder mit dem idealen Partner, mit einem schöneren Auto, mit mehr Muskeln oder Ähnlichem besser fühlen, oder? Aber wenn Sie letztlich all die Dinge erreicht haben, nach denen Sie streben. Was ist dann? Wer sorgt dann dafür, dass Sie sich weiterhin wohl fühlen? Niemand anderer als wir selbst. Warum wollen Sie dann noch warten? Tun Sie es jetzt! Sie brauchen kein Auto, keine Muskeln und auch nicht mehr Geld, um glücklich zu sein. Der jetzige Moment zählt und nicht anders. Denn die Vergangenheit ist ein Hirngespinst. Die Zukunft ist eine Illusion. Doch das Jetzt ist ein Geschenk.

Viele meiner Klienten und auch sehr gute Freunde stellen mir immer die gleichen Fragen. Nachdem sie ihr Umfeld geändert haben, sich neue Klamotten gekauft haben, die Frisur gehändert haben und auch vieles Neues ausprobiert haben, erzählen sie mir dann, dass sie alles versucht haben, doch trotz aller Mühe haben sie noch keinen passenden Partner gefunden. Voll enttäuscht und demotiviert erwarten sie von mir sogar ein Lob oder eine Bestätigung für ihr Versagen. Aber so neugierig, wie ich immer bin, bohre ich immer nach und bitte um nähere Einzelheiten.

Und lustigerweise sind es immer die gleichen Kandidaten. Sie machen und tun, aber irgendwie klappt es nicht. In dem Fall handelte es sich um einen guten Freund von mir, der schon lange auf der Suche war. Wie so oft hatte ich ein langes Gespräch mit ihm und er hat mir sogar alle Aktivitäten aufgelistet, die er durchgeführt hatte.

Er erzählte mir, dass er zu unzähligen Partys gegangen sei, jetzt auch in einem Fitnessstudio trainiert und alle möglichen Kurse in der Stadt besucht hatte. Jetzt kann er, wie ein Ladino Salsa und Tango tanzen und sogar beim Schachspielen ist er jetzt ein Meister. Als er mir die ganzen Kurse aufgelistet hatte, musste ich ihn unterbrechen, sonst redete er ununterbrochen, wie ein Wasserfall. „Welche Kurse hast du letztens besucht? Erzähl mir über den letzten Kurs", habe ich ihn gefragt.

„ Alle möglichen Kurse, Seminare und Work-Shops habe ich schon besucht." Antwortete er, während er lächelte und sich sogar freute. Ich fühlte, dass er stolz auf sich war. Sicher hatte er sich große Mühe gegeben und es war auch die richtige Herangehensweise. Und voller Stolz erzählt er mir, dass er ein NLP Kurs (Neuro-Linguistisches Programmieren) belegt hatte. Von einem anderen Freund hatte er gehört, dass sehr viele weibliche Teilnehmer diese Kurse besuchen. Daher hatte er sich entschieden, auch mitteilzunehmen. Dieser Kurs ging recht lang über das ganze Wochenende und jeweils 8 Stunden am Tag.

Während er über den Kurs alle Einzelheiten erzählte, habe ich ihn gleich wieder unterbrochen. Mich haben die Einzelheit vom Seminar eigentlich gar nicht interessiert, denn ich wollte wissen, was er daraus gemacht hat. Ich wollte herausfinden, ob er den eigentlichen Fokus, eine Partnerin zu finden, verloren hatte.

„Es muss doch die Art von Kurs sein, in der es viele sehr interessante Teilnehmer gibt, und die auch sehr elegant gekleidet sind. Und wenn es so lang ging, gab es sicherlich zahlreiche

Intervalle und Kaffeepausen zwischen den Vorlesungen?“ Fragte ich ihn, während er mich mit großen Augen anstarrte.

„ Ja“, antwortete er zögernd und erst mal verstand er nicht, wohin ich wollte.

Mit überraschter Miene fragte er mich: „Ja. Es gab mehrere Intervalle von 15 bis 20 Minuten. Warum fragst du mich nach den Pausen?“

Da ich ihn sehr viele Jahre kenne und wir recht gut befreundet sind, ziehe ich ihn manchmal auf und muss sehr über seine Erzählungen lachen. Ich bohrte wieder nach:

„Lieber Murad, was hast du in der Pause gemacht? Es gab doch sicherlich interessante Teilnehmerinnen? Und hast du vielleicht auch neben einer Hübschen Teilnehmerin Platz genommen?“

Langsam verstand er worauf ich hinaus wollte und stotternd antwortete er zögernd:

„Naja, ich saß schon neben einer Schönheit und sie hat mir auch einen Stift herübergereicht." Antwortete er.

Ich quetschte ihn weiter aus: „Ja, und was war da los? Bist du mit ihr ins Gespräch gekommen? Was hast du in den Pausen gemacht?“

Naja, ich will Sie jetzt nicht weiter Sie auf die Folter spannen. Der Typ war zwei volle Tag in einem Seminar, das von wunderschönen Frauen besucht wurde und hat nichts daraus gemacht. Hoffe nur, dass er jetzt wenigstens die richtigen Anwendungstechniken von NLP verstanden hat.

Er gestand mir sogar, dass er die ganze Zeit in der Kaffeepause allein dasaß und wartete, bis die Vorlesung wieder losging. Ich sag nur, zum Kopfschütteln. Mein lieber Freund Murad hat einfach den Fokus verloren, er hat sein Ziel aus den Augen verloren. Absichtlich hatte er sich für diesen Kurs entschieden, weil er von vielen weiblichen Besucherinnen besetzt war. Jedoch hat er seine Priorität, eine Partnerin zu finden, nicht in den Vordergrund gestellt und die Chance verpasst.

Sicherlich gab es zahlreiche Möglichkeiten, mit hübschen Teilnehmerinnen ins Gespräch zu kommen, zum Beispiel in den Pausen, beim Kaffeetrinken, zwischen den Zigarettenpausen oder er hatte einfach nur über die Materie etwas nachfragen können.

Murads Bemühungen waren nicht wirklich konzentriert, zwar war der Gedanke diesen Kurs zu besuchen, richtig, aber er hat die Chancen einfach nicht genutzt. Er hat so ungefähr die Angel ins Wasser geschwungen, ohne Köder, naja in seinem Fall auch ohne Haken. Ohne Frage hätte er sich viel mehr trauen sollen, viel mehr mit den Blicken spielen, sich etwas einfallen lassen und er hätte auf die Frauen zugehen sollen. Doch er hat nichts dergleichen gemacht, er saß nur da und wartete, bis die nächste Vorlesung weiterging. Ehrlich gesagt, bei dieser Einstellung hätte er diesen Kurs gar nicht besuchen sollen, dann hätte er sich die Teilnahmegebühr gespart.

Nachdem ich mir viele solcher Geschichten angehört habe, von Freunden oder auch Klienten, stelle ich im Nachhinein immer fest, dass diejenigen eigentlich nichts getan haben, um einen Partner/-in kennenzulernen. Obwohl alle mit der Feststellung anfangen: „Ich habe alles versucht, aber es klappt einfach nicht. Ich bin immer noch Single. Was soll ich tun?"

Rückblickend habe ich fast täglich mehrere solcher Geschichten mitbekommen, von Freunden oder Teilnehmern die denken, dass sie alles versucht haben und immer noch Single sind. Habe ich in der folgenden Tabelle verschiedene Möglichkeiten aufgelistet, wie man in verschiedenen Situationen, bzw. Ereignissen nicht wie gewohnt reagiert, sondern determinierter und effizienter an die Sache herangeht.

Es sind sehr einfache Denkhilfen, sozusagen Anstöße, um Entscheidungen basierend auf Ihren eigenen Prioritäten zu treffen. Sie haben es wahrscheinlich auch selber bemerkt, dass die Mehrheit der Männer oder Frauen in den entscheidenden Moment einfach nicht das richtige tut. Wahrscheinlich aus Angst, abgewiesen zu werden, mangelndem Mut oder Zweifel an der eigenen Person. Und nachdem die Chance vertan, ist sind sie auf sich selbst sauer, innerlich sehr enttäuscht und werden von Fragen gequält wie: „Ich hätte doch dies tun können oder das, oder ich hätte sie doch ansprechen können." Jedoch es ist zu spät. Der Zug abgefahren. Die Magie ist im den Moment. Man muss diesen magischen Augenblick, diese offene Tür, sofort erkennen, um Teil dieser Magie zu werden, denn dieses kleine Zeitfenster kann Ihr ganzes Leben verändern.

Im Wesentlichen bieten diese Denk-Techniken eine neue Sichtweise in verschiedenen alltäglichen Situationen. Nicht einfach abzuwarten, dass die Chance einfach verstreicht, sondern agieren und den Moment für sich zu gewinnen.

In der Tabelle auf am Ende dieses Kapitels werden verschiedene typische Szenarien des Alltags dargestellt und analysiert. Hier wird mehr oder weniger charakterisiert, Ihre gewöhnliche Denkweise mit dem, was Sie tun müssten, um eine mögliche Veränderung in Ihr Leben zu bringen und erfolgreicher sein. Das heißt, die Art und Weise, wie Sie an der Sache herangehen, neu zu überdenken, sich einfach zu trauen. Ihre Gedanken und Verhalten auf Erfolg einstellen, um Ihre Gewinnchancen zu erhöhen.

Visualisieren

Visualisieren in Verbindung mit mentalem Training ist nicht aufzuhalten. Ob in der Partnerschaft, beim Sport, im Beruf oder in der Lebensgestaltung sind diese Erfolgsmethoden kaum mehr wegzudenken. Eine ausschlaggebende und geradezu magische Technik ist das Visualisieren. Es handelt sich dabei um ein bildhaftes Abrufen von Erinnerungen, Erlebnissen sowie das gedankliche Ausmalen erwünschter Zustände, mit dem Ziel, diese auch zu materialisieren. Da unser Gehirn nicht unterscheiden kann, ob wir uns eine Vision nur vorstellen oder es tatsächlich erleben, werden Emotionen und körperliche Reflexe zu jeder Vorstellung oder jeder Begebenheit gleichermaßen ausgelöst. Diese Bilder motivieren uns, Stärke aufzubringen, Rückschläge mit Leichtigkeit wegzustecken und neue Lösungswege zu beschreiten, wie eine Festplatte in einem Computer. Aber auch unsere Gewohnheiten zu verändern und Erinnerungen umzuschreiben. Sogar in der Psychotherapie wird die Visualisierung bereits seit Jahrzehnten verstärkt angewandt, um neue Verhaltensweisen zu trainieren, Platzängste, Angstzustände, Panikattacken oder Schmerzen zu reduzieren und posttraumatische Belastungsstörungen behandeln zu können.

Sie können sich in ein schönes Gefühl oder auch Erlebnis hineinversetzen, was dann dazu führt, dass Sie Ihre zuvor angestrebten Gefühle bereits im Hier und Jetzt erleben, bzw. auch fühlen können ohne in der Realität etwas erreicht zu haben. Natürlich zieht das Äußere immer nach, wenn der Grundstein im Inneren gelegt wurde. Ihre äußere Realität ist sozusagen ein Abbild Ihrer inneren Gefühlswelt. Um dieses Abbild so schön wie möglich zu zeichnen, eignet sich das Visualisieren sehr gut. Vor allem wird sich auch Ihre visuelle Wahrnehmung stark verändern, wenn Sie Ihre Emotionen in eine hohe Schwingung, nämlich in die Schwingung der Freude, bringen. Das Universum ordnet sich neu und Sie werden zu einem Magneten. Es braucht natürlich etwas Übung sowie viel Geduld und vor allem Vertrauen. Damit meine ich, dass Sie keine negativen Gedanken oder Erwartungen mit einbringen. Wie Sie bereits ahnen, geht es darum, schöne Gefühle zu produzieren. Visualisieren Sie Ihren zukünftigen Partner. Und dabei vergessen Sie keine Einzelheit von der Augenfarbe, den Haaren, der Figur, bis hin zu der Stimme und sogar dem Lächeln. Visualisieren Sie die Mimik, die Lippen, denn je genauer das Bild in ihrem Kopf ist, desto klarer ist es für das Universum. Mehr müssen Sie nicht tun. Es kann sehr gut sein, dass sich Ihre Visionen, die Sie während der Visualisierung kreieren, mit der Zeit ändern, was auch normal und völlig in Ordnung ist. Die Hauptsache hierbei ist, dass Sie die angenehmen Empfindungen so intensiv wie möglich fühlen. Wir sind nichts anderes als Antennen, die ständig Impulse ausstrahlen. Doch wie funktioniert es genau?

Schritt 1: In den meisten Fällen fängt es mit einer Gegenwehr, mit einer Resistenz an, denn ansonsten würden Sie wahrscheinlich gar nicht auf die Idee kommen, die Kraft der Visualisierung zu nutzen. Dieser Widerstand am Anfang ist absolut okay. Fühlen Sie Ihre negativen Gedanken, aber lehnen Sie sie nicht ab. Heißen Sie sie willkommen und schieben Sie sie beiseite.

Schritt 2: Sobald Sie nun Ihre Ängste und negativen Gedanken erkannt und akzeptiert haben, akzeptieren Sie gleichzeitig das Hier und Jetzt und öffnen Ihren Geist. Alles ist perfekt, wie es ist. Sie verspüren ein Gefühl von Sicherheit und Geborgenheit. Sie bereiten sich vor auf die mentale Reise.

Schritt 3: Nun können Sie zur Visualisierung schreiten. Suchen Sie sich einen ruhigen Ort aus, vielleicht mit leichten Naturklängen oder entspannender Musik im Hintergrund. Schließen Sie Ihre Augen und malen Sie in Ihrem Kopf die schönste Realität, die Sie sich für Ihr Leben vorstellen können, aus. Es ist Ihre Visualisierung und Ihre Welt, daher gibt es keine Grenzen oder Regeln. Fühlen Sie jede Einzelheit, indem Sie darin verweilen und sie mit einer schönen Emotion verbinden. Bei den Visualisierungen passiert es oft, dass Sie währenddessen Dinge wie Freude, Leichtigkeit, Freiheit und Entspannung spüren.

Schritt 4: Es gibt keine zeitliche Vorgabe, wie lange eine Visualisierung dauern sollte. Je öfter Sie es praktizieren, desto intensiver werden dabei die Emotionen. Öffnen Sie Ihre Augen und realisieren Sie, dass Sie die Empfindungen, die Sie anstrebt haben, bereits in sich tragen. Sie stellen also kein Ziel in der Ferne dar, sondern Sie können sie jederzeit abrufen und durchleben. Diese mentale Vertiefung können Sie so oft tun, wie Sie möchten. Geeignete Zeitpunkte wären zum Beispiel morgens, während der Mittagspause und am besten natürlich vor dem Schlafen gehen.

Man könnte fast sagen, dass die Technik der Visualisierung das Gegenteil von Meditation wäre. Doch das stimmt nicht ganz. Meditation zeichnet sich grundsätzlich dadurch aus, dass man vollkommen im Hier und Jetzt ist und nicht an eine bestimmte Zeit denkt. Beim Visualisieren jedoch befindet man sich ebenfalls im Hier und Jetzt, denn die produzierten Visionen und Emotionen sind Bestandteil der Gegenwart, ansonsten könnte man sie gar nicht hervorrufen. Sie kreieren diese und damit auch eine mögliche Zukunft. Empfehlenswert ist es zum Beispiel auch, zuerst ein paar Minuten lang zu meditieren und danach mit dem visualisieren zu beginnen. Jedoch ist es wichtig, dass Sie mit dem Visualisieren abschließen, um von der schönen Empfindung zu profitieren. In der folgenden Auflistung habe ich verschiedene typische Szenarien des Alltags dargestellt und analysiert.

Handlungstechniken im Alltag

Im Wartezimmer / beim Warten in der Schlange

Übliche Denkweise:

-Ich hasse, es in solchen Räumen zu warten.

-Lese die Zeitschriften oder ein Buch.

-Spiele die ganze Zeit mit meinem Handy.

-Ich stehe lieber, sitze nicht gerne neben Fremden.

-Bin ruhig, schüchtern und rede lieber mit niemandem.

Neue Denkweise:

-Ich liebe es in der Menge zu warten, kann sicherlich mit jemandem Quatschen.

-Werde versuchen, irgendwie mit jemandem im Gespräch zu kommen.

-Suche den Blickkontakt mit der Person, die mir gefällt und lächle sie an.

-Setze mich gleich neben jemanden der mir optisch gefällt, und versuche ins Gespräch zu kommen.

-Ich bin kontaktfreudig, offen, freundlich und nutze jede Gelegenheit, um neue Menschen kennenzulernen.

Im Flieger / im Bus oder im Zug

Übliche Denkweise:

-Versuche ein bisschen zu schlafen.

-Höre meine Play List im Handy oder lese mein Buch.

-Hoffentlich sitzt keiner neben mir. Will meine Ruhe haben.

-Ich mag keine Sitzgruppen.

Neue Denkweise:

-Werde wach bleiben, um neue Bekanntschaften zu machen.

-Beobachte gerne die anderen Fahrgäste und lasse mir keine Gelegenheit entgehen, um ins Gespräch zu kommen.

-Hoffentlich setzt sich eine attraktive Person neben mich, damit ich mich mit ihr toll unterhalten kann.

-Ich liebe es, in Sitzgruppen Platz zu nehmen, denn dort kommt man leicht ins Gespräch.

Bei Veranstaltungen oder Events

Übliche Denkweise:

-Ich bleibe lieber daheim und schaue meine Serien an.

-Ich hasse Menschenmassen.

-Laute Musik finde ich schrecklich.

- Werde auf kein Fall bis zum Schluss bleiben.

Neue Denkweise:

-Ich werde auf keinen Fall daheim bleiben. Die Serien laufen mir nicht weg. Ich kann diese Sendungen nachholen.

-Ich liebe es mich unter Mensch zu mischen.

-Ich liebe gute Musik und kann dabei kaum ruhig stehen.

-Ich werde tanzen, viel Spaß haben und versuchen, neue Bekanntschaften zu machen.

Bei Seminaren / Kursen oder Schulungen

Übliche Denkweise:

-In den Pausen bleibe ich auf meinem Platz und werde lernen.

-Nehme mir etwas zu Essen mit und spare dabei auch noch Geld.

-Werde einfach Jogginghose und T-Shirt anziehen.

-Ich mag die Raucher-Areas nicht und hasse alle Raucher auch.

Neue Denkweise:

-Freue mich riesig auf die Pausen, dann kann ich die anderen Teilnehmer des Kurses kennenlernen.

-Werde auf jeden Fall in der Kantine etwas bestellen und versuchen, in der Gruppe zu bleiben.

-Werde mich so richtig stylen, sehr elegant kleiden und mich von meiner besten Seite zeigen.

-Wenn es sein muss gehe ich auch zu den Rauchern, um neue Bekanntschaften zu machen.

Am Strand / im Urlaub / Hotel

Übliche Denkweise:

-Will meine Ruhe haben.

-Liege die ganze Zeit auf meinem Liegestuhl und will niemanden sehen.

-Nehme an Aktivitäten oder kollektivem Training nicht teil.

-Zu den Mahlzeiten sitze ich allein am Tisch und esse allein.

-Mache jeden Tag das Gleiche und probiere ungerne etwas Neues aus.

Neue Denkweise:

-Ich will unter Menschen sein. Ich will Spaß haben und viel lachen.

-Werde nur kurze Zeit auf meinem Liegestuhl liegen, denn ich werde die Gegend unsicher machen.

-Werde alle Kurse mitmachen, viel Spaß haben und sicherlich alle möglichen Menschen kennenlernen.

-Werde nie allein sitzen oder essen. Geselle mich zu den anderen und versuche, ins Gespräch zu kommen.

-Versuche jeden Tag neu zu gestalten, viel zu unternehmen, um so viel wie möglich zu erleben.

Im Büro / am Arbeitsplatz

Übliche Denkweise:

-In den Pausen gehe nicht in die Kantine.

-Gehe den Arbeitskollegen aus dem Weg.

-Während der Pausen sitze ich allein am Arbeitsplatz.

-Bin ruhig, zurückgezogen und erledige meine Arbeit.

-Gehe mit den Arbeitskollegen nicht weg.

Neue Denkweise:

-In der Pause gehe ich auf jeden Fall in die Kantine und pausiere mit der Gruppe.

-Halte mich immer in der Nähe von der Person auf, die mir zusagt und versuche, eine Unterhaltung zu führen.

-Ich lasse mir sicherlich etwas einfallen und kriege die Telefonnummer von einer tollen Person.

-Gehe gerne mit meinen Kollegen weg, denn vielleicht lerne ich dadurch andere Personen kennen.

-Plane gemeinsame Abende mit meinen Kollegen, Restaurant, Kino oder Disco Besuche.

Auf der Straße / Bushaltestelle

Übliche Denkweise:

-Ich hasse, es auf der Straße oder an der Haltestelle zu warten.

-Bin nicht gerne in der Öffentlichkeit oder in Gruppen von Fremden.

-Ich spreche keine fremden Menschen auf der Straße an.

-Ich gehe nicht gerne allein in der Stadt spazieren.

-Beim Laufen schaue ich niemanden an.

Neue Denkweise:

-An der Haltestelle zu warten finde ich toll. Ich kann dort mit Leichtigkeit ins Gespräch kommen.

-Bin gerne in der Gruppe, denn dort sind die Chancen wesentlich höher jemanden kennenzulernen.

-Ich spreche gerne fremde Menschen auf der Straße an, dadurch bieten sich viele neue Chancen.

-Ich bummle gerne allein durch die Läden und zwischen den Gassen und bleibe wachsam.

-Ich beobachte gerne die Menschen um mich und lächle auch gerne zurück.

Im Supermarket / beim Shopping

Übliche Denkweise:

-Ich mag keine Einkaufszentren, Shops oder überfüllte Läden.

-Werde meine Sachen holen und an der Schnellkasse bezahlen.

-Gehe einkaufen, wo wenig los ist. Ich mag nicht in der Schlange stehen.

-Zum Einkaufen brauche ich mich nicht in Schale zu werfen.

Neue Denkweise:

-In Malls oder schicken Läden komme ich superleicht mit dem Personal oder anderen Kunden ins Gespräch.

-Halte mich so lang wie möglich im Inneren der Märkte auf, probiere vieles aus und lass mich gerne beraten.

-Gehe einkaufen wo, viele Menschen sind. Stehe auch gerne in der Schlange und nutze jede Gelegenheit um ins Gespräch zu kommen.

-Auch wenn ich nur kurz aus der Wohnung gehe, werde ich mich aufstylen, denn man kann jederzeit jemandem begegnen.

Beim Autowaschen / an der Ampel

Übliche Denkweise:

-Will in Ruhe mein Auto waschen und von niemandem gestört werden.

-Werde mein Auto waschen, wenn keiner da ist.

-Ich fixiere die Ampel, bis die wieder grün wird.

-Ich blicke nicht gerne ins Nebenauto.

Neue Denkweise:

-Mein Auto ist überhaupt nicht dreckig, doch bei der Autopflege kommt man mit Leichtigkeit mit den verschiedensten Personen ins Gespräch.

-Gehe mein Auto waschen, wenn viel los ist, denn beim Staubsaugen knüpfe ich die besten Bekanntschaften.

-An der roten Ampel schaue ich grundsätzlich ins Nachbarauto und lächle oder winke, wenn mir gefällt, was ich sehe.

-Wenn mich jemand anlächelt, dann fahre ich auch bis zur nächsten Ampel.

Im Fitness-Center / beim Training

Übliche Denkweise:

-Werde mein Programm trainieren und nach Hause gehen.

-Ich ziehe wieder das alte T-Shirts und Jogginghose anziehen.

-Werde an Kursen oder kollektive Einheiten nicht teilnehmen.

-An der Theke halte ich mich nicht gerne und lange auf.

-Den Trainer/-in mit der super Figur, werde ich nur anschauen. Trau mich nicht ihn/sie anzusprechen.

-Trainiere lieber allein, dann ist meine Einheit effektiver.

Neue Denkweise:

-Ich gehe eigentlich ins Fitness-Center nicht um zu trainieren, sondern um immer neue Bekanntschaften zu knüpfen.

-Ich ziehe beim Trainieren meine super stylischen Trainingssachen an, um allen zu zeigen, wie gut ich aussehe.

-Bei den Kursen mitzumachen liebe ich, denn dort kann ich ganz leicht mit den Teilnehmer ins Gespräch kommen.

-Meine Augen sind immer auf die Theke gerichtet und wenn ich jemand sehe, der mir zusagt, dann bin ich plötzlich durstig.

-Wenn ich einen Trainer/-in attraktiv finde, dann muss ich die Person unbedingt ansprechen. Ich lasse mir da die verrücktesten Sachen einfallen, um ins Gespräch zu kommen.

-Ich liebe es, in der Gruppe zu trainieren und die anderen zu beobachten. Ruhe kann ich daheim haben, beim Schlafen.

<u>In der Disco / Bar / im Café</u>

Übliche Denkweise:

-Werde auf kein Fall tanzen.

-Will mit keinem Ärger haben, daher spreche auch niemanden an.

-Ich bleibe in meiner Ecke und beobachte die Tanzenden.

-Werde meine Freunde nicht fragen und wieder allein weggehen.

Neue Denkweise:

-Ich werde die Sau rauslassen und die ganze Nacht tanzen.

-Höflich und mit gekonntem Geschick spreche ich gerne Leute an, lache viel und habe dabei Spaß.

-Ich schlendre gerne von einer Ecke zur anderen, dadurch kann ich mir ein Bild machen, wer an diesem Abend da ist.

-Werde mit meinem Freund/-in, der auch Single ist, gehen und zusammen werden wir viel lachen und jede Menge interessanter Menschen ansprechen.

Wichtige Punkte – zu Schritt 1

1. Fokussieren Sie sich auf Ihr Ziel.
2. Setzen Sie die absoluten Prioritäten fest.

3. Nie vom Kurs abweichen. Die 6 wichtigen Fragen immer wieder durchgehen.
4. Seien Sie bereit für Veränderungen jeder Art.
5. Machen Sie es nicht zu kompliziert.
6. Machen Sie einen Plus nach jedem Tag.
7. Raus aus der Komfortzone.
8. Erstellen Sie ein separates Bankkonto / Partnersuch-Konto.
9. Zeit ist kostbar, also nutzen Sie Ihre sinnvoll.
10. Verändern Sie Ihren Look / Kleidung / Frisur / Körper.
11. Verbessern Sie stetig Ihre Chancen.
12. Verändern Sie Ihre alten Gewohnheiten.
13. Vermeiden Sie Treffs mit negativen Menschen.
14. Beteiligen Sie sich an verschiedenen Aktivitäten.
15. Den richtigen Moment erkennen und nicht zögern.
16. Programmieren Sie Ihre Denkweise und Handlung neu.
17. Visualisieren Sie Ihre Wünsche und Träume

Schritt 2

Kreieren Sie Ihren besten Look

Senken Sie niemals Ihre Maßstäbe bezüglich der äußerlichen Erscheinung. Akzeptieren Sie keine noch so kleine Ausrede, um sich unanständig zu kleiden. Wenn Ihr äußeres Erscheinungsbild ordentlich ist und Sie sich anständig und angebracht präsentieren, fühlen Sie sich auch selbstbewusst und Sie können auf Ihre Mitmenschen einen positiven Einfluss ausüben. Ihre Kleidung und Ihr Erscheinungsbild haben Einfluss auf Ihr Verhalten und das anderer Personen.

Ihr Erscheinungsbild, bzw. das Äußerliche ist wahrscheinlich das am meisten unterschätzte Kriterium unter den Strategien dieser 10 Schritte. Somit ist die Verpackung eines Produkts, bzw. die äußerliche Erscheinung zunächst wichtiger als der Inhalt selbst. Zum Zeitpunkt des Kaufs ist es die äußere Verpackung des Produkts, die die Aufmerksamkeit erregt und nicht unbedingt der eigentliche Inhalt. Etliche Marktuntersuchungen haben ergeben, dass diejenigen, die in der Lebensmittelabteilung einkaufen, durchschnittlich nur ein paar Sekunden benötigen, um das von ihnen benötigte Produkt auszuwählen.

Konzerne geben Millionen im Jahr aus für Grafiken, für eine ideale Gestaltung, um ein Produkt so interessant wie möglich wirken zu lassen. Nichts wird dem Zufall überlassen. Ich sag nur Pharmaindustrie oder die Kosmetikbranche.

Alle Farben, Texte und Formen werden bis ins kleinste Detail berechnet und immer wieder analysiert. Sie brauchen nur kurz durch die Parfümerieabteilung zu laufen und sehr schnell können Sie sehen, wie aufwändig und durchdacht jede Parfümflasche ist, sogar die Verpackung ist eine Augenweide. Der Duft an sich ist meistens zweitrangig. Und genau so ist es auch mit der Partnersuche. Der äußerliche Aspekt, der erste Eindruck, ist fundamental. Es ist eine Tatsache, die unbedingt berücksichtigt werden muss, um sich auch gegen die Konkurrenz, die nicht schläft, sich gleichzusetzen oder noch besser sich sogar durchzusetzten. Dies bedeutet natürlich, dass wenn Sie sich ein begrenztes oder sehr geringes Budget zur Verfügung gestellt haben, sollte der Bereich äußerliches Erscheinungsbild als die absolute Priorität gesehen werden. Um Ihnen dies anhand einer Produktverpackung zu verdeutlichen, sollte sich, angesichts der Wettbewerbsfähigkeit aller ausgestellten Produkte, Ihre Verpackung von den anderen abheben und interessant genug sein, um den Verbraucher zum Kauf zu animieren.

Mit der Verpackung meine ich nicht nur Ihre Kleidung, Ihre Schuhe, eine stylische neue Tasche oder Ihre coole Frisur. Mit der Verpackung meine ich auch Ihre Figur, Ihre Haut, Ihr Auftreten, die Körperpflege, Ihr Duft, Ihre Bewegungen, Ihr Gang und ja, sogar Ihr Gesichtsausdruck. Ein gepflegtes Äußeres ist einer der wichtigsten Punkte überhaupt bei einem Menschen. Eine nette und freundliche Ausstrahlung ist nicht zu übersehen, man zieht Blicke an sich und man wird zu einem Hingucker.

Und auch wenn Ihre Stimmung getrübt ist, vielleicht sind Sie nicht gut gelaunt oder eine fette Rechnung ist wieder ins Haus geflattert, dann lächeln Sie trotzdem. Lassen Sie sich nicht Ihre Ausstrahlung und Ihr wunderschönes Lächeln von negativen Dingen entreißen. Ein Lächeln ist wie Magie und kann Berge versetzten. Lächeln Sie wann immer Sie können, das verändert Ihre Stimmung und weckt Glücksgefühle in Ihnen. Versuchen Sie es mal, wenn Sie schlecht gelaunt sind oder wiedermal traurig, dann versuchen Sie einfach zu lächeln. Ziehen Sie Ihre Mundwinkeln einfach nach oben und halten Sie es eine Zeitlang aufrecht. Diese Technik wird auch bei Menschen angewendet, die depressiv sind und erstaunlicherweise, nachdem Sie sich zwingen zu lächeln, fühlen Sie sich besser, ohne Medikamente und teure Therapien.

Sie werden sehen, dass Sie sich nach ein paar Minuten viel besser fühlen.

In meiner Freizeit sitze ich oft in Cafés und beobachte gerne die Menschen, die an mir vorbeilaufen. Und ich sehe manchmal Individuen herumtrampeln mit einer Miene und einer Zusammensetzung von Klamotten, dass einem übel wird. Ich will jetzt keinen diskriminieren, aber viele trauen sich auf die Straße in einer Verfassung, die schon fast den Augen weh tut und dann wundern sie sich, wieso sie keinen Partner finden.

Damit will ich verdeutlichen, wie wichtig es ist, dass ein Mensch auf sein Äußerliches achtet, denn das ist das Erste, was auf einen aufprallt. Toller Charakter, gutes Herz oder alle möglichen Eigenschaften sind bei dem First Look zweitrangig.

Oft beobachte ich Menschen auf der Straße, die mit einer Miene herumlaufen, die schon ausstrahlt: „Mir geht es nicht gut, außerdem bin ich giftig. Sprich mich bloß nicht an." Oder mit einer Körperhaltung, als würden sie einen schweren Sack Kartoffeln mit sich schleppen. Mit schleifendem Gang und ihr Blick zu Boden gerichtet, als würden sie die Granitblöcke zählen.

Das ist kein schöner Anblick, denn diese Haltung strahlt Negativität und Unzufriedenheit aus. Durch die trübe Miene und den geduckten Gang können solche Menschen ihre Situation nicht positiv ändern, sondern nur noch verschlechtern. Lassen Sie sich von den alltäglichen negativen Nachrichten oder Erlebnissen nicht herunterkriegen. Ein Ratschlag von mir, hören Sie nicht so viele Nachrichten, denn diese sind meistens negativ. Sicherlich sollten Sie informiert sein und wissen, was in der Welt passiert, aber zu viele Nachrichten können Ihnen den Lebenswillen rauben und Ihnen den Tag vermiesen. Die heutigen Nachrichten sind sehr manipulativ, verbreiten Angst und können unterbewusst deine Handlungen beeinträchtigen.

Ich z.B. höre fast keine Nachrichten mehr oder lese nur selten die Tageszeitung. Sicherlich habe ich auch Tage, an denen alles schief läuft, ich bin genervt oder einfach lustlos, dann lenke ich mich mit lustigen Videos ab, höre meine Lieblingsmusik oder treffe mich mit lustigen Freunden und schon geht es mir besser. Wir wollen jetzt aber nicht zu weit ausschweifen in Bereiche, die nicht für unser Vorhaben relevant sind. Wichtig ist, befassen Sie sich mich Sachen oder Aktivitäten, die Ihnen Spaß bereiten, die Ihnen gut tun, denn wenn Sie gut gelaunt und fröhlich sind, dann strahlen Sie es auch aus. Sie haben diese Magie in Ihren Augen, sie haben Energie und ziehen auch Menschen an, die in Ihrer Schwingung sind.

Daher heben Sie Ihr Kinn, füllen Sie Ihre Lungen mit frischer Luft und spüren Sie die Energie, die um Sie herumfließt. Laufen Sie energisch und elegant und strahlen Sie Freude und Erfolg aus, zeigen Sie allen, wie einzigartig und gutaussehend Sie sind, denn die Welt gehört Ihnen. Sie sind der Star, Sie sind die Jennifer Lopez oder der George Clooney und Sie stehen solchen Hollywoodgrößen in nichts nach.

Bereit für ein persönliches Feedback?

Um den besten Look erzielen zu können, müssen Sie zuerst Nachforschungen starten und herausfinden, wie Ihr aktuelles

Erscheinungsbild von anderen aufgenommen wird. Sie müssen sich erst im Klaren darüber sein, wie Ihre Erscheinung, Ihr Auftreten von Ihren Mitmenschen und engen Freunden wahrgenommen wird. Es ist vielleicht nicht schön, was Sie da hören werden, wie brutal und hart es auch sein mag, Sie müssen die Wahrheit erfahren. Es bleibt keine Zeit, sich mit Sensibilität oder verletztem Ego zu befassen. Sie haben sich ein Ziel gesetzt, das Sie schnell und mit großer Effizienz erreichen wollen, daher haben Sie keine Zeit zu verschwenden. Zudem wäre es einfach verschwendete Energie und Zeit, wenn Sie an einem großartigen Angriffsplan arbeiten, wenn Ihr äußerliches Erscheinungsbild Sie gleich von Anfang an blockiert. Also müssen Sie einen Plan schmieden, um die Wahrheit zu erfahren. Dazu brauchen Sie realistische und der Wahrheit entsprechende Meinungen.

Stellen Sie Fragen über sich selbst. Sie haben doch nicht etwa Angst, die Wahrheit über sich selbst zu erfahren? Oder den wahren Grund, wieso Ihre Freunde und Verwandten hinter Ihrem Rücken über Sie lästern und sich auch noch lustig machen? Haben Sie vielleicht ein mulmiges Gefühl dabei, die Wahrheit zu erfahren? Müssen Sie nicht. Sie brauchen diese Meinungen, diese Kritik, um an sich arbeiten zu können. Also, kneifen Sie Ihre Arschbacken zusammen und nehmen Sie die Kritik an, denn nur diese kann Sie wachrütteln und eine signifikante Veränderung in Ihrem Leben hervorbringen.

Jetzt fragen sich sicherlich, wie stelle ich das am besten an. Sie brauchen als erstes eine Gruppe von Menschen, bzw. mehrere Menschen, die Ihnen die ehrliche Meinung ins Gesicht sagen.

Wählen Sie sechs Personen oder mehr aus, am besten drei Männer und drei Frauen, diese werden Ihr Beurteilungskomitee sein. Diese sogenannte Arbeitsgruppe wird verantwortlich dafür sein, natürlich jeder individuell und unabhängig von den anderen,

Ihnen ein aktuelles und ehrliches Feedback zu geben. Die meisten Menschen sind zu höflich oder zu vorsichtig, um jemandem die ehrliche Meinung ins Gesicht zu sagen. Vor lauter Achtung sagen Sie einfach nicht, was sie über einen denken. Daher ist es wichtig zu verstehen, dass die Menschen, die einem die Wahrheit ins Gesicht sagen, eigentlich die Aufrichtigsten sind.

Die Personen in dieser Feedbackgruppe, die Sie aufstellen werden, müssen nicht unbedingt mit Ihnen eng befreundet sein, Sie können jemanden wählen, den Sie kaum kennen und vielleicht kann es auch jemand sein, der Ihnen überhaupt nicht sympathisch ist. Denjenigen müssen Sie auch nicht sagen, dass er Teil einer Gruppe ist, die Ihnen helfen soll, Ihr Erscheinungsbild zu verbessern. Dass Sie diese Menschen als Berater ausgewählt haben, können Sie für sich behalten. Wichtig ist nur, dass Sie bei diesen Personen jederzeit ein ehrliches Feedback bekommen. Sie es über Ihre Frisur, Ihre Zusammensetzung der Kleidung, Ihr Gang, Ihre Mimik und Ihr komplettes Erscheinungsbild an sich.

Es kann die nette Verkäuferin von der Boutique sein, Ihr Friseur oder auch der immer gut gekleidete Nachbar. Wählen Sie ruhig fremde Leute, denn diese sind einfach ehrlicher zu Ihnen als enge Freunde, die Ihnen die ehrliche Meinung nicht gerne ins Gesicht sagen, um Sie nicht zu kränken.

Mit so einer Gruppe von verschiedenen Personen um sich können Sie arbeiten. Sie können jeden einzeln befragen und so erhalten Sie die Wahrheit, ein ehrliches Feedback. Die verschiedenen Meinungen und Empfehlungen ermöglichen es Ihnen, eine andere Sichtweise, ein bestmögliches Aussehen zu erzielen, um dadurch Ihre Chancen erhöhen zu können.

Ein Ratschlag von mir, hören Sie sich die Feedbacks an ohne sie großartig zu hinterfragen. Denken Sie auch nicht, dass Sie bereits wissen, was Sie an sich ändern sollten. Es ist ein sehr häufiges Problem, dass die meisten bereits wissen, was sie tun müssen, um ihr Aussehen verbessern zu können und in den meisten Fällen ist es nicht der Fall.

Und auf eine direkte Frage, was sie ändern sollten, insbesondere bei Männern, antworten die meisten:

„Oh ja, ich muss etliche Kilos abnehmen, denn mein Bauch ist zu dick." oder „Ich habe keinen Arsch in der Hose und habe auch keine Muskeln." oder „Ich habe zu dicke Oberschenkel oder zu dünne. Und meine Brüste erst."

In den meisten Fällen ist es gar nicht der dicke Bauch, die fehlenden Muskeln, die Oberschenkeln oder die zu großen Brüste. Daher ist es notwendig, dass Sie das Feedback von Ihren Ratgebern aktiv annehmen, um wirklich zu verstehen, wie andere Ihr Erscheinungsbild wahrnehmen.

Wie kriege ich ein aufrichtiges Feedback?

Um die Wahrheit über solch heikle Fragen wie das Aussehen oder die Figur zu erfahren, ist es zunächst erforderlich, diese Person davon zu überzeugen, dass egal, wie ehrlich und hart sie zu Ihnen ist, Sie nicht beleidigt oder sauer werden. Sie sollten diese Person davon überzeugen, dass die Wahrheit, bzw. eine ehrliche Meinung für Sie lebenswichtig ist. Zeigen Sie, dass Sie kooperativ sind und dass Sie bereit sind, sich alles anzuhören, was diese Person über Sie denkt. Und seien Sie auf alles gefasst, denn da können Sachen kommen, die Sie vielleicht umhauen werden, daher hören Sie aufmerksam zu und springen Sie der Person nicht gleich an die Kehle.

Keine verschränkten Arme, keine nervösen Füße, keine traurigen Blicke und wenn Sie Fragen stellen, dann beachten Sie drei einfache Regeln, die sehr wichtig sind für eine gezielte und effektiven Selbstanalyse:

1. Mischen Sie nicht mehrere Punkte in einer Fragen:

   „ Was halten Sie von meinen Klamotten oder von meiner Frisur?" Stellen Sie Fragen zu jedem Thema separat.

2. Stellen Sie keine voreingenommenen Fragen, wie z.B.:

   „Denken Sie auch, dass ich mich anders kleiden sollte?" Stellen Sie offene Fragen, wie z.B.: „Was halten Sie von meinen Klamotten?"

3. Meiden Sie irrelevante Fragen, wie z.B.:

   „ Bin ich vielleicht zu klein? Oder zu groß?" Stellen Sie nur Fragen zu den Details, die Sie möglicherweise ändern können.

In den nachfolgenden Punkten finden Sie Beispiele, wie so ein persönliches Interview zum Thema „Mein aktuelles Auftreten" mit einer Person der Feedback-Gruppe ablaufen könnte. Nehmen wir an, Sie treffen sich mit Marc, der Schuhdesigner bei einer angesagten Firma ist, und wollen ihn zu Ihr aktuelles Auftreten um Rat bitten.

Sie: Marc, ich bin sehr daran interessiert, deine Meinung zu erfahren. Wir kennen uns zwar nicht lange aber ich fühle, dass du eine aufrichtige und sehr tiefsinnige Person bist. Ich hoffe, es macht dir nichts aus, wenn ich dir ein paar persönliche Fragen stelle. Vorab musst du wissen, dass ich beschlossen habe, mein

Leben zu ändern. Ich wünsche mir zu heiraten, daher möchte ich einen Partner/-in finden, mit dem ich diesen Wünsch verwirklichen kann. Doch bevor ich mit der Suche anfange, möchte ich gerne etwas an meinem Aussehen, an meinem Auftreten ändern. Die Sache ist unglaublich wichtig für mich, und ich brauche deine aufrichtige und ehrliche Meinung. Darf ich dir diesbezüglich ein paar Fragen stellen?

Marc: Klar, kann dir gerne einige Ratschläge geben. Ich finde dein Vorhaben großartig und werde dir auf jeden Fall versuchen zu helfen. Aber ich finde, dass du schon gut aussiehst wie du bist.

Sie: Danke, aber bitte sag mir jetzt deine ehrliche Meinung. Versuche bitte, aufrichtig und direkt mit mir zu sein. Ich verspreche dir, dass ich nicht beleidigt oder gekränkt sein werde. Wenn du gleich bemerkt hast, dass ich mich schlecht angezogen habe, dass die Farben sich vielleicht miteinander beißen oder dass ich einen komischen Gang habe, dann musst du es mir sagen, okay? Ich fange gleich an mit meinen Klamotten. Was denkst du, sollte ich da ändern, um besser wirken zu können? Wie findest du meinen Stil?

Marc: Naja, ich finde du siehst sehr gepflegt aus, aber die Zusammensetzung der Farben und die Teile an sich sind eine absolute Katastrophe. Vielleicht solltest du etwas hellere Kleidung tragen oder vielleicht auch ein paar Farben einbringen. Zurzeit sind helle Farben sehr angesagt und machen echt was her.

Sie: Das ist eine großartige Idee. Das war auch ein erster Gedanke von mir, meine Garderobe komplett zu erneuern. Was denkst du, soll ich eher einen eleganteren Stil wählen oder mehr in die sportliche und legere Richtung gehen?

Marc: Wie du weißt, bin ich ein Schuhdesigner und kann dir sicherlich ein paar gute Ratschläge geben, aber ich denke, dass du jemanden bräuchtest, der dich individuell und ehrlich berät. Ein Modedesigner oder einen Stylist. Vorab kann ich dir aber sagen, dass du das tragen solltest, worin du dich auch wohl fühlst.

Sie: Deine Meinung ist mir sehr wichtig und ich bin dir dankbar für jeden Ratschlag. Und jetzt wollte ich dich fragen, wie du meinen Haarschnitt findest? Wie du meine Frisur findest? Was sollte ich da ändern, um besser zu wirken?

Marc: Soweit ich sehen kann sehen deine Haare sehr gesund und füllig aus. Ich würde dir einen schönen kurzen, frischen Haarschnitt verpassen und da bei dir, auch wenn du noch sehr jung bist, sehr viele graue Haare zu sehen sind, würde ich diese mit einer Tönung etwas kaschieren. Außerdem finde ich, dass du mit deinem kurzen Haarschnitt sehr viel attraktiver und jünger rüberkommen würdest.

So ungefähr könnte ein Beratungsgespräch ablaufen. Am besten notieren Sie sich die wichtigsten Punkte. Schreiben Sie alles auf, wie an einem Angriffsplan, arbeiten Sie die Punkte durch.

Im Allgemeinen könnten Sie natürlich weitere Fragen stellen zu Ihrem Aussehen, Ihrem Benehmen, Ihrer Körpersprache, um festzustellen zu können, welche Wirkungen Sie auf andere haben. In der folgenden Liste habe ich weitere wichtige Punkte aufgelistet, die für Sie auch relevant sein könnten.

Hier eine kurze Liste:

-Parfüm, -Accessories, -Brille, -Schmuck, -Körperhaltung,

-Atem (Mundgeruch?), -Manieren, -Körpersprache, -Haut,

-Zuckungen, -Schniefen, -Zu laute Stimme, -Sich immer wiederholen, -Körpergerüche, -Körperpflege, -Extreme Schüchternheit, -Zu lautes Lachen, -Komischer Lacher,

-Rauchen, -Alkoholkonsum, -Abhängigkeit, -Gewohnheit.

Ob Sie es mir glauben oder nicht, jeder dieser Punkte kann für Ihre äußerliche Erscheinung und für ihre Person an sich von großer Bedeutung sein. Sie können ein hübsches Gesicht haben, mit einer tollen Frisur und eine unglaublich durchtrainierte Figur, doch wenn Sie nur einmal die Woche duschen und wie eine Kuh aus dem Arsch riechen, dann nutzt das alles nichts. Wenn Sie Mundgeruch haben wie ein Gully, Furzen und Rülpsen, wie ein Elch und Tischmanieren haben wie Bud Spencer, dann brauchen Sie sich nicht zu wundern, wenn Sie die Leute um sich verscheuchen. Niemand will mit Ihnen etwas unternehmen, sich länger in Ihrer Gegenwart aufhalten, geschweige denn Intim werden.

Möglich ist auch, dass das Problem ganz woanders liegt, vielleicht ist es das Gespräch an sich, die Tonart Ihrer Stimme, wie Sie sich artikulieren oder auch Ihre Mimik.

Ich habe zum Beispiel einen lieben Freund, der Typ ist eigentlich sehr erfolgreich, ein sehr gutaussehender und intelligenter Mann. Doch der Typ ist einfach so langweilig, die Tonart seiner Stimme ist so monoton, dass man beim Zuhören einfach einschlafen könnte. Ich merke, dass er sich Mühe gibt und versucht, etwas mehr Pepp in seine Erzählungen reinzubringen, aber es ist vergeblich.

Wir müssen alle Optionen in Betracht ziehen, denn jedes noch so kleine Detail kann den großen Unterschied machen und von unglaublicher Bedeutung sein. Vielleicht neigen Sie unbewusst dazu, alles und jeden zu manipulieren, oder Sie sind ein Schauspieler, eine unerträgliche Tratschtante, oder Sie wissen immer alles besser, erheben gerne die Stimme, fallen den anderen ständig ins Wort ohne sich zu entschuldigen, wollen immer das letzte Wort haben und bestehen auf Biegen und Brechen darauf, Recht zu haben. Ein solches Benehmen kann auf Dauer unakzeptabel und abtörnend sein. Wahrscheinlich ist es Ihnen gar nicht so bewusst, doch im Gespräch oder in einer Gruppe kann ein solches Benehmen unglaublich störend und respektlos sein, wenn nicht sogar fatal.

Ein häufiges Problem ist es auch, dass viele keine Ahnung von einem bestimmten Gesprächsthema haben und trotzdem müssen sie ständig zu allem ihren Senf dazugeben. Wenn Sie keine Ahnung über Medizin, über Astronomie oder Quantenphysik haben oder einfach nicht up to date sind, dann hören Sie einfach nur zu, so vermeiden Sie peinliche Situationen, die sie nur schwer wieder korrigieren können.

Stellen Sie sicher, dass Sie nicht dazu neigen, in die Defensive zu gehen oder sich in ein Thema zu sehr reinsteigern, oder dass Sie sich immer wiederholen und andere dies als lästige Einmischung empfinden können.

Was auch ein sehr häufiges Problem ist, dass viele sehr schüchtern und ängstlich sind. Natürlich wissen es die anderen nicht und empfinden diese Zurückhaltung als mürrisch, arrogant und ja, sogar als gleichgültig oder auch als launisch. Sie müssen sehr schnell begreifen können, wie eine einzelne Person oder eine Gruppe Sie in jedem einzelnen Bereich aufnimmt.

Manchmal ist die Fähigkeit einfach zuzuhören der Schlüssel zum Erfolg, denn diese Eigenschaft hat nicht jeder und es ist nicht nur in einer Gruppe eine wichtige Komponente, sondern auch, wenn

Sie zum ersten Mal mit einer Eroberung ausgehen. Dies ist oft das, was den Unterschied ausmacht und jemanden dazu bringt, Sie wiedersehen zu wollen oder nicht.

Achten Sie bei dieser Tatsache darauf, dass Sie immer taktvoll, zuvorkommend und vorsichtig sind. Sie müssen eine Situation, eine Chance sofort erkennen können, sich blitzschnell anpassen können, um den Moment für sich zu gewinnen. Ein guter Zuhörer zu sein ist in den meisten Fällen ausschlaggebend. Und wie wird man zu einem guten Zuhörer?

Von der Tatsache, dass man dem Gesprächspartner in die Augen schaut, sich der Person nähert und sich zu ihr gesellt, sind auch weitere Punkte, die zu beachten sind. Wie zum Beispiel das zustimmende Nicken, das obligatorische Anlächeln, man versucht das Argument zu vertiefen, man fragt nach Beispielen, paraphrasiert, man fragt nach anderen Details, vermeidet Ablenkungen, man ist natürlich gedanklich auch bei der Sache und nennt den Gesprächspartner beim Namen. Es erfordert sicherlich ein bisschen Übung, aber glauben Sie mir, es lohnt sich.

Nachdem Sie alle Veränderungen, Ideen und Verbesserungsvorschläge mit jedem der Feedback-Gruppe besprochen haben, um auch feststellen zu können, welche Schritte sofort an Ihrem Image vorgenommen werden müssen und welche auf die Wartebank verschoben werden können, sollten Sie mental bereit sein, den Prozess in Gang zu setzten.

Beginnen Sie sofort mit dem Transformationsprozess, planen Sie jede Änderung sorgfältig in einem Kalender und legen Sie das Datum fest, bis wann diese Aufgabe abgeschlossen sein muss. Belohnen Sie sich auch nach jeder abgeschlossenen Aufgabe mit einem guten Essen, einem Kinobesuch mit Freunden oder mit einem trendigen neuen Outfit. Genießen Sie die Zeit, lassen Sie alles auf sich zukommen und bauen Sie nur keinen Druck auf. Und am wichtigsten, haben Sie Spaß dabei.

Die richtige Fragetechnik für ein ehrliches Feedback

Oft ist es ziemlich schwierig, andere dazu zu bringen, eine aufrichtige und ehrliche Meinung abzugeben. Selbst nachdem Sie die Feedback-Gruppe, die Sie gebildet haben, überzeugt haben, ehrlich zu sein, kann trotzdem eine gewisse Zurückhaltung unvermeidbar sein. Wenn Sie förmlich diese Bescheidenheit spüren können, dann müssen sie vielleicht Ihre Fragetechniken ändern. Eines der Probleme könnte einfach die Tatsache sein, dass sie die Frage nicht richtig stellen, bzw. nicht genau wissen, wie sie eine bestimmte Frage formulieren sollen, und es gibt alle möglichen Fragetechniken für jedes Gesprächsziel. Und Ihr Ziel ist es, aus dieser Gruppe ein ehrliches Feedback über Ihre äußerliche Erscheinung zu erhalten.

Die richtigen Fragetechniken sind in Diskussionen dieser Art wahre Wunderwaffen. Mit den richtigen Fragen können Sie Gedanken, Betrachtungsweisen oder auch tiefe Reflexionen anregen. Sie können Informationslücken schließen, Argumente von anderen einfordern, Entscheidungen forcieren, motivieren und natürlich die Wahrheit herausholen. Auf der anderen Seite können aber die falschen Fragen einen Menschen ängstigen und eine Konversation auch regelrecht blockieren. Der Einsatz von Fragetechniken will wohl überlegt und gekonnt sein. Wenn Sie z. B. eine ehrliche Meinung herbeiführen wollen und dabei den falschen Fragetypus wählen, werden Sie vermutlich scheitern und die Person wird sich Ihnen nicht öffnen. Wichtig ist, dass Sie genau wissen sollten, mit welchen Fragen Sie etwas bei einer bestimmten Person bewirken können.

Kommen wir zu den verschiedenen Fragetechniken, natürlich sollten diese mit viel Feingefühl einsetzt werden können. Es gibt, wie die meisten kennen, die gewöhnlichen offenen und geschlossenen Fragentechniken.

Grundsätzlich können Sie zwischen den geschlossenen und offenen Fragen unterscheiden. Geschlossene Fragen erkennen Sie daran, dass die Antwortmöglichkeit auf „Ja“ oder „Nein“ beschränkt ist. Ein kleines Beispiel zu so einer geschlossenen Frage: „Habe ich eine schöne Figur? “ Geschlossene Fragen setzten Sie ein, um gezielte, verbindliche Informationen zu einem fest umrissenen Thema zu erhalten. Mit dieser Fragetechnik können Sie übrigens auch Vielredner stoppen.

Offene Fragen lassen der Person hingegen mehr Spielraum für mehrere mögliche Antworten. Dadurch lassen Sie den Gesprächspartner mehr Freiraum, denn derjenige kann die eigene Meinung miteinbringen. Und solche Fragen beginnen mit einem der W-Fragewörter: Wer, wie, was, wann, warum.

Wieder ein kleines Beispiel: „Was kann ich tun, um meine Figur noch durchtrainierter wirken zu lassen?“. Bei den offenen Fragen erhalten Sie in der Regel viel mehr Feedback. Sie müssen aber bei dieser Fragetechnik auf alles gefasst sein, denn der Befragte kann den Inhalt und die Gewichtung seiner Antwort stärker steuern.

Wer geschickt ist, kann sich auch bei offenen Fragen sehr leicht herausreden, oder kann auch eine heikle Diskussion in eine ganz anderen Richtung lenken. Also sind Ja und Nein Entscheidungsfragen, bzw. geschlossene Fragen. Setzen Sie diese dann ein, wenn Sie kurz und knapp eine Information abprüfen oder eine Zustimmung herbeiführen wollen: „Sind die Lieferungen schon angekommen?“ oder „Sind wir uns einig, dass wir erst morgen Shoppen gehen?“

Was auch sehr beliebt ist und oft angewendet wird, sind Alternativfragen. Diese Fragetechnik stellt dem Befragten zwei Antwortmöglichkeiten zur Auswahl, zwischen denen er sich entscheiden kann, oder auch muss. Die Entscheidung ist dann möglich, allerdings nur in einer eng begrenzten Auswahl: „Soll ich heute Abend das weißen oder das schwarze Outfit anziehen?“ Natürlich hat der Befragte bei so einer Fragetechnik sehr wenig Spielraum und in dem Fall wird die Meinung des Befragten nicht benötigt.

Suggestivfragen gehören ebenfalls zu den geschlossenen Fragetypen und konditionieren den Befragten in eine bestimmte oder gewünschte Richtung zu antworten. Ihm bleibt fast nichts anderes als diese eine Antwort übrig. Und wenn Sie überzeugt sind, dass der Befragte der gleichen Meinung ist wie Sie, können Sie guten Gewissens solche Fragentechniken anwenden. Weil Suggestivfragen oder auch sogenannte Beeinflussende Fragen aber auch ein Mittel zur Manipulation, zur latenten Drohung oder zur Unterstellung und Beschuldigung sein können, tragen sie häufig zur Verschlechterung einer Beziehung und des Gesprächsklimas bei.

Der Fragende kann mit so einer beeinflussenden Fragetechnik dem Gegenüber seine Sicht der Dinge gewollt aufdrängen. Ein solches Verhalten trägt nicht zum konstruktiven Verlauf eines Gesprächs bei. Alles in Allem sollten Sie daher mit dieser Fragetechnik immer sehr behutsam sein. Zu der Fragetechnik auch ein kleines Beispiel: „Du willst doch wohl nicht, dass ich das Treffen absage?“ Damit will der Fragende ein „Nein“ hören, den derjenige schon die ganze Zeit in den Gedanken hatte und nur bestätigt haben wollte.

„Findest du nicht auch, dass wir von dieser Party endlich gehen sollten?“ So will der Fragende die Bestätigung seines Vorhabens erreichen.

Last but not least sind die Bestätigungsfragen auch eine sehr häufige Fragetechnik, die sehr gerne eingesetzt wird. Dieser Fragetyp wird meist eingesetzt, um zu klären, ob derjenige alles richtig verstanden hat. Sie sind eine andere Form der Umformulierung bzw. Umschreibung. Anders als die Suggestivfrage inkludieren die Bestätigungsfragen aber keine spezifische Antwort. Bestätigungsfragen oder auch Nickfragen gehören zu den geschlossenen Fragetechniken. Dazu auch ein Beispiel: „Habe ich das richtig verstanden: Wir gehen alle zusammen auf die Party?“

Ich habe hier nur die gängigsten Fragetechniken aufgelistet, sicherlich gibt es noch unzählige Befragungsformen und Strategien, die anwendbar wären. Durch Fragen entsteht eine kreative Atmosphäre, in der neue Gedanken entstehen und sich aussprechen lassen. Dadurch entstehen gemeinsame Ideen und das kann auch die Grundlage sein für gemeinsame Handlungen und Veränderungen.

Entscheidend jedoch ist Ihr ernsthaftes Interesse am Befragten, der sich vielleicht mit seiner Meinung zurückhält und Sie durch Fragen mehr über sich selbst erfahren wollen. Und auch wenn Sie mehr oder weniger offen signalisieren, dass es Ihnen ausschließlich um ihr Liebesleben geht, dass Sie auf möglichst direktem Weg ohne viel „Geschwätz“ eine brauchbare Aussage hören wollen, helfen Ihnen auch noch so intelligent gestellte Fragen nicht viel weiter.

Das Gegenüber wird vielleicht seine Zurückhaltung dafür auch nicht lockern und Sie mit Ihren gezielten Fragen auflaufen lassen. Daher ist es manchmal ratsam, dem Befragten etwas Zeit zu lassen und vielleicht zu einem späteren Zeitpunkt, auch auf telefonischem Wege, ihn erneut zu befragen. Ich sag nur: „Timing".

Eine gekonnte und ausgeklügelte Fragetechnik ist nicht nur wichtig, um ein ehrliches Feedback für das äußerliche Auftreten zu erlangen, sondern auch unglaublich wichtig für alle möglichen Bereiche im Leben. Die richtigen Fragen zur richtigen Zeit zu stellen ist eine Kunst für sich. Man braucht dafür sehr viel Talent, Geschick und viel Feingefühl. Wie es auch so schön heißt: „Wer fragt, der führt!"

Überprüfen wir mal Ihren jetzigen Stand

Nach dem individuellen Feedback, dass Sie von Ihrer Gruppe erhalten haben, sollten Sie die allgemeinen Richtlinien überprüfen und mal einen Blick unter Ihre Motorhaube werfen lassen. In der Fitnessbranche zum Beispiel drückt der Bodycheck den aktuellen Stand Ihres Körperszustandes aus. Der sogenannte Bodycheck ist eine Check-Liste, bzw. eine Formel, die ich gerne verwende, um meinen Klienten dabei zu helfen, den aktuellen Stand und auch die erzielten Fortschritte ihres Images im Allgemeinen regelmäßig zu überprüfen.

Da ich nicht jeden von Ihnen durch die Seiten dieses Buches hindurch durchchecken kann, habe ich einen allgemeinen Selbst-Check erarbeitet, der sehr hilfreich sein kann. Es kann sein, dass einige Punkte auf Sie nicht zutreffen oder vielleicht doch zutreffen könnten. Konzentrieren Sie sich also auf die Punkte, die jede Fassette Ihrer Persönlichkeit, Ihres Aussehens berühren könnten.

Ihre Kleidung

- Sie tragen Ihre Kleidung zu eng oder zu groß? Die Kleidung muss mehr oder weniger Ihrer Größe entsprechen, auch nicht zu kurz oder zu lang. Ihre getragenen Outfits müssen passen. Sie sollten sich darin wohlfühlen und sich auch sehen lassen.
- Haben Sie vielleicht einen Stil, der zu freizugig ist? Sie müssen wie ein zukünftiger Lebenspartner aussehen und nicht wie der perfekte Kandidat für die nächste heiße Nacht.
- Sind Sie zu modisch gekleidet? Hochmodische Kleidung oder auch Highfashion schätzten nicht alle Menschen, auch wenn sie viel kostet und in allen Zeitschriften zu sehen ist, kann sie hochnäsig wirken. Achten Sie auf Kleidung, die von einer breiten Masse Komplimente anzieht.
- Ist Ihre Lieblingsfarbe schwarz? Eine schwarze Hose kombiniert mit einem schwarzen Hemd ist absolut ok, aber tragen Sie vielleicht auch dazu ein farbiges Kleidungsstück, ein Jackett, Schuhe oder ein Gürtel, das sich von der dunklen Farbe abhebt. Wenn Sie die ganze Zeit Schwarz gekleidet sind, werden Sie zum Beispiel in einem schlecht beleuchteten Raum schwerer bemerkt. Außerdem ist schwarz eine strenge Farbe, die sich für Trauer und Beerdigungen gut eignet. Sie müssen positiv aussehen.
- Sie tragen immer einen Anzug? Achten Sie darauf, nicht zu konservativ, hart oder unnahbar zu wirken. Vielleicht können Sie dieses Outfit mit einem T-Shirt und Stylischen Turnschuhen kombinieren. Ziehen Sie nicht immer Ihr gleiches weißes Hemd an. Kaufen Sie sich mal ein hellgrünes oder hellblaues.

- Sie kleiden sich einfach zu auffällig? Ein schockierendes Auftreten gibt in der Regel nicht viel her. Und bitte ziehen Sie keine T-Shirts oder lockeren Pullover mit irgendwelchen Stickereien an. Solche Kleidung lässt Sie zuckersüß, zugleich kindisch und langweilig aussehen. Arbeiteten Sie mit aktuellen Farben, aber dezent und durchdacht anpassen.
- Tragen Sie ständig einen Push-Up-BH? Bitte übertreiben Sie es nicht mit diesen Push-Up-BHs. Jeder weiß, dass nach einem bestimmten Alter die Brüste einfach hängen und nicht nur diese, sondern die meisten Teile am Körper haben mit der Erdanziehung zu kämpfen. Natürlich sind solche BHs auch sehr nützlich für die Frauen, die überhaupt keinen Busen haben oder einen ganz kleinen. Trotzdem, einen Rat von mir, bauscht nicht auf, was dort nicht ist. Da könnte ich euch Geschichten erzählen, dass einem die Kinnlade herunterfällt. Es gibt nichts schlimmeres, als wenn der Typ Ihnen den BH aufknöpft und plötzlich ist nichts in den Körbchen, außer Schaumstoff und am Ende hat er mehr Busen als Sie. Oder beim Aufknöpfen fliegen dem Armen die Möpse um die Ohren und dann liegen Sie auf Ihrem Bauch. Solche Storys sind sehr lustig und bringen einen sicherlich zum schmunzeln, doch im Eifer des Gefechts können solche Zwischenfälle für unschöne Verwirrung sorgen. Daher so einen Push-Up BH dezent einsetzten oder vielleicht auch als vernünftige Unterstützung.
- Tragen Sie vielleicht gerne kurze Hosen, Leggings oder Röcke? Das mit den Leggings ist ein umstrittenes Thema. Bei manchen Menschen sieht es super sexy aus und ist eine absolute Augenweide. Doch bei manchen ist es ein Bild des Horrors, eine absolute Katastrophe. Ich bin der Meinung, dass wenn ich ein Hintern wie einen Scheunentor haben, übersäht von Cellulite-Kratern, schlimmer als wie auf einer

Mondlandschaft, dann ziehe ich doch keine weiße und fast durchsichtige Leggings an. Bei dem Anblick wird es einem schlecht. Dann empfiehlt es sich, eine dunklere und vielleicht etwas dickere Leggings anzuziehen. Das Gleiche gilt für kurze Hosen oder Miniröcke. Wenn Sie keine schönen Beine haben, vielleicht sind sie mit Krampfadern, Äderchen oder allen möglichen Flecken versehen, dann empfiehlt es sich auch nicht kurze Hosen oder Röcke anzuziehen. Heutzutage hat doch jeder von Ihnen einen Smartphone in der Hosentasche, dann benutzt es auch. Machen Sie Fotos von sich, von vorne und von hinten, oder lassen Sie sich von jemandem fotografieren und dann betrachte und vergrößert die Bilder. Und wenn Ihnen nicht gefällt was Sie auf den Abbildungen sehen, dann erübrigt sich die Frage, was andere über Ihre Präsenz denken werden. Wie es so schön heißt, Selbstkritik ist die beste Kritik.

- Sitzen Sie vielleicht im Rollstuhl oder habe Sie eine körperliche Behinderung? Sicherlich ist es nicht leicht für Menschen, mit einem Handikap oder einer körperliche Behinderung sich immer modisch zu kleiden zu können. Menschen mit Behinderung scheinen für die Modebranche noch keine relevante Zielgruppe zu sein. Angepasste Kleidung für Menschen mit Behinderung ist noch immer ein Nischenprodukt und nur in speziellen Boutiquen vorzufinden. Mode von der Stange gibt es sehr selten für diese Zielgruppe. Die Anforderungen sind so speziell und individuell wie die verschiedenen Körper und Behinderungen an sich. Normen und Standards lassen sich hier sehr schwer anwenden. An reguläre Kollektionen wie es sie inzwischen beispielsweise für Übergrößen vermehrt gibt, ist vorerst also nicht zu denken. Doch Angebot und Nachfrage bestimmen den Markt und das gilt auch für diese Zielgruppe und immer mehr Designer wollen genau das ändern. Natürlich abgesehen vom Grad der Behinderung ist es trotzdem keine Rechtfertigung, sich ungepflegt zu zeigen lassen oder sich deswegen gehen zu lassen. Auch ein Mensch in einem Rollstuhl kann chic aussehen, tolle Klamotten anhaben und eine stylische Frisur haben.

- Die meisten Kaufhäuser verfügen über spezialisiertes Personal, mit dem Sie unverbindlich sprechen können, um das für Sie richtige Kleidungsstück ausfindig zu machen, das genau zu Ihrer Figur passt. Sie können in die teuren Läden gehen, sich professionell beraten lassen, im Allgemeinen besteht auch keine Kaufverpflichtung, und wenn die Preise für Ihr Budget dort zu hoch sind, finden Sie sicherlich ähnliche Modelle zu einem günstigeren Preis in anderen Geschäften. Wenden Sie sich daher auch an den Fachhändler oder an etwas kleinere Boutiquen, die sich um Sie individuell kümmern können, die nicht den trendigsten Look für Sie heraussuchen, sondern den, der Ihre Figur am besten hervorhebt.
- Sie müssen auch nicht immer auf dem neuesten Stand der Mode sein, aber tragen Sie nicht zum Spazierengehen eine verwaschene Jogginghose mit Löchern oder einen weiten ekligen Pullover. Mein Großvater pflegte immer zu sagen: „Es gibt keine hässlichen Frauen, sondern nur hässliche Klamotten."
- Sie wissen nie vorher, wo Sie dem oder der Richtige/n begegnen werden. Es ist nicht so, dass Sie immer top gestylt sein müssen, aber wenn Sie sich in der Öffentlichkeit bzw. unter Menschen blicken lassen, dann führen Sie wenigstens vorher einen kurzen Selbst-Check durch. Zum Beispiel Sachen wie: passen die Haare, passt mein Makeup, passen die Schuhe zu dem Outfit, rieche ich vielleicht streng, sind irgendwelche Flecken auf den Klamotten, sind irgendwo

Risse oder fehlen Knöpfe oder ist der Hosenstall bis zum Anschlag zugezogen, usw. Sie wollen doch nicht Ihren zukünftigen Partner/-in in Ihrer weiten, verdreckten oder zerrissenen Schlabberkleidung an der Supermarktwarteschlange oder an der Tanke begegnen. Am aller schlimmsten ist ein offener Hosenstall beim ersten Date.

Mir persönlich ist schon so ein unglaubliches Missgeschick passiert und zwar beim ersten Abendessen mit einer wunderschönen Frau in einem der angesagten Lokale der Stadt. Und nachdem meine Begleiterin mich in einem wunderschönen Abendkleid dann darauf aufmerksam gemacht hat, habe ich mich in Grund und Boden geschämt.

Ihre Frisur

Wie tragen Sie Ihr Haar? Tragen Sie die Haare lang, kurz, bunt oder vielleicht überhaupt kein Haar? Nach jahrelanger Befragung meiner Klienten und Freunde habe ich festgestellt, dass 85% aller Männer langes Haar bei Frauen bevorzugen und über 80% der befragten Frauen bevorzugen bei Männern kurzes Haar. Abgesehen von den Diversen, die nach mehrfacher Befragung immer anderer Meinung waren und eigentlich nicht genau wissen, was sie bevorzugen. Deren Meinungen gehen auseinander.

Oft wenn ein wichtiges Date ansteht und wir schon am Outfit fast verzweifeln, schenken wir den Haaren weniger Beachtung als sonst und das, obwohl sie ein echter Magnet sein können. Wir Männer sind aber etwas pflegeleichter in der Hinsicht, obwohl ich Freunde habe, die über eine Stunde vor dem Spiegel stehen können, um jedes noch so kleine Härchen so zu positionieren, bis die ganze Pracht passt.

Die Frisur spielt bei jedem Look eine nicht ganz unwichtige Rolle, sie harmoniert mit unserem Gesicht und hat somit einen erheblichen Einfluss darauf, wie wir rüberkommen, sowohl bei Männern als auch bei Frauen. Und auch wenn Sie sich nicht mit den top modischen Frisuren auseinandersetzten, gibt es trotzdem bestimmte Hairstyles, die bei ihnen, mehr oder weniger unterbewusst, besonders gut ankommen. Natürlich sollten Sie tragen, womit Sie sich am wohlsten fühlen. Lassen Sie sich daher nicht von dem Modemagazin oder Zeitschriften und den ganzen möglichen Farben und Techniken verrückt machen. Doch für alle Verzweifelten, die vor einer Verabredung stehen und ratlos sind oder in Sachen Haare einfach neue Inspiration brauchen, habe ich hier einige Frisuren aufgelistet, die bei Frauen sehr gerne gesehen werden.

Was Männer an Frauen besonders attraktiv finden, ist ganz unterschiedlich und hängt von vielen Faktoren ab. Von der Mimik, vom Lächeln, von den Augen, von der Stimme, ihren Bewegungen und natürlich von der ganzen Persönlichkeit. Einige mögen helle, andere dunkle Haare, einige mögen eine lange Mähne, andere einen frechen farbigen Cut oder sogar Flechtfrisuren. Es gibt jedoch Sachen, in denen sich alle einig sind, die absolut abturnend sind und zwar: unpassende Färbungen, stechende Farben, offensichtlich geglättetes Haar und das allerschlimmste sind schlecht angebrachte Extensions, die meterweit schon sichtbar sind, und natürlich ungepflegtes Haar. Dann gibt es wiederum Frisuren, die auf Männer besonders sexy wirken, so richtige Blickmagneten. Und nein, es müssen nicht immer blonde Engelslocken sein oder unglaubliche Mähnen. Ich zeige Ihnen, an welchen einfachen Hairstyles Sie sich für das nächste Date ausprobieren können. Diese sind einfach zu stylen und wirken trotzdem sympathisch, selbstbewusst und zugleich sexy. Natürlich jede von Ihren getroffene Entscheidung immer mit der Feedback-Gruppe absprechen und sich auch von mehreren Friseuren beraten lassen.

- **Die immer wirkende Wellen-Frisur:** Für viele Männer ist der Wellen-Style ganz klar die attraktivste Frisur an Frauen. Sie wirken sexy, wild, natürlich, selbstbewusst und weiblich zugleich und wecken Fantasien nach Urlaub, Surfen und sommerlicher Unbeschwertheit. Eine Frau, die natürliche Locken zu braungebrannter Haut trägt, wirkt abenteuerlustig und unkompliziert, genau das, was vielen Männern den Kopf verdreht.

- **Die eleganten Glanz-Wellen:** Im Gegensatz zu den natürlichen Wellen ist diese Frisur etwas gestylter und setzt auf gepflegtes, ordentlich gewelltes Haar, das eine ordentliche Portion Eleganz und Charme ausstrahlt. Voraussetzung für diesen Look ist eine glänzende, sehr gesunde Mähne. Diese gibt es aber bei dementsprechendem Haar fast beim Friseur, unter Anwendung bestimmter Pflegeprodukte zu kaufen.

- **Der klassische Pferdeschwanz:** So eine Frisur wirkt nicht nur unglaublich sympathisch und fröhlich, sondern auch sportlich, unbeschwert, direkt und etwas frech, aber sehr selbstsicher, und diese Mischung ist bei Männern sehr beliebt.

- **Der absolute Hingucker sind die Flechtfrisuren:** Wer so eine Frisur trägt ist meistens sehr verspielt, mädchenhaft und romantisch zugleich. Eine unglaubliche interessante Mischung, die Männer zum Träumen bringt und sehr anziehend wirkt. Beim Styling haben Sie die freie Wahl, denn der Fantasie sind keine Grenzen gesetzt.

- **Der heißgeliebte lässige Look:** Ein weiterer Hairstyle, der sehr gut ankommt, ist der klassische Look. Wenn Sie Ihre Haare zu einem Knoten binden, kommen Ihr Gesicht und Ihre Augen perfekt zur Geltung. Dieser Look strahlt Selbstsicherheit und eine stilvolle Einfachheit aus und ist besonders zeitlos.

Haarfarbe

Was ist mit der Farbe Ihrer Haare? Sie sind wahrscheinlich so an Ihren gewohnten Look gewöhnt, ob es nun natürlich ist oder nicht, dass Sie nicht bemerken, dass die Zeit gekommen ist, einige Änderungen vorzunehmen. Natürlich können die ganzen obengenannten Frisuren nur mit der passenden Farbe zur Geltung kommen. Wählen Sie eine Haarfarbe, die zu Ihrem Stil, zu Ihrem Hautton und zu Ihrer Persönlichkeit passt.

Die meisten, die sich gerade in einer Verwandlungsphase befinden, stellen sich oft die Frage: „Kann ich mal eine ganz andere Farbe ausprobieren?" und dazu kann ich nur sagen: „Ja." Versuchen Sie aber, eine möglichst natürliche Farbe zu wählen, verlassen Sie sich nicht nur auf Ihr Urteilsvermögen. Befragen Sie Ihre Feedback-Gruppe während der Recherchephase und auf jeden Fall zwei oder drei verschiedene gute Friseure.

Und ein absolutes No-Go ist, wenn manche ihre Augenbrauen oder ihren Bart mitfärben. Die Augenbrauen- /und Bartpflege gehört zur Schönheitsroutine dazu und diese sollten auch dementsprechend gepflegt werden. Doch Färben kann bei falscher Anwendung sehr künstlich wirken, wie ein misslungenes Experiment.

Oder haben Sie vielleicht schon graue Haare? Dann sollten Sie diese auf jeden Fall färben. Haben Sie sich schon mal gefragt, wie sich dieser Look auf Sie auswirkt? Ich persönlich sehe oft sehr attraktive Frauen mit Salz- und Pfefferfarbigem Haar. Im Großen und Ganzen sehen diese Frauen auch sehr stolz und selbstsicher aus und scheinen auch absolut von sich überzeugt zu sein, den natürlich Look beibehalten zu wollen. Aber in Wirklichkeit altert graues Haar Sie extrem, dieser Look begrenzt die Anzahl der Männer, die sich von Ihnen angezogen fühlen könnten. Also weg mit dem grauen Haar, denn Sie haben viel Zeit, um originell und alt auszusehen, nachdem Sie den Partner Ihres Lebens gefunden haben.

Die Kunst des Schminkens

Das richtige Schminken bedeutet, die eigenen Vorzüge zu unterstreichen. Die Kunst des Schminkens ist weit mehr als einfach Farbe oder Puder ins Gesicht zu schmieren. Make-Up ist immer kreativ und dient dazu, die Vorzüge eines Gesichts hervorzuheben, eventuelle Schwachstellen auszublenden oder auch zu kaschieren, um den eigenen Stil ausleben zu können. Und dies gilt nicht nur für Frauen, denn heutzutage schminken sich auch sehr viele Männer. Die angesagten Kosmetik-Konzerne haben revolutionäre Produktlinien nur für Männer auf den Markt gebracht. Hierzu kann man sich verschiedener Produkte bedienen. Von Augencremes, Produkten für die Nagelpflege, bis zu Lippenstiften und allen möglichen tönenden Gesichtscremes. Wer sich regelmäßig schminken möchte oder es bereits gelegentlich tut, sollte mit hochwertigen Produkten arbeiten, um die Effektivität des Auftragens zu vereinfachen, um die Haut zu schonen und um die eigenen Züge noch wirkungsvoller zu gestalten. Für viele Frauen oder auch Männer ist es eine echte Herausforderung. Die Devise lautet weniger ist mehr und nicht je mehr ich drauf schmiere, desto besser sehe ich aus.

Für die meisten ist es unglaublich schwer, sich selbst zu stylen und noch schwerer, die Zeit dafür zu finden oder sogar jemanden zu finden, der die Erfahrung hat, es zu tun. Im Allgemeinen empfehle ich, sich von einem professionellen Visagisten beraten zu lassen. Sich einfach mal professionell schminken lassen, wie beim Fernsehen oder im Theater. Im Netz werden auch ganz tolle Kurse in dem Bereich angeboten. Dort können Sie lernen, mit einfachen Mitteln und elementaren Anwendungen Ihr Auftreten regelrecht magisch zu verändern. Sie werden jetzt sicher denken, aber solche professionellen Anwendungen sind sicher sehr teuer. Sicherlich sind gute Visagisten nicht billig, aber es gibt Tricks und Tipps, die Sie anwenden können, um davon zu profitieren. Im Netz können Sie sich sicherlich viel abschauen und auch die neusten Schminktechniken in Erfahrung bringen.

Aber wenn Sie eine persönliche Beratung brauchen, finden Sie in den großen Einkaufszentren, Malls oder auch Fachgeschäften, meistens in den Kosmetikabteilungen professionelle Visagistinnen oder auch Verkäuferinnen, die vom Geschäft selbst engagiert werden, um Kunden kostenlos Testschminken zu können. Im Allgemeinen gibt es auch keine Verpflichtung zum Kauf. Die Anwendungen und die Beratungen sind kostenlos und dies können Sie geschickt ausnutzen. Zum Ausgleich können Sie vielleicht eine Creme oder einen Puder kaufen.

Klartext zum Thema Körperbehaarung

Ich habe eine ziemlich selbsterklärende Handlungsweise für verschiedene Body-Rasuren erstellt und wir arbeiten uns systematisch von oben nach unten durch. Körperrasur bei Männern und auch bei Frauen ist je nach Körperregion eine Überzeugungsfrage, eine persönliche Einstellung. Viele sind viel zu faul, um es regelmäßig durchzuführen, die anderen sind unschlüssig oder entscheiden sich für die naturbelassene Variante.

Jeder hat andere Vorlieben und auch einen anderen Geschmack. Der Eine mag es lieber glatt und sanft und der Andere lieber rau und haarig. Soll ich mich rasieren oder nicht? Soll ich meine Beine rasieren oder nicht? Was ist mit der Schambehaarung? Und was ist mit den Haaren auf der Brust oder auf dem Rücken? Lieber eine glatte und seidige Haut oder doch vielleicht etwas behaart? Oder vielleicht geht ja sogar beides?

Härchen an den Ohren: Nach einem bestimmten Alter wachsen Haare an Stellen, die eigentlich kein Mensch braucht. Prüfen Sie in regelmäßigen Abständen, so in etwa einmal pro Woche, das was an und in Ihren Ohren wächst. Wenn Sie zu diesem Typus Mann gehören, dann lohnt sich der Griff zur Pinzette oder einem Haartrimmer, um die Haare, die sich am Ohrenrand und am Ohrdeckel (Tragus) bilden, entfernen zu können.

Die lästigen Nasenhaare: Mit Sicherheit nehmen die meisten Menschen die Stoppeln, die aus Ihrer Nase kommen, als unappetitlich wahr. Mit Nasenhaartrimmern oder einer kleinen Schere und viel Vorsicht können Sie die Haare schnell entfernen. Praktisch ist, dass Sie den Trimmer auch für die Haare an den Ohren verwenden können. Manche zupfen sich die Stoppeln aus der Nase beim Autofahren oder auch beim Fernsehen mit den Händen weg. Sicherlich sind solche Handlungen auch sehr effektiv, doch nicht ästhetisch anzusehen.

Der heißgeliebte Bart: Bärte sind seit einiger Zeit auch bei jungen Männern sehr beliebt. Doch, so hart es klingt, sollten manche Männer keinen Bart tragen. Ein Bart passt nicht zu jedem Gesicht. Ein Bart sieht nicht bei jedem gut aus, geschweige denn ein einem Vollbart, daher bitte ich Sie die Meinung ihrer Feedback-Gruppe oder von Friseure einzuholen. Und die Männer, die einfach ohne einen nicht auskommen können, die absolut überzeugt sind und sich einen Vollbart oder einen Schnäuzer wachsen lassen, sollten bedenken, dass eine solche Pracht regelmäßige Pflege erfordert. Die echten Profis in diesem Bereich pflegen ihren Prachtwuchs mit teuren Shampoos, speziellen Ölen und Wachs.

Brusthaare und Haare am Bauch: Wie beim Bartwuchs sieht diese Behaarung auch nicht bei jedem gut aus. Doch wenn Sie Ihre Brustbehaarung mit Stolz tragen, dann wird es das Höchste der Gefühle sein, ab und an mit dem Langhaarschneider die Länge der Pracht aufs Maß zu bringen. Wenn Sie es aber lieber glatt mögen, dann sollten Sie bei der Rasur beachten, dass die Haut im Brustbereich sehr empfindlich ist und dass sich durch die Schweißdrüsen dort einige Bakterien vermehren und dadurch auch unerwünschte Rasierpickel entstehen können. Ähnlich wie bei der Brust kommt es auch beim Bauch auf Ihren persönlichen Geschmack an. Selbstverständlich ist auch, dass wenn Sie Ihre Brust rasieren, Sie Ihren Bauch auch mitrasieren, sonst sieht es aus, als hätte Ihr Rasiergerät beim Rasieren den Geist aufgegeben. Wie bei der Brust kommt es nach der Rasur auf die After Shave Body Lotion an.

Haare auf den Schultern und dem Rücken: Diese Behaarung war aller Wahrscheinlichkeit noch nie angesagt. Außer vielleicht bei Männern, die den Bärenlook mögen. Die lästigen Haare an den Stellen loszuwerden verlangt entweder unglaubliches Geschick oder einen echt guten Freund an Ihrer Seite, der mit Ihnen schon einiges durchgestanden hat. Vielleicht hilft Ihnen die Person sogar, nach der Rasur eine After Shave Body Lotion aufzutragen, um Rasierpickeln vorzubeugen und Ihre Haut zu pflegen. Auf jeden Fall weg mit den Haaren, diese sind lästig und eklig. Es gibt professionelle Laserzentren, die diese Behaarung mit einer speziellen und sogar hautschonenden Laser-Technik die Behaarung permanent entfernen.

Die Achselhaare: Bei Frauen ist eine Achselrasur ein absolutes Muss. Bei Männern ist im Sommer die Achselrasur empfehlenswert, wenn unsere Schweißdrüsen auf Hochleistung arbeiten und wir dazu mit Achselshirt unterwegs sind. Natürlich ist bei Männern die Achselbehaarung pure Männlichkeit, sodass oft nur eine leichte Kürzung mit Schere oder Rasierer komplett ausreichen ist. Dafür aber ein gutes Deo umso mehr.

Haare am Po: Sie haben einen haarigen Hintern? Ich stufe es so ein wie einen haarigen Rücken. Nicht viele mögen es und leider ist es auch nicht allzu leicht, die Behaarung loszuwerden. Da würde ich Ihnen raten, ein Haarlaserzentrum aufzusuchen. Ein kleiner Vorteil ist, dass am Strand oder im Schwimmbad der Po sich leichter verstecken lässt als der Rücken.

Schambehaarung: Wie sich manche den Intimbereich rasieren, ist fast schon eine Wissenschaft für sich. Bei Frauen ist es viel einfacher als bei den Männern. Sie müssen nicht mit einem scharfen Gegenstand zwischen Wurst und Bohnen herumhantieren. Zu dem Thema haben ich in verschiedenen Magazinen einige Tipps und Techniken zur Rasur von Penis, Hoden und Schlitz gesammelt und es ist zum Kopfschütteln. Es ist völlig ok, wenn Sie als Mann sich den Genitalbereich enthaaren oder damit herumexperimentieren, mit irgendwelchen Frisuren. Jeder muss hier seinen eigenen Stil finden, sollte aber mit besonders viel Vorsicht vorgehen, schließlich hantieren Sie mit scharfem Geschütz an Ihren Kronjuwelen herum. Bei Männern sage ich nur, wenn es um die Größe geht, können Sie durch eine geschickte Rasur aus einem Würmchen einen echten Giganten zaubern. Denn wenn das ganze Unkraut im Garten entfernt wird, wirkt der Baum größer, wenn Sie verstehen, was ich meine. Erwarten Sie jetzt aber keinen Prügel oder gleich eine Fleischpeitsche, eine Intimrasur kann nicht zaubern, aber immerhin eine optische Täuschung hinzudichten. Aus einem Würmchen wird sicherlich nie eine Anaconda. Und wenn Sie schon mal an den Glocken oder an der Sackgasse (Vagina) herumhantiert, ist der Anus nur einen Katzensprung entfernt. Den solltet Sie natürlich auch vom Gestrüpp befreien. Dies ist natürlich eine Kunst für sich und sicherlich keine leichte Aufgabe. In dem Fall wünscht man sich manchmal die Wendigkeit eines Vierfüßers zu haben, der sich mit Einfachheit den Hintern ablecken kann. Die Pflege nach der Rasur in dem Bereich ist neben der sorgsamen Vorbereitung und der Enthaarung an sich der wichtigste Part, um Entzündungen zu vermeiden.

Haaren an den Beinen: Regelrecht unumstritten, je nach Geschmack etwas seltsam und eher bei Sportlern sehr angesagt. Doch rasierte Beine bei Männern sind gerade im Kommen, ein richtiger Trend und aufgrund der Haarmenge auch eine echte Knochenarbeit. Aber wer es einmal macht, der macht es immer wieder.

Und natürlich, wenn Sie sich die Beine rasieren, dann sollten Sie nicht bei den Füßen aufhören. Sie wollen doch nicht Hobbitfüße wie Frodo haben. Benutzen Sie nach jeder Rasur ein Aftershave und eine gute Körperlotion, die der Haut Feuchtigkeit spendet und sie stärkt. Viele denken, dass ein Aftershave unbedingt brennen und riechen muss, damit es wirklich wirkt. Das stimmt aber nicht.

Ein Aftershave soll zwei Dinge tun. Als Erstens: Ihre sensible Haut pflegen, damit sie nach der Rasur gut gestärkt gegen Umwelteinflüsse ist. Und als Zweitens: Sie soll entzündungshemmend wirken, damit Bakterien Ihrer Haut keinen Schaden in Form von Rasierpusteln oder Entzündungen zufügen.

Der Faltenglätter Botox als Wunderwaffe?

Das Gift ist nicht nur ein Faltenglätter, sondern auch eine wahre Wunderwaffe. Das Nervengift Botox, vor allem als Faltenglätter bekannt, wird auch seit Jahren als Wirkstoff bei neurologischen Erkrankungen, gegen Muskelkrämpfe und auch als Migränemittel erfolgreich angewandt. Bei der Untersuchung, wie genau das potente Toxin im Körper agiert, stoßen Wissenschaftler und Fachärzte immer noch auf unbekanntes Terrain.

Professionell und in Maßen eingesetzt kann das Nervengift wahre Wunder bewirken. In der Beautybranche sollte man es mit großer Vorsicht genießen. Das Spritzen von Botulinumtoxin ist die mit Abstand häufigste ästhetische Behandlung in Europa und auch in den Staaten geworden. Und die Tendenz ist rasant steigend.

Der ewige Kampf mit der ewigen Jugend, um ein makelloses Gesicht, kann schnell zur Abhängigkeit verhelfen. Und Botox ist nicht nur giftig und kann auch schnell zum Suchtprodukt werden, sondern die Anwendungen sind auch sehr teuer und auch nicht von Dauer.

Mein Rat an Sie, wenn Sie gut betucht sind und Ihr Budget-Konto groß genug ist, können Sie sich sicherlich in gesunden Maßen so einer Behandlung unterziehen. Dennoch können Sie mit reichhaltigen Cremes, guten Peelings und einer gesunden Lebensweise auch in jedem Alter schön und vor allem natürlich schön aussehen. Ohne Nebenwirkungen, ohne ein künstliches Erscheinungsbild, ohne Risiken und ohne hohe Kosten auf sich zu nehmen.

No-Go-Tattoos

Tattoos im Gesicht, an den Händen und teilweise auch an den Armen sind generell mit Vorsicht genießen. Auch wenn Tattoos heutzutage als richtige Kunstwerke gesehen werden, melden sich immer noch Stimmen, die von Knast-Tattoos sprechen. Nur wenige Frauen und auch kaum zu schweigen von den Männern können sich vorstellen, mit einer Person Intimitäten austauschen, wenn diese ein Gesichts-Tattoo oder auch Tattos an den Händen hat. Also, liebe Leute, lassen Sie die Finger vor allem von Gesichts-Tattoos.

Wiederum sind Tattoos am Hals, sofern diese professionell gestochen wurden, zu der Person passen, und auch das Motiv ist von großer Wichtigkeit, sehr anziehend und teilweise erotisch. No-Go-Tattoos können auch Schriftzüge mit Namen sein. Welche Person möchte auf dem Oberarm, Schulter oder gar auf der Brust den Namen vom letzten Partner sehen? Sicherlich keine Person, die Würde hat oder die es mit Ihnen wirklich ernst meint. Was noch viel schlimmer ist, wenn der eine vorherige Name durchgestrichen wurde und durch einen anderen Namen ersetzt wurde. Da hat derjenige komplett den Vogel abgeschossen.

Wer natürlich voll auf Tattoos steht, die Liebe seines Lebens gefunden hat und sich wirklich sicher ist, mit dieser Person das

Leben verbringen zu wollen, könnte sich unter großer Überlegung für ein Partner-Tattoo entscheiden. So ein Vorhaben hat natürlich einen hohen Reiz für die liebende Person.

Ein alter Freund, der mal ein richtiger Tattoo-Fanatiker war, hat mal zu mir gesagt, bei einem Tattoo freut man sich zwei mal. Das erste Mal, nachdem das Teil fertiggestochen wurde und das zweite Mal, wenn man das Ding wieder los hat.

Also, wenn Sie Jugendsünden oder grässliche Tattoos entfernen wollt, dann gibt es heutzutage viele professionelle Laserzentren, die solche misslungenen Kunstwerke entfernen. Billig ist der Spaß natürlich nicht und mit einigen Schmerzen müssen Sie auch beim Lasern rechnen. Aber, wie es so schön heißt, wer schön sein will...

Nicht zufrieden mit der Figur? Übergewicht?

Ich kenne sehr wenige Freunde oder Klienten, die meinen, einen perfekten Körper zu haben, und noch viel weniger, von denen ich glaube, dass sie überhaupt abnehmen müssten. Ich versichere Ihnen, dass diese Schritte, die wir gerade miteinander gehen, nicht nur bei schlanken Menschen oder für Personen mit perfekten Proportionen funktionieren, sondern auch für alle Menschen, die selbstbewusst sind und sich in Szene setzen wollen.

Dieses Klischee, dass Dicke keinen Partner finden, dass Übergewichtige nicht attraktiv sind oder, dass sie keinen Sexappeal haben und nur schlanke und schöne Menschen glückliche Beziehungen führen, ist ein reiner Blödsinn.

Schlimm ist natürlich, dass viele Übergewichtige schon von vorherein denken, dass sie zu dick sind, um einen Partner finden zu können. Inwiefern sich das Übergewicht bei der Partnersuche bemerkbar macht, ist nicht nachvollziehbar und es liegen auch keine verlässlichen Daten darüber vor. Was aber derzeit sehr offensichtlich ist, dass das gesellschaftliche Schönheitsideal einfach schlank, jung und makellos ist.

Mal abgesehen davon, dass diese Schönheitsideale unerreichbar geworden sind und daher auch die Individualität und die Vorlieben von jedem Einzelnen einfach wenig Bedeutung hat. Denn, was diese Statistiken, Medien oder Kosmetik-Konzerne als Schönheitsideal vorgeben, muss noch lange nicht das sein, was ein Mann oder eine Frau für sich selber will.

Sie brauchen auch keine aufgeputschten Statistiken oder soziale Netzwerke, um der Frage auf den Grund zu gehen, ob Sie zu dick sind, um einen Partner zu finden. Das eigentliche Problem liegt bereits in der eigenen Überzeugung selbst. Die meisten Menschen, die schon von vornherein denken, dass sie unattraktiv sind, halten sich meist ohnehin für weniger liebenswert, weil das Übergewicht sie einfach blendet. Deshalb gehen sie oft nicht besonders liebevoll und mit Respekt mit sich selbst um.

Und genau hier fängt das Problem an, denn wie will man jemanden davon überzeugen, einen zu lieben, zu respektieren, wenn derjenige nicht selber an sich glaubt?

Wenn Sie denken: „Ich bin zu dick." „Ich habe keine schöne Figur." oder „Ich bin nicht attraktiv genug, um einen Partner zu finden." und davon auch fest überzeugt sind, nicht attraktiv und liebenswert zu sein, dann vermitteln Sie diese Signale unter Umständen auch einem potenziellen Partner. Vielleicht sind Sie schon so weit, dass Sie nicht mehr aus der Wohnung wollen und fühlen sich auch so unwohl, dass Sie sich am liebsten vor der Welt verstecken würden. Dann müssen Sie schleunigst etwas ändern, bzw. alles ändern.

Verschiedene meiner Klienten und sogar gute Freunde würden erst dann in Ihrem Leben etwas ändern, wenn sie jemanden kennenlernen würden. Doch das wird nie passieren, denn erst müssen sie sich selber ändern. Alles ist so ziemlich sinnlos, wenn ein Mensch sich selbst nicht liebt. Wenn man sich selbst nicht liebt, nutzt es einem nichts, wenn eine andere Person es tut. Und so ein Gemütszustand ist unglaublich traurig.

Egal, wie sehr man von anderen geschätzt oder geliebt wird, man hat nichts davon, wenn man sich nicht selbst liebt. Man ist entweder ein Bottich ohne Boden oder ein ganz dicht versiegelter Behälter, den niemand öffnen kann, weil der Griff sich im Inneren befindet. Man kann diesen Verschluss nur selbst öffnen. Aber dafür muss sich derjenige zunächst selbst lieben. Wenigstens ein bisschen.

Denn entweder braucht man die ständige Bestätigung von anderen, dass sie einen mögen und wird nie satt davon, oder man nimmt diese Aussagen gar nicht mehr wahr und versinkt in Selbstzweifel. Das ist so, als hätte ich Hunger, jemand gibt mir ein leckeres eingeschweißtes Sandwich und ich kann die Verpackung einfach nicht öffnen oder ich sehe vor lauter Verpackung den leckeren Happen nicht mehr.

Sie müssen zunächst Ihren Selbstwert und Ihr Selbstbewusstsein neu aufbauen. Denn auch ein Partner wird Ihnen Ihren tiefsitzenden Selbstzweifel nicht abnehmen. Oft kann die eigene Unzufriedenheit sogar zu einer Bedrohung für die Partnerschaft werden. Denn die wichtigste und längste Beziehung, die Sie je führen werden, ist noch immer die mit Ihnen selbst.

Und es hat nichts mit dem Übergewicht oder dem Abnehmen an sich zu tun. Viele unterziehen sich irgendwelchen total unrealistischen Diäten und quälen sich regelrecht durch Hungerperioden. Wie ich bereits erwähnt habe, hat die Figur an sich nichts mit der Partnersuche zu tun. Ausschlaggebend ist die Einstellung eines Menschen.

Nicht jeder mag eine schlanke oder durchtrainierte Figur, zum Beispiel ich stehe mehr auf kurvige Frauen. Die Schönheit liegt immer im Auge des Betrachters. Eine füllige Oberweite, ein dicker Hintern oder dicke Oberschenkeln können unglaublich erotisch sein.

Ich kenne unzählige Frauen, die sich täglich im Fitnessstudio quälen, eine absolut Bomben-Figur haben und trotzdem seit Jahren Single sind. Auch sehr gut aussehende Menschen, die dem gängigen gesellschaftlichen Schönheitsideal entsprechen oder sie sogar übertreffen, fällt die Partnersuche nicht leicht. Denn auch sie werden durchaus auf ihren Körper reduziert.

In der Tat hat das Übergewicht einer Person nichts mit dem persönlichen Erfolg zu tun. Schlankheit und standardisierte Schönheit sind kein Garant für Zufriedenheit, Erfolg oder Liebe. Das heißt jetzt aber nicht, dass Sie sich jeden Abend den Bauch mit Pizzas, Eiscreme und Cola vollschlagen werden. Denn wenn sie schon bei einer Größe von 170 cm über 100 Kilo auf die Waage bringen, haben Sie schon genug sexuelle Schwungmasse angesammelt. Eine gewisse Selbstdisziplin, Selbstkontrolle und eine gesunde Ernährung sind fester Bestandteil eines glücklichen Daseins.

Also ist Übergewicht kein Hindernis für eine erfolgreiche Partnersuche. Wenn Sie mal die Menschen in der Stadt beobachten, werden Sie viele Paare sehen, bei denen einer oder beide Partner übergewichtig sind oder einer der beiden unglaublich attraktiv ist, und der andere könnte als Schreckfigur in einer Geisterbahn arbeiten. Überhaupt wird Ihnen auffallen, dass die meisten Menschen einfach stinknormal sind. Von dick bis knochendünn, von bunt bis langweilig und von total durchgedreht bis wunderschön topmodisch gekleidet.

Das Problem ist die negative, depressive Einstellung, die übergewichtige Menschen oft mit sich tragen. Sie fühlen sich mit Ihrem Körper nicht wohl, fühlen sich apathisch, genervt und können mit Leichtigkeit entmutigt werden, wenn jemand nicht positiv reagiert. Also arbeiten Sie lieber an Ihrer Einstellung und verplempern Sie nicht Unmengen von Zeit, Geld und Energie mit verrückten Diäten oder anderen Augenwischereien. Natürlich wenn Ihnen das Abnehmen, das Training oder die Diät seelisch gut tut, dann machen Sie weiter. Ein Rat von mir ist: Machen Sie immer, was Ihnen Spaß und Sie glücklich macht, dann sind Sie immer auf dem richtigen Weg.

Das Äußere eines Menschen ist nur ein Aspekt bei der Partnersuche. Ich behaupte auch nicht, dass das äußere Erscheinungsbild in einer Beziehung keine Rolle spielen würde. Dennoch gibt es so viele verschiedene Meinungen, Schönheitsideale und Vorlieben, wie es Menschen an sich gibt. Einige legen mehr Wert auf Äußeres als andere, manche bevorzugen mehr die inneren Werte. Letztlich sind es die inneren Werte, die bei einem Menschen ausschlaggebend sind. Man liebt eine Person schließlich nicht einzig und alleine wegen Ihres Aussehens, sondern weil das Gesamtpaket stimmt.

Dass, was zählt, sind die inneren Werte. Es ist nicht leicht, einen Partner zu finden, weder für Dünne noch für Dicke. Jedoch was ist leicht oder schwer. Alles passiert wie es passieren muss, wir sollten nur jede Herausforderung mit Bravour meistern. Wir

Menschen sind heutzutage viel zu ungeduldig geworden, denn alles muss schnell passieren und am besten gestern. Also sollten wir die Partnersuche nicht mit Begriffen wie leicht oder schwer definieren. Wenn Sie einen Lottogewinner fragen würden, ob es schwer war zu gewinnen, dann wird er Ihnen sagen: „Nein! Ich habe nur ein Schein ausgefüllt."

Sicherlich begegnet man dem Partner fürs Leben nicht an jeder Ecke, denn es ist was ganz besonderes und es passiert vielleicht nur einmal im Leben. Deshalb verzweifeln Sie nicht, haben Sie Geduld und zweifeln Sie vor allem nicht an sich selbst.

Hemmungen? Spezifische Problembereiche am Körper?

Glauben Sie mir, wenn ich Ihnen sage, dass wir alle Problembereiche am Körper haben, bzw. manche Stellen oder Körperteile, die wir einfach nicht mögen? Zum Beispiel ein zu großer Hintern, eine zu große Nase, krumme oder fehlende Zähne, eine schlechte Haltung, hässliche Narben oder sogar Dehnungsstreifen an der Brust, an den Beinen oder am Bauch.

Bei vielen Frauen, die sich einer Mastektomie-OP unterzogen haben, wobei nach einer Brustkrebsdiagnose ein Teil oder eine komplette betroffene Brust entfernt wurde, haben große Hemmungen, sich wieder frei zu zeigen.

Eben weil Sie vielleicht nicht diese perfekten Schönheitsideale haben, sind Sie besonders. Weil Sie sich vorm Ausgehen sich nicht so perfekt schminken oder stylen und davon Ihre rosige Backen zum Vorscheinen kommen, als stundenlang billiges Make-Up auf das Gesicht zu spachteln. Jeder Mensch ist auf seine Art wunderschön. Und in den meisten Fällen ist die natürliche Erscheinung das wunderbarste.

Vielleicht ist es auch Ihr kleiner Bauch, dass der von Ihrer Vorliebe für Mozzarella-Pizza und Bier erzählt. Oder weil Ihre Haare einfach nicht wollen und so lustig abstehen. Weil eben alles an Ihnen sagt, dass Sie Ihr Leben genießen und dass Sie sich dabei von niemandem einschränken oder verändern lassen. Wenn sich eine Person mit sich selbst wohlfühlt und sich liebt mit allen Kanten und Fehlern, erkennt man das durch ihren offenen Blick, durch eine aufrechte und selbstsichere Körperhaltung, durch ein strahlendes Lächeln und eine beneidenswerte Gelassenheit. Die allerbeste Kombination ist die Imperfektion mit Selbstvertrauen kombinieren zu können, um sich treu bleiben zu können. Das wirkt echt, nahbar und charismatisch. Um anders zu wirken, müssen Sie auch nicht immer alles neu kaufen und es muss auch nicht teuer sein. Ich habe oft die schönsten Kleidungsstücke in Secondhand Shops gefunden.

Was auch immer Ihr Problem ist, was auch immer Sie hemmt und quält, rate ich Ihnen einfach, versuchen Sie es zu lösen, versuchen Sie es so gut wie möglich zu kaschieren oder zu beheben und wenn es nicht möglich ist, dann verstecken Sie es so gut Sie können.

Erinnern Sie sich an die Bedeutung der Verpackung, der äußerlichen Erscheinung. Vielleicht kann die Lösung Ihres Problems durch intensive Gymnastik, Kieferorthopädie und in extremen Fällen auch durch rekonstruktive plastische Chirurgie behoben werden. Und je nach Fall kann es sicherlich nicht einfach werden, ganz zu schweigen von den gewaltigen Kosten, die auf einen zukommen können. Sie haben aber ein Ziel vor Augen, den besten Look zu kreieren und so schön und interessant wie nur möglich herüberzukommen.

Daher tun Sie alles, um die Problembereiche beheben zu können und wenden Sie sich, wenn möglich, auch an einen erfahrenen Freund oder Fachmann, um einen Weg finden zu können, die Aufmerksamkeit anderer auf Ihre besten Eigenschaften lenken und Ihre negativen Aspekte verbergen oder minimieren zu können.

Unterbrechen Sie Ihr Vorhaben auf keinen Fall, solange Sie versuchen, einige dieser Fehler zu beheben. Perfektion ist nicht von dieser Welt, und wenn Sie anfangen zu sagen, ich werde diesen Schritt tun, nachdem ich dieses Problem gelöst habe, werden Sie nicht weit kommen und schnell aufgeben, weil es immer etwas anderes geben wird, das Sie als Ausrede verwenden können.

Finden Sie einen Partner, ohne sich selbst zu verlieren

Wie ich bereits in der Einleitung erwähnt habe, beabsichtigt dieses Buch nicht, Sie zu ändern, sondern was aus sich zu machen. Sich von dem zu unterscheiden, was Sie sind und Ihre begehrtesten Eigenschaften gekonnt hervorzuheben. Während der ganzen Schritte sind viele Menschen nachdenklich und total überfordert. Sie kommen an einen Punkt, an dem sie nicht mehr wissen, was sie tun sollen. Einerseits möchten sie sich nicht von den alten, eingebrannten Gewohnheiten abwenden und so bleiben, wie sie sind, andererseits aber möchten sie doch was tun, um einen Partner finden zu können. Es ist ein endloser Kampf mit sich selbst.

Eine Klientin von mir hat mir mal erzählt, dass Sie manchmal vor jeder Entscheidung minutenlang mit sich selber kämpft. Sie sitzt am Küchentisch und fragt sich dutzende Male, ob sie es tun soll oder auch nicht. Solche Gedankenkämpfe kosten sehr viel Kraft und Energie und können die Gefühle und die Psyche eines Menschen unheimlich beeinflussen.

Es sollte klar sein, dass Sie Ihr Aussehen und Ihr Verhalten so gestalten sollten, dass eine andere Person, die Sie interessiert, frühzeitig erkennt, wie besonders Sie sind. Lassen Sie sich nicht auf solche Gedankenspiele ein, denn diese führen zu nichts. Das Motto heißt: Jetzt LOSLEGEN! Nicht länger warten, sondern jetzt starten.

Machen Sie es wie die Marketingexperten, sie präsentieren oft dasselbe Produkt mit einer anderen, verbesserten Verpackung auf dem Markt und dies mit hervorragenden Ergebnissen. Es ist natürlich wichtig, dass Sie sich mit der neuen Verpackung wohlfühlen, da sie sonst nicht wirken können. Oft ist es nur eine Frage der Zeit, sobald Sie tätig sind und eine bestimmte Routine erreicht haben, werden Sie sehen, wie viele Komplimente Sie erhalten werden. Es liegt ganz bei Ihnen. Sie haben es in der Hand.

Es ist auch nicht leicht, sich Tag für Tag neu erfinden zu müssen und doch sich treu zu bleiben. Ich ertappe mich auch ab und zu mal, wie ich mich doch anpasse, anstelle das zu tun oder zu sagen, was meinem inneren Dasein entspricht.

Sich selbst treu bleiben ist eine Eigenschaft, ein Reflex, den andere sofort an Ihrer Ausstrahlung erkennen können. Man kann es an Ihrem Gang und Ihrer Körperhaltung sehen, und dadurch auch erkennen, in welcher Stimmung Sie sich gerade befinden. Ich merke das selber an mir. Wenn es mir nicht gut geht und ich mich nicht so kraftvoll fühle und an manchen Tagen überarbeitet bin, dann merke ich das sofort an meiner Körperhaltung. Ich gehe wesentlich gebeugter, meine Mimik ist trüb und meine Schultern hängen lustlos runter. Doch diese Momente sind hin und wieder ganz normal und gehören zum Leben dazu.

Wichtige Punkte zu Schritt 2

1. Kreieren Sie Ihren besten Look.
2. Bilden Sie eine Feedback-Gruppe.
3. Verbesserungsvorschläge annehmen und konsequent umsetzten.

4. Erkennen Sie eine Chance und nutzen Sie diese für sich.
5. Lernen Sie die richtigen und gezielten Fragen zu stellen.
6. Achten Sie auf Ihre Frisur und auf die passende Haarfarbe.
7. Achten Sie auf Ihre Körperbehaarung und die Pflege.
8. Unschöne Tattoos weglasern lassen.
9. Lernen Sie sich selbst anzunehmen und sich zu lieben.
10. Schönheitsfehler oder Problembereiche am Körper einfach eliminieren oder gekonnt kaschieren.
11. Lassen Sie sich nicht auf Gedankenspiele ein.
12. Das Motto heißt: Jetzt LOSLEGEN! Nicht länger warten, sondern jetzt starten.
13. Erfinden Sie sich neu und bleiben Sie sich dabei treu.

Schritt 3

Achten Sie auf Ihr Benehmen und Ihr Verhalten

Was für eine Person sind Sie? Wer möchten Sie werden?

Der Inhalt dieses Kapitels ist einer meiner Favoriten. Nicht, dass Sie Ihre Persönlichkeit völlig ändern, oder gar jemand anderes werden sollten, denn schließlich sollten Sie stolz darauf sein, was Sie sind. Aber alles schön und gut, trotzdem ist es unheimlich wichtig, darüber nachzudenken, wie Sie auf andere wirken, was andere über Sie denken und wie sich das Benehmen anderer auf Sie auswirkt. Versuchen Sie daher, die beste Version Ihrer selbst zu werden, das sollte Ihr Ziel sein. Die Kraft der Gedanken kann unser Leben und unser Dasein grundlegend verändern. Nutzen Sie jeden Atemzug, jeden Gedanken und jede noch so kleine Handlung, um Änderungen in Ihr Leben zu bringen. Nicht aber, dass Sie jemand anderes werden, denn das sollten Sie nicht. Statt sich mit den falschen Leuten zu vergleichen und in den falschen Location sich aufzuhalten, finden Sie lieber heraus, wie Sie das Beste aus sich selbst machen können.

Die eigenen Fehler annehmen und daraus lernen ist zwar nicht immer leicht, aber wenn Sie auf motivierende Menschen vertrauen und aufbauen und auf zu viel negative Selbstkritik verzichten, werden Sie merken, wie die innere Sicherheit, die Liebe und das Selbstwertgefühl in die Höhe schießen.

Was ist damit gemeint, die beste Version Ihrer selbst zu sein?

Sicherlich kennen Sie es auch, dass Sie sich dabei erwischen, wie Sie sich ärgern oder denjenigen kritisieren, wenn diese Person attraktiver, schlanker, größer, erfolgreicher oder muskulöser als Sie selbst ist. Oftmals neigt man sogar aus Selbstüberzeugung dazu, sich mit Idealen zu vergleichen, die rein genetisch gar nicht machbar sind. Jeder Mensche ist einzigartig und daher kann auch nicht jeder Mann 1,90 m groß, muskulös und mit einem perfekten Gesicht gesegnet sein. Ebenso ist es für viele Frauen einfach unerreichbar, die perfekten Körpermaße zu erreichen, auch wenn sie Tag und Nacht trainieren würden.

Die genetischen Veranlagungen lassen es schlichtweg nicht zu. Anstelle nun mit einem schwindenden Selbstwertgefühl durch das Leben zu laufen, ist es viel sinnvoller zu überlegen, wie Sie sich selbst optimieren, wie Sie die beste Kopie aus sich selbst herzaubern.

Wer eine kleine Statur hat, kann das auch nicht ändern und nicht durch Willenskraft oder Magie wachsen. Ihr Körpergewicht aber, Ihre Muskulatur, Ihre Körperpflege und Ihre Ernährung sind tolle Ansatzpunkt welche, dass Sie mit Motivation und Ehrgeiz ändern können. Für die meisten Menschen ist es nie leicht, eine große Veränderung im Leben zuzulassen. Oftmals können negative Einflüsse und fehlendes Selbstbewusstsein dazu führen, dass der Glaube an die Liebe und an sich selbst einfach wie Sand im Wind schwindet. Schenken Sie sich selbst wieder mehr Achtsamkeit und fragen Sie sich, welche Dinge Sie an sich nicht mögen und was Sie davon wirklich ändern können. Mit Selbstüberzeugung und einem klaren Ziel vor Augen ist es viel einfacher, eine bessere Version Ihrer selbst zu werden.

Jeder einzelne von uns will im Leben positive Einflüsse und Erlebnisse erleben. Sicherlich streben Sie auch nach Freundschaften und Beziehungen, die Sie motivieren und inspirieren. Menschen, die Ihre Emotionen und Gedanken bereichern. Daher frage ich Sie, sind Sie auch ein positiver Einfluss im Leben für andere Menschen? Dies klingt eventuell klischeehaft und deplatziert, aber Sie bekommen nur das, was Sie im Leben weitergeben. Die Bosheit oder die Güte überträgt sich. Die positiven und auch die negativen Gewohnheiten, Eigenschaften sind genauso ansteckend, wie Pessimismus und negatives Denken. Die gute Nachricht ist, dass eine positive Einstellung, eine optimistische Lebensart und eine fröhliche Handlungsweise mit sich zu tragen, auch übertragen werden kann.

Die Art, wie Sie denken und wie Sie leben, beeinflusst auch die Menschen um Sie herum. Bewusst oder auch unbewusst übertragen Sie diese Energie an andere. Daher ist es wichtig, die Art von Person zu sein, die Sie gern kennen und in Ihr Leben integrieren würden.

Die erste und wichtigste Überwindung ist die Gewohnheit, die Sie offenbaren und kultivieren sollten, zu lernen, Ihren Mitmenschen die Liebe, die Sie für sie fühlen, zu demonstrieren. Die meisten Freunde oder auch Verwandte werden sich nicht daran erinnern, was Sie zu ihnen gesagt haben, aber sie werden sicherlich nie vergessen, was Sie sie haben spüren lassen. Eine Emotion ist tausendfach stärker als nur Worte. Lernen Sie die Menschen um Sie herum zu respektieren und mit allen freundlich umzugehen. Und spielen Sie es nicht nur, sondern leben Sie es aus. Versuchen Sie, andere so zu behandeln, wie Sie von ihnen behandelt werden möchten. Es bedarf nicht unbedingt eines göttlichen Auftrages oder einer aufreibenden Suche in den dicken Bänden der Philosophie oder Ethik, um zu entdecken, was „richtig und gut“ ist. Die Antwort finden Sie in Ihrem Herzen selbst.

Alle Menschen mit Freundlichkeit und Respekt zu behandeln ist keine herablassende und fakultative Handlungsweise. Sie versuchen dadurch nur, die Person zu sein, die Sie gern kennenlernen und an sich ziehen würden. Es gibt im Grunde keine Gruppe oder Charaktereigenschaft, die schlechte Behandlung oder Respektlosigkeit rechtfertigt.

Natürlich ist so eine Handlungsweise nicht so einfach zu beherzigen, wenn wir jemanden treffen, der sehr negativ ist und keine Sympathie in uns weckt. In diesem Fall denken Sie einfach, dass Sie niemanden ändern können oder sollten, nur weil Ihnen seine Art oder Benehmen nicht gefällt. Vermeiden Sie negativ geladene Diskussionen und akzeptiere Sie den anderen, wie er ist und geben Sie demjenigen die Unterstützung, die er in den Moment braucht. Verbringen Sie aber nicht viel Zeit mit negativen Menschen, helfen Sie so gut Sie können und setzen Sie Ihren Weg fort, denn Groll, Hass und negative Emotionen sind Gift für jede Seele. Möchten Sie sich mit bitteren und negativen Menschen umgeben, oder lieber mit Menschen, die in Frieden mit sich selbst und den anderen leben?

Lernen Sie Menschen zu vergeben, auch wenn jemand Sie verletzt hat, machen Sie sich frei, bleiben Sie fokussiert und setzten Sie Ihren Weg fort. Vergebung ist der Schlüssel zum Glück. Dies klingt wie aus einem biblischen Vers, aber es steckt sehr viel Wahrheit in dieser Aussage. Dies bedeutet nicht, die Vergangenheit komplett auszulöschen und völlig zu vergessen. Es geht grundsätzlich darum, zu versuchen, die emotionalen Wunden der Vergangenheit zu vergessen, um die Gegenwart in vollen Zügen genießen zu können. Darum genießen Sie jede Minute. Genießen Sie diese nährende, essentielle Energie bei jedem Atemzug. Spüren Sie, wie das tiefe Gefühl von Freiheit jede Zelle Ihres Körpers durchströmt.

Verhalten Sie sich immer fair, auch wenn Sie Nachteile davontragen. Sagen Sie die Wahrheit und halten Sie Ihre Versprechen. Natürlich ist es besser, von Anfang an immer ehrlich zu sein. Und wenn Sie sich dazu verpflichten, etwas zu tun, dann tun Sie es. Machen Sie auch keine Versprechungen, die Sie eventuell nicht halten können. Der beste Weg ist, weniger zu versprechen und mehr tun.

Sie erinnern sich sicherlich an die Male, in denen eine Lüge, eine Täuschung oder ein schlechtes Spiel Sie tief verletzt hat. Wenn dieses Erlebnis Ihnen nicht gefallen hat, dass damals mit Ihren Gefühlen gespielt wurde, dann tun Sie dies auch keinem anderen an. Öffnen Sie Ihr Herz und haben Sie keine Angst, Emotionen zuzulassen. Umarmen Sie, begleiten Sie, küssen Sie, lächeln und hören Sie den Menschen zu, die Ihnen am Herzen liegen. Wir alle wollen geliebt werden. Wir alle brauchen Bestätigung, jemandem wichtig zu sein. Zeigen Sie daher auch Ihre Gefühle. Jedoch sollten Sie stets auch aufmerksam bleiben, um anderen nicht zu nah zu treten, wenn sie Zeit für sich brauchen. Bemühen Sie sich, die Art von Person zu sein, mit der Sie sich gern umgeben würden.

Den Fokus und die meiste Energie auf die eigenen Vorstellungen, Werte, Ziele und einfach auf sich selbst zu lenken ist eine Garantie für Erfolg. Setzten Sie sich nicht unter Druck. Wenn Sie schon an den kleinen Dingen scheitern, werden Sie die großen Dinge niemals richtig machen können. Sie können bestimmte Ereignisse nicht forcieren, also lernen Sie, sich zu entspannen und üben Sie sich in Geduld. Sie müssen nicht auf alles, was um Sie herum passiert, sofort reagieren. Nehmen Sie sich Zeit zum Nachdenken, wenn es nötig ist, wägen Sie das Geschehen mit Ihren Werten und Zielen ab und treffen dann in Ruhe selbstischer Ihre Entscheidung oder sagen Ihre Meinung dazu.

Auf Dauer eine aufgesetzte Rolle zu spielen, die nichts mit einem selbst zu tun hat, ist anstrengend. Wer sich selbst treu bleiben und sein eignes Ich gezielt einsetzten kann, wirkt und ist entspannter. Sich verstellen kostet unheimlich viel Energie, man ist ständig angespannt, die Rolle aufrecht zu erhalten. Dass kann auf Dauer sehr anstrengend sein und kann dazu führen, dass man dann für die wirklich wichtigen Dinge im Leben keine Kraft und Energie mehr hat. Also, stehen Sie zu sich selbst und Sie werden entspannter wirken.

Wenn Sie entspannt sind und genau Ihre Werte kennen, dann sind Sie selbstbewusster, aufmerksamer und Sie sind auch mutiger. Und mutig zu sein, zu sich selber und zu der eigenen Meinung zu stehen, spiegelt den persönlichen Erfolg.

Lassen Sie Ihre Hemmungen, Ängste und Ihre Zurückhaltung daheim. Seien Sie frech, draufgängerisch und ja, fast unverschämt und dabei immer witzig und voller Charme. So eine Mischung ist magisch. Sowohl Männer als wie auch Frauen lieben solche mutigen Aktionen. Kann auch sein, dass diejenige Person anfangs Ihnen einen Korb gibt, aber Sie haben auf jeden Fall Ihr Aufsehen erregt. Nicht die intelligentesten sind die erfolgreichsten, sondern die mutigsten. So ist es auch im Geschäftsleben, nicht die intelligentesten haben das meiste Geld, sondern die mutigsten.

Heutzutage haben die meisten Männer einfach ihren Biss verloren, sie reden viel zu viel um den heißen Brei herum, so als würden sie die Frau mit Wörtern vögeln wollen, und werden schnell als langweilig abgestempelt. Viele meiner Klientinnen und auch Freundinnen haben mir oft erzählt, dass die meisten Männer, mit denen sie ausgehen, auch nach dem dritten Date immer noch nicht den Mut haben, zur Tat zu schreiten. Daher ergreifen immer mehr Frauen die Initiative, um das nächsten Level erreichen zu können. In Form eines Kusses, Annährungsversuche, Händchenhalten oder einer Umarmung.

Also liebe Männer, springen Sie über Ihren Schatten. Trauen Sie sich und nehmen Sie sich was Sie wollen. Auch wenn Sie eine Absage bekommen, na und? Sie haben es versucht. Sie sollten auch so viel Selbstbewusstsein haben, um mit einem Korb leben zu können, denn nur wer wagt, der kann gewinnen. Nur wer in einer Bar, in einem Café oder im Supermarket locker und spielend den Kontakt zu anderen Menschen sucht, hat die Chance durch ein Lächeln, eine nette Geste oder passende Worte eine neue Bekanntschaft für sich gewinnen. Das steigert unheimlich das Selbstbewusstsein. Von einigen Psychologen wurde sogar bestätigt, dass Selbstwertgefühl nicht von innen heraus entsteht, sondern ausschließlich als Folge äußerer einfließende

Erfolgserlebnisse. Um so schlimmer, wenn eine unsichere und in sich verschlossene Personen Kontakte mit anderen aus Angst prinzipiell vermeiden. Die Chancen, dass ein Gegenüber negativ auf einen Flirtversuch reagiert, stehen im Regelfall 50/50. Selbst sehr attraktive und erfolgreiche Menschen stoßen ab und an auf jemanden, der sie einfach abblitzen lässt. Einen Korb sollte niemand persönlich nehmen, sondern als Übung, als gute Schule sehen und sich durch die nächsten Errungenschaften stärken lassen. Frauen lieben Männer, die sich etwas einfallen lassen, mit Initiative und Courage.

Sicherlich denken Sie sich jetzt: oh Gott, wie soll ich das nur anstellen. Ich habe schon seit Monaten oder auch vielleicht seit Jahren keine Frau mehr angesprochen, geschweige denn Sex gehabt. Sie sind daher voller Zweifel, Ängste und Hemmungen. Und lieber würden Sie einem ausgewachsenen Gorilla die Augenbrauen zupfen als eine fremde Frau einfach so ansprechen. Sie würden sich am liebsten wieder in Ihrer schützende Wohnung verkriechen, wie eine Schildkröte die Gefahr wittert, um nicht verletzt zu werden, sich dort sich alle möglichen Ausreden einfallen zu lassen, um es nicht zu tun.

Machen Sie es wie in der Schul- oder Studienzeit, da haben Sie mit Leichtigkeit mehrere Freundinnen gleichzeitig haben können. Es hat sich nichts verändert, Sie sind immer noch der gleiche Mensch.

Akzeptieren Sie Ihre Stärken und Schwächen

Die meisten Menschen kennen die eigenen Stärken und Schwächen nicht. In meiner langjährigen Erfahrung als Berater und Mentor habe ich festgestellt, dass nicht jeder eine Stärke auch als Stärke ansieht. Für den einen zählt es beispielsweise zu einer seiner Stärken, dass er selbstbewusst auftreten kann. Ein anderer würde ihn aber als eingebildet und arrogant bezeichnen, einfach weil er selbst nicht so auftreten und seine Meinung nicht in diesem Maße wie der andere vertreten kann.

Finden Sie heraus, was Ihre Stärken sind, was Sie an sich einzigartig finden und wo Sie noch Schwächen in Ihren Augen aufweisen. Erstellen Sie sich eine Liste für einen besseren Überblick und beraten sich mit Ihrer Feedback-Gruppe oder einem guten Freund. Und wenn Sie eine Schwäche an sich entdecken, bedeutet das nicht, dass jetzt eine Welt zusammenbricht und dass Sie diese unbedingt ändern müssen. Akzeptiere Sie diese Schwachstelle und versuchen Sie es in eine Stärke umzuwandeln.

Sie macht Sie zu einem Individuum und zu etwas Besonderem. Sich selbst treu bleiben bedeutet eben auch, seine Macken anzunehmen und dazu zu stehen. Dies spiegelt sich wider in Ihrer Persönlichkeit und Ihrem Benehmen. Das lässt Sie authentischer wirken als sie zu verstecken und sich zu verbiegen, um es ja allen anderen recht machen zu wollen, um vielleicht schneller akzeptiert zu werden.

Probieren Sie daher was Neues aus, ohne dabei immer auf die Meinung anderer zu hören, sondern für sich selber zu entscheiden macht Mut, genau an diesem Punkt weiterzumachen. Sie werden mit der Zeit unabhängiger und selbstsicher. Die Kritik anderer trifft Sie dann nicht mehr so stark. Sie können besser damit umgehen und nehmen sich nur noch die Punkte der Kritik heraus, die Sie persönlich weiterbringen und Ihnen helfen, sich in jeder Lage zu verbessern. Für Sie ist dann jede Art von Kritik kein persönlicher Angriff mehr. Egal, ob witzige Kommentare oder blöde Bemerkungen, diese prallen von Ihnen ab, wie Regentropfen auf einem Regenschirm. Für Sie ist das einer der besten Gründe, daran zu arbeiten, sich stets zu verbessern und sich selbst treu bleiben zu können. Sie werden erfolgreicher und nicht nur in der Partnersuche. Sich selbst treu bleiben ist eine große Herausforderung, die sich für Sie lohnt.

Wer sich selbst treu bleiben kann und einen Teil der oben genannten Punkte beherzigt, wird im Beruf und auch im Privatleben erfolgreicher sein. Menschen, die authentisch sind, zu sich selber stehen können, ihre Schwächen akzeptieren, sich stetig verbessern, offen für Neues sind, verlässlich und zuverlässig sind, werden Ihre Ziele mit Leichtigkeit erreichen. Man kann auf solche Menschen zählen, Ihre Meinung ändert sich nicht, sie sind sehr optimistisch und lassen sich nicht von negativen Einflüssen beeinflussen.

Mit solchen Menschen sollten Sie sich umgeben. Sie anhören und Meinungen austauschen. Diskutieren Sie mit ihnen, weil sie Ihre Meinung akzeptieren und nicht als uninteressant einstufen. Wer authentisch und tiefsinnig ist, dem werden die Menschen folgen, denn sie merken, dieser Mensch ist einfach "ECHT" und ungekünstelt.

Die Weiblichkeit gewinnt

Eines der häufigsten Probleme, das ich bei vielen Frauen und verstärkt bei Karriere-Frauen sehe, ist, dass sie ein zu männliches Image projizieren. Sie tragen kurze Haare, Business-Kleidung, meistens ein grimmiges Gesicht und eine solide schwarze Aktentasche, die die Erscheinung komplettiert. Sie können bei der

Arbeit sehr aggressiv und direkt sein und halten die Zügel ihres persönlichen Lebens fest in Händen. Natürlich gibt es auch Männer, die von solchen Frauen angezogen werden, aber ich kann Ihnen versichern, dass es ein kleiner Prozentsatz ist. Sich angepasst zu benehmen, die Weiblichkeit als Strategie einzusetzen bedeutet, sich den Gegebenheiten angemessen zu verhalten und somit im Einklang mit der Situation zu sein.

Frauen an sich waren die letzten 20 bis 30 Jahre vor allem damit beschäftigt, neben der Verantwortung für Familie und Partnerschaft eine Position im wirtschaftlichen und politischen Leben zu erreichen. Das bedeutete aber für viele Karriere-Frauen, sich stärker als bisher vor allem männlichen vorherrschenden Qualitäten, wie Stärke, Anerkennung, Leistung, Erfolg auseinander zu setzen und diese für sich zu entwickeln, um mit der männlichen Herrschaft mithalten zu können. Und die heißgeliebten weiblichen Qualitäten wie Emotionen, Intuition, Empathie, spielerische und kreative Fähigkeiten sind dabei oftmals im Hintergrund verschüttet worden. Die meisten Frauen fühlen sich daher auch aufgrund der vielfältigen Anforderungen überlastet, oftmals überfordert und Burnout-Symptome werden immer häufiger auch bei Frauen diagnostiziert. Die harten Rollen, die Frauen dabei in ihrem Leben spielen und der ständige Druck, funktionieren zu müssen sind sicherlich ein Grund dafür, dass der Bezug zur eigenen Weiblichkeit, zu der Femininität verloren gegangen ist. Nicht nur, weil diese Eigenschaften in der Berufswelt keinen Platz haben, sondern weil uns weibliche Werte oft so falsch vermittelt oder missverstanden wurden, dass die meisten sie nur ablehnen konnten.

Die Affinität zu den eigenen Gefühlen und deren emotionalen Ausbrüche wurden als Launenhaftigkeit und als sentimentales Karussell abgestempelt. Diese Schattenseiten weiblicher

Qualitäten lehnt die moderne Frau natürlich ab und schämt sich dafür. Damit haben wir aber auch die wahren ursprünglichen Werte aus unserem Leben verbannt. Und mit dieser Ablehnung sind wir uns selbst als Frau fremd geworden und haben den Kontakt zu unserem Innersten verloren. Daher sollte die Weiblichkeit bei Frauen wieder gefördert werden.

Diese magnetische Weiblichkeit oder das feminine Aussehen bei einer Frau ist eine der wichtigsten Eigenschaften, die Männer sich einfach wünschen. Doch die Weiblichkeit wird häufig als Schwäche hingestellt und von den Frauen bewusst abgelehnt oder einfach verdrängt. Daher gehen auch viele Männer mit Transsexuellen oder Schwulen ins Bett, denn Sie finden bei solchen Menschen viel mehr Femininität oder Sensualität, als bei einer richtigen Frau.

Die Männlichkeit ist dringend erwünscht

Männer dürfen endlich wieder Männer sein. Sie haben es langsam satt, von launischen und unschlüssigen Frauen sich auf dem Kopf herumtanzen lassen. Nicht selten fühlen sich Männer in Beziehungen, wie eine Art Bangin' Ball der Frauen, die ihre Launen und Wutanfälle ungehindert an ihnen auslassen können. Zunächst eine Sache, die ich mal klarstellen will. Männer und Frauen sind gleichberechtigt, aber sind zum Glück nicht gleich. Steinigt mich, aber diese extreme Entwicklung, dass Mann und Frau nur eine gesellschaftliche Gleichdarstellung darstellen, ist noch weiter von der Wahrheit entfernt, als die Aussage, dass Schweine nicht fliegen können.

Ein echter Mann strebt nach höheren Zielen und dominiert sein Leben. Jeder Mann ist erst dann ein Mann, wenn er sich selbst Gedanken dazu macht, was einen echten Mann ausmacht.

Was ist für Sie ein echter Mann? Was ist für Sie eine echte Frau? Die Meinungen gehen da weit auseinander, es gibt kein richtig oder falsch. Möglicherweise sind Sie einer dieser eingefleischten Rollen-Fanatiker und sind der Meinung, dass Frauen hinter dem Herd stehen sollten. Oder möglicherweise sind Sie einer dieser krassen Modern-Woman Freunde und sind überzeugt, dass Männer auch hinter dem Herd sollten.

1. Ein echter Mann hat sicherlich in manchen Situationen Angst, aber er macht kein Rückzieher und macht es trotzdem. Ein echter Mann fordert sich selbst heraus, wächst an diesen Herausforderungen und geht dann immer als strahlender Sieger hervor. Er nimmt die Ängste und all die Hürden und sieht diese Hürde als mögliches Wachstumspotential. Ein Mann, der seine Träume verfolgt, bewältigt diese Ängste und nimmt das Ruder in die Hand. Wenn er scheitert, weiß er, dass er alles gegeben hat. Das Leben ist nicht einfach, denn es ist teilweise sehr hart und wie so oft auch unfair. Aber das weiß ein echter Mann, er ergreift die Initiative und bietet dem Leben die Stirn. Er stellt und besiegt täglich seine Ängste und spürt, wie diese jeden Tag kleiner werden. Als Mann sind Sie ein Held. Er steht zu seiner Meinung und zu seinen Entscheidungen und auch, wenn die Chancen nicht gut stehen, ist er auch bereit, ein Scheitern in Kauf zu nehmen. Und als Frau können Sie natürlich auch eine Heldin für sein und mehr über das Mann-Sein erfahren.

Die meisten Männer mögen schnelle Autos, Frauen und bestimmte Sportarten. Und ich bin auch der Meinung, dass man zu diesen

Dingen einen etwas spezifischeren Geschmack haben sollte. Wieso mögen Sie am Wochenende die Formel 1 oder Fußball zu verfolgen? Was macht diese Events so besonders? Was genau gefällt Ihnen daran? Mögen Sie die Sachen nur, weil all Ihre Freunde sie auch mögen?

Jederzeit sollte ein echter Mann bereit sein, sich mit Diskussionen oder verbalen Attacken auseinandersetzten zu können. Ein echter Mann ist zudem dazu bereit, dass Menschen ihn aufgrund seiner Meinung möglicherweise verachten oder gar ihn meiden. Aber das ist absolut ok. Nicht jeder Waschlappen muss der Freund eines echten Mannes sein. Ein echter Mann hat eine Meinung von Dingen und ist jederzeit bereit, diese auszusprechen und zu rechtfertigen.

Angstfrei und mit erhobenem Haupt trägt ein echter Mann die Konsequenzen für seine Handlungen. Je eher ein Mann lernt, Konsequenzen für sein Handeln zu tragen, desto eher wird er sich seiner Verpflichtungen und des Grunds seines Daseins bewusst. Ein echter Mann steht jederzeit für seine Entscheidungen ein, die er getroffen hat. Verpflichtet sich ein Mann für eine Sache, dann übernimmt er die Verantwortung und trägt die Konsequenzen, wenn er dieser Verpflichtung nicht nachgeht.

Ein echter Mann ist stets bereit, verrückt zu sein und seinen Kopf durchzusetzten. Sie müssen als echter Mann jederzeit bereit sein, ein verrückter Außenseiter zu sein. Lesen Sie einmal Biographien echter Männer durch, Sie werden erstaunt sein, was diese für unglaubliche Sachen gemacht haben. Diese Helden waren teilweise so besessen von Dingen und den eigenen Träumen, dass Sie alles auf Spiel gesetzt haben. Genialität und Wahnsinn liegen nicht umsonst so dicht beieinander. Einen echten Mann interessiert es nicht, was andere Leute über ihn oder seine Taten denken.

Doch persönlich denke ich auch, dass ein Mann die regelmäßige Gesellschaft zu anderen Männern aufsuchen sollte. Viele Frauen um sich haben ist schön und gut, aber eine Frau wird Ihnen keinen sinnvollen Rat über das Leben als Mann geben können. Ältere Männer mit ihrer Lebenserfahrung hingegen schon. Genauso wenig können Sie als Mann einer Frau einen Rat über das Leben als Frau geben. Daher sollte ein echter Mann regelmäßig den Kontakt zu anderen echten Männern pflegen, die ihm offen Dinge ins Gesicht sagen und ihn zu Wachstum und Überlegungen zwingen.

Ein echter Mann zeigt deutlich seine Grenzen auf. Wenn es sein muss, dann lehnte er sich auf, wenn etwas seinen Werten widerstrebt. Dabei ist es vollkommen egal, wer diejenige Person ist. Ein echter Mann ist wie ein Löwe und niemand sollte unerlaubt sein Territorium betreten. Diese hat jeder zu respektieren, ob Vorgesetzter, ob Freunden, Frauen oder der Staatspräsident. Andauernd sehe ich aber Männer, auch Freunde von mir, die keinerlei Grenzen ziehen und von deren Frauen und Freunden wie ein schmutziger Waschlappen behandelt werden. Echte Männer stehen auf und hauen mal auf dem Tisch. Sie sagen einem klar und deutlich, auch ohne wütend zu agieren, dass derjenige die Grenzen überschritten hat.

Wenn Ihr Vorgesetzter Sie anbrüllt und beleidigt, dann stehen Sie auf und geigen Sie ihm die Meinung. Auch ein Vorgesetzter sollte Sie mit Respekt behandeln. Wenn die eigene Frau oder Freunde Sie nicht als Mann ernst nehmen, dann müssen Sie die Courage haben, diese Menschen zum Teufel zu schicken. Solche Menschen sind giftig und können Sie in den Wahnsinn treiben. Seien Sie kein Waschlappen, seien Sie direkt und bestehen Sie auf Ihren Respekt. Und wenn diese nicht bereit sind, Ihre Grenzen zu respektieren, dann sollten Sie von diesen Menschen sofort Abstand nehmen, egal wer das ist.

Ich wollte lediglich verdeutlichen, wie ein echter Mann sich benehmen und denken sollte, denn in der heutigen frauendominerte Gesellschaft trauen sich nur die wenigsten Männer, diese Rolle als echter und hemmungsloser Mann ausleben zu können. Sobald eine Frau oder die Ehefrau auftaucht, sind viele Ehemänner auf einmal voller Scheu, verkriechen sich, wie eine Schnecke in ihrer schützenden Schale, und werden klitzeklein. Das sind die sogenannten Pantoffelhelden.

Jedoch sind die meisten Männer selber an diesem Schlamassel Schuld. Manche Männer sind solche Wachlappen und Weicheier, dass die Frauen einfach das Ruder in die Hand genommen haben und dadurch auch die Rolle als Mann übernommen haben. Sogar Männer in meiner Verwandtschaft sind solche Heuchler. Man kann deutlich erkennen, wie sie sich schlagartig verändern, sobald die Ehefrau sich nähert. Plötzlich verhalten sie sich so komisch und werden butterweich. Und dieses Verhalten empfinde ich als armselig.

Wie ich am Anfang bereits erwähnt habe, werden solche Individuen von deren Frauen respektlos behandelt und herumgeschmissen, wie ein Bangin-Ball. Deren Frauen entscheiden dann alles, denn Sie sind der Boss im Haus. Er bekommt Aufgaben aufgetragen, wie Geschirrspülen oder Staubsaugen und weh, wenn er diese nicht ordnungsgemäß erledigt. Sogar wann er Sex haben darf wird von ihr entschieden. Die Frau spielt natürlich diese Machtposition gnadenlos aus, denn sie denkt sich, das ist meine Muschi und ich entscheide, wenn er seinen Spaß haben darf.

In solchen Fällen und diese sind auch sehr häufig, hat die Frau das absolute Sagen und der Mann darf Geld nach Hause bringen und am besten den Mund halten. Es geht dann so weit, bis die eigene Frau die Nase komplett voll von so einem Weichei hat und sich einen Liebhaber sucht.

Ich habe schon so oft von solchen extremen Fällen mitbekommen, dass der Mann schon seit Jahren mit der eigenen nicht mehr Sex gehabt hat. Und obwohl er sie total lieb hat und sich nach ihrem Körper sehnt, darf er nicht ran. Und das finde ich grausam, denn das ist für mich eine seelische Folterung. Ein echter und stolzer Mann sollte sich nie so behandeln, bzw. misshandeln lassen, denn ein echter Mann sollte in jeder Situation sich als solcher benehmen und einer sein.

Achten Sie auf Ihre Bedürfnisse

Wer weiß, was er will kann, auch einen Weg dahin finden. Das muss nicht immer der leichteste sein. Manchmal sind Umwege beschwerlicher, zeigen Ihnen aber noch andere Möglichkeiten oder Potenziale. Wer aber nicht weiß, wohin er will, der hat kein Ziel, keine Intention sich für oder gegen etwas zu entscheiden. Setzen Sie sich mit Ihren Zielen und Wünschen auseinander. Dann können Sie auch Entscheidungen treffen, die Sie in die gewünschte Richtung führen. Sie wissen, was Sie wollen und was nicht.

Ihre persönlichen Bedürfnisse hängen von Ihren Werten ab. Welche Werte spiegeln Ihre Persönlichkeit? Auf welche Werte legen Sie besonders viel wert? Welche Werte erwarten Sie auch von den Mitmenschen?

Wenn Sie zum Beispiel wissen, dass Ordnung und Sauberkeit besonders wichtig für Sie ist, dann werden Sie schwer damit leben können, wenn Ihr Partner der absolute unordentliche Chaot ist. Haben Sie den Mut mit der Person darüber zu reden. Ich meine jetzt nicht den Menschen verändern zu wollen, sondern einen Mittelweg zu finden, der für beide akzeptabel ist. Die meisten Beziehungen scheitern an mangelnder Kommunikation.

Was sind Ihre Bedürfnisse? Was für Bedürfnisse haben Sie in diesem Moment? Was sind Ihre tiefsten Wünsche? Wer die eigenen Bedürfnisse und Wünsche genau kennt und sich selber treu ist, der weiß meistens genau, wie er seine Gedanken und Gefühle genau lenken muss.

Instinktiv treffen Sie Ihre Entscheidungen situationsbedingt aus dem Bauch heraus richtig. Und zwar so, wie für Sie am besten ist und wie Sie möchten. Das bedeutet nicht, total egoistisch zu sein, sondern den Anderen zu respektieren und einen Kompromiss mit ihm auszuhandeln, der beiden Seiten gerecht wird. Dabei muss sich keiner verbiegen oder ungewollt sich in irgendwelche Rollen einzwängen, sondern jeder hat seine Grenzen und Werte offengelegt.

Die Klarheit in Ihren Aussagen und Handlungen ist dabei ausschlaggebend. Lassen Sie sich nicht von dem beeinflussen, was andere sagen oder Ihnen einreden oder auch ausreden wollen. Ihre Ziele und Träume haben Sie immer klar vor Augen, aber sollten auch so flexibel sein, dass Sie auch mal eine Abweichung vom vorgesehenen Kurs auf sich nehmen könnten. Äußern Sie Ihre Meinung klar, auch wenn Sie damit alleine dastehen, ohne auch anderen Personen nah treten zu wollen, sondern die Ansichten anderer genauso anzuerkennen. Das ist respektieren und respektiert werden, oder anders formuliert, die Anerkennung, Wertschätzung und die Achtung anderer zu gewinnen.

Die Ja-Sager, Softies und Menschen, die wie Fähnchen im den Wind hängen, werden nie respektiert werden. Sie sollten „Nein" sagen können, wenn es für Sie eine Sache wirklich nicht in Ordnung ist. Das ist Abgrenzung, sich von einer Gruppe zu distanzieren. Solche Handlungen sind unbedingt nötig für Ihre Authentizität. Wenn Sie authentisch und echt sind, werden Ihre Mitmenschen Sie respektieren und sie werden Sie weniger versuchen zu beeinflussen. Sie wirken selbstsicher und selbstbewusst und Ihre Entscheidungen werden Sie auch nicht mehr vor Ihren Mitmenschen rechtfertigen müssen.

Dies bedeutet, dass Sie sich Ihrer selbst bewusst sind. Zu wissen, wer man ist, was einen ausmacht, welche Werte einem wichtig sind. Sich auch in jeder Situation bewusst zu sein oder zu machen, was man möchte, was einem guttut. Wer die eigenen Werte kennt und sich selber treu ist, verfügt auch über Selbstbewusstsein, über diese Macht. Selbstbewusste Menschen sind in allen Facetten des Lebens erfolgreicher. Erfolg wiederum fördert mehr Selbstbewusstsein und mehr Selbstsicherheit.

Der perfekte Gentleman

„Männer sollten sich wie wahre Gentleman verhalten, Frauen wie echte Ladies."

Ein perfekter Gentleman zu sein lohnt sich immer wieder, denn Frauen finden dieses männliche und charmante Benehmen extrem aufmerksam und sexy. Vornehmheit, Zartgefühl, Entgegenkommen, perfekte Tischmanieren, Aufrichtigkeit und noch viel mehr. Alle diese Eigenschaften zeichnen einen wahren Gentleman aus.

„Die Autotür oder egal welch anderer Tür, kann ich ja selber aufmachen!"

„Meinen Mantel kann ich doch auch selber holen und auch alleine anziehen!"

„Den schweren Stuhl im Restaurant kann ich auch allein rausrücken!

In der heutigen weiblichen Emanzipation könnte man sehr schnell glauben, dass der Gentleman ein Relikt aus einer vergangenen Zeit ist. Aber so ist es nicht, denn auch die emanzipiertesten Frauen stehen auf Gentlemen.

Warum ist das so und was macht einen Gentleman aus? Wie wird man zum Gentleman? Was zeichnet den wahren Gentleman aus?

Vorab muss ich dazu sagen, dass heutzutage die meisten Männer auch sich nicht großartig bemühen um eine Frau zu beeindrucken. Die meisten denken sich, der Markt ist überfüllt mit Frauen und wenn es ihr nicht passt, dann die nächste bitte.

Ein echter Gentleman zu sein, diese Eleganz und Geschmeidigkeit ausspielen zu können, um einer Frau zu imponieren, ist nicht jedermanns Sache und so eine Eigenschaft hat man im Blut. Natürlich kann jeder Mann oder Diverser auch ein vorbildhafter Gentleman werden, denn wie es so schön heißt: „Wer will, der kann."

Trotzdem bin ich der Meinung, dass ein echter Gentleman geboren wird. Meine Oma hat immer zu mir gesagt: „Aus einem Scheißtopf wird nie ein Kochtopf!"

Zuallererst sind es einmal die guten Umgangsformen, Die Körperhaltung, die Bewegungen, die Artikulierung, die aus einem

Mann einen Gentleman machen. Unabhängig davon, ob mit Freunden, beim ersten Date oder im Laufe einer längeren Beziehung, ein perfekter Gentleman verhält sich immer mit Eleganz, Stil und Selbstsicherheit. Ein Gentleman hebt auch einer unbekannten Frau vor dem Supermarkt die schweren Einkaufstüten ins Auto oder er hilft einer Mutter, den schweren Kinderwagen über die Treppen hinauftragen.

Es ist nicht nur das Benehmen oder die Hilfsbereitschaft an sich, es ist eine innige Lebenseinstellung, die in allen Lebensfacetten eine große Rolle spielt. Oft sind es die kleinen Gesten, die Großes bewirken können. Im Detail steckt der Erfolg und nicht in der Gleichgültigkeit und Oberflächigkeit.

Wenn ein Mann die guten alten Regeln des Benehmens eines Gentleman in die Gegenwart transferiert und die wichtigsten davon beherzigt, finden die Frauen es unglaublich sexy und unwiderstehlich. Derjenige muss nicht gleich einen Privatjet auftreiben oder den roten Teppich ausrollen, um bei einem Date der Person zu imponieren. Grundlegende Handlungen genügen, um einer Person das Gefühl zu geben, etwas Besonderes zu sein und wertgeschätzt zu werden. Alles andere könnte auch aufgesetzt und übertrieben wirken.

Weiterhin ist eines der obersten Gebote eines Gentleman die Pünktlichkeit oder sogar noch besser die Überpünktlichkeit. Das Objekt der Begierde bei einer Verabredung zu empfangen statt warten zu lassen, zeugt von guten Manieren und hinterlässt einen sehr guten ersten Eindruck. Natürlich ist es auch selbstverständlich, bei ihrem Eintreffen aufzustehen, sie höflich zu begrüßen, ihr vorsichtig den Mantel abzunehmen und sich selbst erst dann wieder am Tisch zusetzen, wenn sie Platz genommen hat. Solch ein Benehmen bestärkt sie in ihrem Gefühl, einem echten Gentleman begegnet zu sein. Das Auftreten, die Mimik und die Körpersprache beim ersten Date können über weitere Dates entscheiden.

Für einen ersten Eindruck braucht es nur eine Zehntelsekunde. Die ersten paar Sekunden, oder präziser ausgedrückt, sind die ersten Sekunden bei ersten Date ausschlaggebend. Und wer schon bei der Begrüßung gepunktet hat, sollte sich diesen Vorteil im Laufe des Dates nicht verspielen, sondern durch passende Aufmerksamkeiten und Einfallsreichtum weiter eifrig Punkte sammeln, und die Person immer aufs Neue zu überraschen.

Dazu gehören gute Tischmanieren, die können ja ohnehin bei jedem Anlass nichts schaden. Doch zu den Tischmanieren werde ich im nächsten Punkt etwas mehr erzählen. Fast noch wichtiger ist es aber, ihrem Gegenüber aufmerksam zuzuhören und den Blickkontakt zu halten. Die meisten Männer fangen aus Nervosität ununterbrochen an zu quatschen, um Zwischenpausen zu vermeiden. Aber ein Rat von mir, Reden ist Silber und Schweigen ist Gold. Eine männliche Quasselstrippe, die ohne Luft zu holen nur von sich selbst erzählt, kommt nicht wirklich gut an. Er wirkt selbstverliebt und kann schnell als langweilig abgestempelt werden. Außerdem ist ein ununterbrochenes Quatschen meistens ein Zeichen von Unsicherheit. Das ist vergleichbar mit einem Verkaufsgespräch. Ein Verkäufer, der zu viel quasselt, wirkt schnell unseriös, als ob er Ihnen irgendwas andrehen wolle.

Eigenlob, Prahlerei und zur Schau gestellte Angeberei sind für einen Gentleman ebenso keine Option. Wiederum sind Verständnis, Geduld und eine gewisse Bescheidenheit ausschlaggebende Eigenschaften, die ordentlich Sympathiepunkte mit sich tragen. Das eröffnet einem Gentleman zudem die Chance, die Person später noch positiv überraschen zu können. Und auch wer vielleicht keine so feine Kindheit hatte, kann es lernen, ein perfekter Gentleman zu werden. Man muss dafür auch nicht unbedingt Benimmkurse besuchen oder dicke Enzyklopädien durchackern. Die Begabung, sich in andere Menschen hineinversetzen zu können, aufmerksam, gütig und hilfsbereit zu sein, ist hierfür eine ideale Basis.

Die kleinen Gesten können Großes bewirken. Oftmals kann eine kleine, aufmerksame Geste den Unterschied machen und unüberwindbare Blockaden lösen. Ich bin überzeugt von der großen Macht der kleinen Gesten. Manchmal kann man durch vermeintlich kleine Gesten wirklich große Lebensveränderungen erzielen.

Viele meiner Freunde oder auch Klienten, die ungewollt noch ein Singleleben führen, bemühen sich unheimlich, Höflichkeit oder Aufmerksamkeit zu zeigen. Bei manchen merkt man aber sofort, dass es aufgesetzt ist, vielleicht weil sie völlig verzweifelt sind und sich schnellstens eine Beziehung wünschen oder auch nur, um die Frau schneller beeindrucken zu können. Und sehr aufmerksame Menschen haben einen sechsten Sinn für solche außersinnliche Wahrnehmungen. Schon in den ersten Sekunden bemerkt derjenige die Anspannung, die Sie ausstrahlen. Die Schmeicheleien und Höflichkeiten wirken dann nicht echt, sondern aus Verzweiflung aufgesetzt. Daher bleiben Sie ruhig, atmen Sie tief durch und sagen Sie sich immer wieder: „Ich bin glücklich! Ich bin attraktiv! Alle Männer oder Frauen sind verrückt nach mir! Ich habe Erfolg in allem was ich tue!"

Solche Glaubenssätze stärken Ihre Persönlichkeit und Ihr Selbstbewusstsein. Eine Frau zu erobern, stellt viele Männer vor einer großen Herausforderung, dabei ist das gar nicht so schwer, denn einen Korb zu bekommen wird Sie auch nicht umbringen. Ein wahrer Gentleman ist mit Sicherheit nicht unbedingt ein besonders zurückhaltendes Exemplar der männlichen Spezies. Es ist einfach eine Lebenseinstellung, seinen männlichen

Beschützerinstinkt, seine Höflichkeit und Umgangsformen zum Ausdruck zu bringen und sich seinen Mitmenschen und besonders Frauen gegenüber charmant und vorbildhaft zu verhalten.

Wenn Sie Frauen beeindrucken und für sich gewinnen wollen, sind Selbstsicherheit und Gelassenheit die wichtigsten Voraussetzungen. Bleiben Sie daher ganz Sie selbst und stehen Sie zu Ihren Eigenarten und Ansichten. Frauen schätzen, wenn ein Mann echt ist und weiß, was er will. Versuchen Sie zu Beginn das Flirten nicht zu ernst zu nehmen, um nicht zu viel Druck aufzubauen. Eine positive und gelassene Einstellung ist die beste List, um eine Frau neugierig zu machen. Denn Sie wirken entspannt und ausgeglichen auf Ihre potenzielle Partnerin, damit erhöhen Sie potenziell Ihre Erfolgschancen auch über den ersten Kontakt hinaus.

Fakt ist, dass gerade in dieser Zeit, in der viele grundlegende Höflichkeits-/und Umgangsformen verloren gehen, ein wahrer Gentleman auf Frauen extrem anziehend und sexy wirkt. Er wirkt wie ein warmer, heller Lichtstrahlt in einem dunklen Tunnel. Und wenn sein unwiderstehlicher Charme von innen heraus kommt, kann er nicht nur beim ersten Date und allen weiteren Dates punkten, sondern auch in allen Fassetten seines Lebens. Ein Gentleman wagt und gewinnt immer.

Reden wir mal über die Tischmanieren

Wenn Sie sich entscheiden, mit der neuen Flamme ein Restaurant zu besuchen, ist es wichtig, dass Sie zum Essen ordentlich erscheinen. Fast alle Frauen und Männer, die ich befragt habe, finden gute Manieren beim anderen Geschlecht besonders attraktiv.

Ein gepflegtes Äußeres ist ein absolutes Muss. Auf saubere Kleidung, gekämmte Haare und gewaschenen Hände sollten Sie bei Tisch immer achten. Körpergerüche, verklebtes Haar oder dreckige Fingernägel verderben nicht nur Ihnen selbst den Appetit, sondern werden auch von Ihrer Tischbegleitung als äußerst abstoßend und eklig empfunden.

Zudem zeugt es von gutem Benehmen, wenn Sie zu Tisch eine gerade, aufrechte Haltung wahren. Vermeiden Sie unbedingt, dass Ihre Ellenbogen auf dem Tisch liegen. Ihre Hände sollten jedoch stets zu sehen sein, denn beide Arme unter der Tischplatte wirken unangemessen. Und schiefes, breitbeiniges oder super gelassenes Sitzen zeugt von einem unangebrachten und ungehobelten Benehmen. Es ist natürlich ein Unterschied, ob man in einem lockeren Umfeld wie zum Beispiel im offenen Biergarten, eine lässige Schnitzel-Kneipe oder eben in einem gehobenen High-Level Restaurant speist. Man sollte sich ganz automatisch an die Begebenheiten anpassen. Steif muss es jedoch nirgendwo zugehen, denn Essen ist und bleibt eine gesellige Angelegenheit.

Meiden Sie aber, Ihr Mobiltelefon auf den Tisch zu legen oder während des Essens Telefonate anzunehmen. Ständig auf das Gerät zu starren, Textmessage zu schreiben oder gar zu telefonieren ist auch ein absolutes No-Go.

Mit dem Date essen zu gehen ist die eine Sache. Die Art, wie Sie essen und sich benehmen ist die andere. Haben Sie sich für ein Essen mit dem Date entschieden, müssen Sie es nur noch verspeisen. Was schwieriger sein kann als es klingt. Die meisten schämen sich oder haben große Hemmungen, vor fremde Menschen zu essen.

Zu guten Tischmanieren gehört es auch, dass Sie sich Gegenstände oder Behälter, die Sie von Ihrem Platz aus nicht erreichen können, von Ihren Tischnachbarn reichen lassen und nicht quer über den ganzen Tisch greifen. Doch die Tischmanieren beziehen sich natürlich auch auf den Essensvorgang an sich.

Was Sie unbedingt beachten sollten. Egal, wie lecker das Essen auch ist oder wie hungrig Sie auch sind, nehmen Sie den Mund nicht zu voll. Schlingen Sie die Speisen nicht mit der Geschwindigkeit eines Industriestaubsaugers in sich hinein. Dies ist auch nicht die feine englische Art, außerdem sieht es nicht nur unangemessen aus, sondern hindert Sie auch daran, Konversation zu betreiben.

Sicherlich Schmunzeln Sie jetzt und denken sich, wer macht denn sowas? Glauben Sie mir, ich habe Freunde, die völlig die Kontrolle verlieren, sobald eine duftende Pizza vor ihre Nase liegt. auch wenn Claudia Schiffer persönlich am Tisch sitzen würde, würde es ihnen völlig egal sein.

Dazu möchte ich Ihnen ein lustiges Erlebnis von mir erzählen, das sich nicht vor allzu langer Zeit abgespielt hat. Ich hatte mich mit einer sehr attraktiven Frau zu einem romantischen Dinner verabredet. Und da ich wusste, dass sie eine Vorliebe für Pizza hat, habe ich mich entschieden, bei Don Giovanni, einer der besten Pizzerien der Stadt, einen Tisch zu reservieren. Alles schön und gut, wir haben uns prächtig unterhalten, gelacht und die Chemie hat auch gestimmt.

Wir saßen am Tisch, haben uns prächtig amüsiert und alles war perfekt, bis die duftenden Pizzen am Tisch ankamen. Die hübsche Dame war auf einmal wie ausgewechselt. Sie wurde plötzlich ganz still und war voll auf die Pizzen fixiert. Ohne viele Worte fing sie an zu essen wie ein Gladiator und im Nu hat sie die komplette Pizza verputzt.

Ich konnte meinen Augen nicht trauen. Da ich mich weiterhin mit ihr unterhalten wollte, nahm ich sehr kleine Happen zu mir. Ich aß sehr langsam und hatte erst zwei Stücke gegessen. Sie hatte die Pizza regelrecht verschlungen und blickte recht gierig auf meinen Teller rüber.

Natürlich bot ich ihr ein Stück von meiner Pizza an. Sie ließ es sich nicht zweimal sagen und schnappte sich die Hälfte von meiner Pizza, die sie auch wie ein Staubsauger verschlang.

Ich dachte mir, dass sie jetzt sicherlich satt sei. Doch Sie bestellte noch für beide Dessert, das sie auch komplett allein aufaß. Zudem hat sie auch eine komplette Flasche Wein ausgetrunken.

Am Ende habe ich schon Angst gehabt, dass sie auch die Tischdekoration mitverputzt. Ich war echt schockiert. Das war das erste Mal, dass ich eine Frau so schnell und so viel essen gesehen habe. Und obwohl sie mir angeboten hat, noch auf einen Sprung zu mir zu kommen, habe ich dies verneint. Nachdem ich gesehen hatte, wie sie isst, war der ganze Reiz auf sie wie verflogen. Ich dachte mir schon, wenn sie so im Bett ist, wie sie isst, wird sie mich wie ein Hühnchen ausnehmen.

Um nochmal auf unsere Tischmanieren zurück zu kommen, sollten Sie selbstverständlich auch nie zu schnell essen oder mit vollem Mund sprechen und auch stets den Mund beim Kauen geschlossen halten. Wenn möglich bestellen Sie auch stille Getränke, ohne Kohlensäure, damit vermeiden Sie das lästige Aufstoßen. Kaugeräusche von sich geben, laut Atmen oder Schmatzen ist am Tisch auch ein No-Go. Führen Sie die den Löffel oder Gabel immer zum Mund und nicht andersherum.

Manche behaupten sogar, wie Ihr Gegenüber isst, gäbe Hinweise darauf, wie die oder derjenige im Bett ist. Lassen Sie sich also Zeit. Nur keine Hektik. Konzentrieren Sie sich auf den Augenblick. Essen und reden Sie beim Date mit geschlossenem Mund. Seien Sie höflich zum Servicepersonal und seien Sie großzügig mit dem Trinkgeld.

Führen Sie während des Essens eine Unterhaltung, ist es ratsam, kleine Portionen in den Mund zu nehmen, um bei Fragen ohne lange Verzögerung antworten zu können. Während des eigentlichen Verzehrs herrscht an einem wohlgesitteten Tisch eigentlich Ruhe. Ein anspruchsloses und dabei doch recht taktvolles Verhalten ist in so einer Situation angebracht. Übrigens auch, wenn Sie Linkshänder sind, gehört die Gabel immer in die linke und das Messer immer in die rechte Hand.

Beim ersten Date im Restaurant kann natürlich auch viel schieflaufen. Sachen wie die falsche Location, peinliche Gesprächspausen, katastrophaler Service oder unpassende Gerichte. Daher empfehle ich Ihnen, mit dem Date zusammen zu kochen oder für die Person zu kochen statt ins Restaurant zu gehen.

Das erste Treffen mit Ihrer Angebeteten war erfolgreich, jetzt wollen Sie den nächsten Schritt machen und den potenziellen Partner zu sich nach Hause für ein Date einladen. Die Idee ist genial und zeugt von Mut und Entschlossenheit. Dagegen spricht eigentlich nichts, aber prüfen Sie zuvor den Zustand Ihrer Wohnung. Ratsam wäre, zuvor einen Ihrer Freunde oder einen engen Berater der Feedback-Gruppe für eine Vorab-Besichtigung einzuladen. Vielleicht mögen Sie ein chaotisches Umfeld oder halten nicht viel von Ordnung oder Sauberkeit, das gilt aber nicht unbedingt für Ihr Gegenüber.

Die Küche selbst muss blitzeblank sein und das Apartment an sich sollte vorzeigbar sein und einladend duften. Hier wollen Sie schließlich gleich ein schmackhaftes Essen für Ihr Date zaubern. Das funktioniert nicht, wenn die Wohnung übel riecht und im Kühlschrank Essensreste zum Vorschein kommen, die vielleicht schon ein Eigenleben entwickelt haben.

Wenn Ihr Date schon bereit ist, sich von Ihnen bekochen zu lassen, dann haben Sie eigentlich alles richtig gemacht und haben gute Karten, dass Sie die Sache mit Erfolg schaukeln. Und natürlicherweise sollte das Ganze nicht an einer ungepflegten und stinkenden Wohnung scheitern. Übertreiben sie es auch nicht mit Kerzen, Räucherstäbchen oder Blumen.

Wenn Sie für Ihr Date das Essen zubereiten, ist es außerdem wichtig, ein Gericht zu wählen, dass Sie im Schlaf zubereiten können. Fangen Sie gar nicht erst an, den Chefkoch zu spielen. Es geht nicht darum, Ihr Gegenüber zu beeindrucken, sonst können Sie auch gleich mit Ihrem Date in einem Restaurant essen gehen.

Am Ende soll es schmecken und man will miteinander eine schöne Zeit haben. Sie sollen die Gelegenheit haben, sich persönlich besser kennenzulernen, um verstehen zu können, was für eine Art Mensch er oder sie ist. Das gelingt nicht, wenn Sie den ganzen Abend gestresst herumrennen und in der Küche stehen. Also entspannen Sie sich, genießen Sie das Mahl und bleiben Sie dabei immer Sie selbst. Dann ist das Bekochen oder der Restaurantbesuch zusammen mit dem Date ein Spaziergang.

Die drei absoluten No-Gos der Tischmanieren beim Date

1. Ein absolutes No-Go ist auch am Tisch mit dem Besteck zu spielen, damit zu hantieren oder zu gestikulieren. Wenn das Besteck einmal in die Händen genommen wurde, darf es streng genommen die Tischdecke oder die Tischplatte an sich nicht mehr berühren. Das bedeutet jedoch nicht, dass Sie jetzt ständig das Besteck in Ihrer Hand halten müssen. Und es im allerschlimmstenfalls dazu benutzt wird, Ihr Gespräch zu untermalen und dabei auch Essensteile durch die Gegend schleudern. Außerdem ist es ein absolutes Tabu, mit dem Besteck auf den Gesprächspartner zu zeigen oder damit in der Gegend herumzufuchteln. Wenn Sie es ablegen möchten, etwa um nach der Serviette zu greifen oder einen Schluck zu trinken, legt man das Besteck über Kreuz und mit dem Gabelrücken nach oben auf den Teller. So weiß der Kellner oder der Gastgeber, aber auch Ihr Gegenüber, dass Sie gerade eine Pause machen.

2. Mit dem Zahnstocher spielen, an den Zähnen stochern oder aus den Mundwinkeln hängen lassen, ist auch ein absolutes No-Go. Was auch ein absolutes Tabu ist, beim Essen Geräusche zu machen, wie Schmatzen oder Stöhnen. Was man den Kindern verbietet, sollte auch ein Erwachsener beherzigen. Schmatzen ist einfach schlechtes Benehmen. Ebenso und noch viel schlimmer sind andere Körpergeräusche, lautes Rülpsen oder gar methanhaltige, hörbare Geräusche, die plötzlich von unter der Tischplatte kommen können. Und wenn Sie Blähungen haben, dann versuchen Sie niemals die lästigen Gase am Tisch loszuwerden, denn dies kann wortwörtlich mächtig in die Hose gehen.

   Dazu eine kurze Geschickte von mir. Ich sitze wieder am Tisch mit meiner derzeitigen neuen Flamme. Den ganzen Tag hatte ich schon mit Blähungen gekämpft, denn mein Magen hat einfach verrückt gespielt. Ich wollte schon das Treffen absagen, jedoch war die Sehnsucht so stark, dass ich sie unbedingt wiedersehen musste. Total elegant angezogen sitze ich mit dieser Schönheit am Tisch und wir unterhalten uns prächtig. Wir lachen, stoßen an und mein Testosteronspiegel steigt und steigt. Plötzlich machten sich wieder meine Blähungen bemerkbar, doch sobald ich das Gäste-WC rennend aufsuchte, war der Druck wieder weg. Dieses hin- und herrennen wiederholte sich mehrmals. Sobald ich wieder am Tisch Platz nahm, kam der lästige Druck wieder und am liebsten hätte ich den ganze Stuhl kaputt gefurzt.

Doch dann hatte ich die unglaublich verrückte Idee, ein bisschen vom Druck am Tisch abzulassen. Ich dachte mir, das wird sicherlich keiner merken, wenn ich leise einen fahren lasse. Ganz vorsichtig, mit schiefer Haltung und mit der Tension eines schafschützen, versuchte ich langsam den Schließmuskel zu öffnen, um die Gase lautlos entweichen zu lassen. Es waren Sekunden, die Minuten dauerten. Ich nahm gar nicht mehr wahr, was die Dame gegenüber quasselte, denn ich war so unter Druck, als würde ein Elefant auf mir lasten. Und plötzlich ging alles blitzschnell, aus versehen lockerte ich zu schnell den Schließmuskel und schon war die Katastrophe passiert. „Bum, Brasch, Beng!“ Wie eine Explosion krachte es und schepperte durch den ganzen Raum. Zudem saßen wir auf lederbezogenen Stühlen, wodurch die Geräusche erheblich verstärkt wurden. Heißkalter Schweiß lief mir den Rücken herunter und mein Gesicht verfärbte sich in 1000 Farben. Ich schämte mich so sehr und tat so, als hätte der Stuhl die Geräusche verursacht, aber jeder hatte mitbekommen, dass es ein ordentlicher Furz gewesen war. Wie ein Erstklässler saß ich da und wäre am liebsten wortlos gegangen, aber dies hätte alles noch viel schlimmer gemacht. Natürlich sagte ich sofort zu ihr, dass das Leder, bzw. der Stuhl für fragwürdige Geräusche verantwortlich sei. Das oft bemühte Zitat vom Meisten von Wittenberg, Martin Luther: "Warum rülpset und furzet Ihr nicht? Hat es euch nicht geschmecket?", das er angeblich zu seinen Mitspeisenden sagte, muss zumindest im heutigen Kulturkreis auf jeden Fall ignoriert werden. Wenn Sie wissen, dass Sie manche Speisen wie Milchprodukte oder Teigwaren nicht gut vertragen, versuchen Sie diese vor dem ersten Date und grundsätzlich beim gemeinsamen Essen zu meiden. Zudem bewahrt stilles Wasser Sie vor dem unangenehmen Gefühl, aufstoßen zu müssen.

3. Und eines der wichtigsten No-Gos ist, dass man grundsätzlich nie mit vollem Mund sprechen sollte. Wenn der Mund voll mit Essen ist, sollte der auch geschlossen bleiben. Allerdings kommt es hier tatsächlich ein bisschen auf die Situation an. Wenn Sie bei einem lockeren Abendessen in einer Pizzeria sitzen oder im Biergarten Ihrem Gegenüber mit kurzen Worten oder einem Nicken antworten und dabei noch kauen, wird das kaum jemandem negativ auffallen. Solange man das Essen im Mund nicht sieht und Sie nicht Essensreste spucken. Sehr peinlich wird es, wenn beim Reden mit vollem Mund zum Beispiel ein Stück Pizza auf dem Teller Ihres Flirtpartners landet. Es ist zudem äußerst unappetitlich, wenn man das Essen in Ihrem Mund sieht. Noch dazu würde man nur sehr schwer etwas verstehen und das Risiko wäre sehr hoch, dass Essensreste herausfliegen könnten.

Seien Sie ein Gentleman, aber nicht der ewige Zahler

Sie sitzen bei Kerzenlicht in einem romantischen Restaurant, mit einer wunderschönen Frau an einem tollen Tisch und schauen einander tief in die Augen. Sie vergessen alles um sich herum und würden am liebsten die Zeit anhalten. Plötzlich bemerkten Sie aus dem Augenwinkel den Kellner, als dieser zum unpassendsten Moment die Rechnung auf den Tisch legt und fragt: "Zahlt ihr zusammen oder getrennt?" Ein Paar Sekunden verstreichen und plötzlich sagt Ihr Gegenüber ohne zu zögern „Getrennt bitte!“ und reißt Sie damit aus Ihrem Liebestraum „Du und ich für immer zusammen.“ heraus. Sie fühlen sich komplett aus der Bahn geworfen und fragen sich. „Wie bitte?“ Schließlich ist es Ihr erstes gemeinsames Date. Das ist doch eine Selbstverständlichkeit, dass der Mann die Rechnung bezahlt, oder nicht? Es ist die Frage aller Fragen. Beim ersten Date zusammen oder getrennt bezahlen?

Männer, die eine Frau erobern wollen, sollten sich beim ersten Date so richtig ins Zeug legen. Nach meiner jahrelange Befragung mit tausenden von Fragebögen und unzähligen Recherchen kann ich belegen, dass beim ersten Date sich die Mehrheit der Damen wünscht, dass sich der Mann zu diesem Anlass wie ein Gentleman verhält und die Tischrechnung auch übernimmt. Seien Sie also charmant und kehren Sie Ihre altmodische Seite wieder einmal heraus. Die Dame des Herzens ausführen und einladen ist für einen Gentleman eine Selbstverständlichkeit.

Jedoch muss ich auch dazu sagen, dass die meisten Frauen diese Selbstverständlichkeit einfach gnadenlos ausnutzen. Die meisten Frauen bestehen auf Gleichberechtigung und Emanzipation, aber wenn es ums Zahlen geht, erwarten sie, dass der Mann die Rechnungen immer übernimmt. Sicherlich wird mir jetzt die eine Hälfte der Frauen zustimmend nicken, während die restliche

Hälfte darüber empört den Kopf schüttelt und sich noch darüber ärgert.

Es fühlt sich an, als überwältigt die Emanzipation der Frauen unaufhaltsam in eine der noch letzten Festungen der Männer vor und bringt dabei alle grundlegenden Richtlinien durcheinander. Alle selbstverständlichen Regeln und Richtlinien, die uns Sicherheit geben und an denen wir unseren Charme und sowohl unser männliches Verhalten unter Beweis stellen können, werden von zuvorkommenden Bauchentscheidungen der Gegenseite unter Beschuss genommen. Alles ist unglaublich kompliziert geworden, denn Mann ist nicht gleich Mann und Frau kann jetzt Mann sein oder sogar beides. Die heutigen Frauen zahlen plötzlich die Rechnung und halten einem Mann die Tür auf. Jetzt sitzen die Männer völlig hilflos an einer Bar-Theke und werden von den Frauen angemacht.

Doch wenn es beim ersten Date zum Bezahlen kommt und er natürlich traditionsgemäß nach der Rechnung greift, verlangt er mindestens einen symbolischen Widerspruch der Frau, dem er natürlich wiederum sofort widerspricht und besteht, die Rechnung selbst zu bezahlen. Und auch wenn es etwas klischeehaft klingt, aber er benötigt eben diesen einen kurzen Widerspruch, der ihm verrät, dass sie zumindest ihren Willen andeutet und sich nicht selbstverständlich einladen lässt.

Denn da gibt es nämlich die unwiderstehliche Kategorie der aufreizenden Damen, die mit nur ein paar Euros in der Tasche aus dem Haus geht oder sogar zu einem Date, um ein kostenloses Dinner und Drinks von spendablen Männern abzugreifen, um sich anschließend einfach an den nächsten Typen zu werfen, weil bei dem die nächste Party steigt. Wenn sich eine Frau bei jedem Date einfach einladen lässt und nie etwas ausgibt, läuft sie Gefahr, als eine Schmarotzerin abgestempelt zu werden.

Ähnlich sitzen die Frauen, wie die Männer auch, in einer immer engwerdenden Zwickmühle. Fügen sie sich den traditionellen Gegebenheiten und lassen den Mann alles bezahlen und machen, wird ihnen vorgeworfen, sie würden sich nur die Vorteile aus dem Emanzipations-Packet picken.

Emanzipation und klischeehaftes Verhalten sind im 21. Jahrhundert keine Einwendung mehr, nicht für die moderne Frau und erst recht nicht für den emanzipierten Mann. Ich bin überzeugt, dass Männer sich viel mehr emanzipieren sollten. Hat sich die Frau vom Mann emanzipiert, dann sollte sich der Mann jetzt von der Frau zurück emanzipieren.

Ich frage mich auch schon die ganze Zeit, wieso gibt es in den meisten Parkhäusern Parkplätze für Frauen? Wenn wir es mit der Gleichberechtigung genau nehmen wollen, dann sollten wir Männer auch ausschließlich Parkplätze für uns haben. Darüber lässt sich natürlich streiten und wahrscheinlich liegt es auch daran, dass Frauen einfach Probleme beim Einparken haben.

Wenn es endlich ums erste Date geht, kommt eine Einladung in einem Restaurant allgemein besser an, als ein eher langweiliges und kurzes irgendwo einen Kaffee trinken gehen. Als erstes bleibt mehr Zeit für tiefere Gespräche, und als zweitens geht die Liebe bekanntlich durch den Magen. Wenn Sie bereits vorher ankündigen, dass Sie die Einladung übernehmen, fühlt sich die Frau von Anfangen ein wenig verwöhnt und umso geschmeichelter. Bei so einer Vorgehensweise entstehen auch keine unangenehmen Situationen, wenn schließlich die Mappe mit der Rechnung auf den Tisch angeflattert kommt. Wenn der Mann die Rechnung übernimmt, so heißt das schließlich noch lange nicht, dass er jetzt ein Leben lang für sie verantwortlich ist oder dass sie kein eigenes Geld verfügt.

Sicherlich kann die Frau die Rechnung auch selbst bezahlen, aber um die Bezahlung an sich geht es ja gar nicht. Es ist die Geste an, die zählt. Damit zeigt der Mann nicht nur, dass er in der Gesellschaft erfolgreich ist, sondern auch, dass er ernähren und versorgen kann. Er schlüpft dadurch in eine ursprüngliche Rolle als Versorger.

So sieht man das auch in vielen anderen Ländern, wie zum Beispiel in Italien. Dort würde sich ein Mann lieber die Hand abhacken, als eine Frau im Restaurant die Rechnung begleichen zu lassen. Dies wäre ein absolutes No-Go, denn er würde sein Gesicht verlieren. Wenn die Frau nur zu ihrer Tasche greift, winkt er schon wütend ab und sogar der Kellner würde niemals Geld von der Frau annehmen in Abwesenheit eines Mannes.

Übrigens muss dabei kein Mann Angst um seine Existenz haben, denn das Restaurant wird von ihm selbst entsprechend seines Geldbeutels ausgewählt. Eine romantische, stylische und ruhige Location sollte jedoch bevorzugt werden.

Die Gespräche beim ersten Date

Eine perfekte Vorbereitung auf ein Date ist von großem Vorteil. Natürlich sollten Sie beim Treffen keinen Spickzettel aus der Hosentasche ziehen wie ein Politiker und ihr mit starrer Miene verschiedene Fragen vorlesen. Doch eine gewisse Vorbereitung auf mögliche Gesprächsthemen kann unglaublich hilfreich sein. Legen Sie sich am besten mehrere interessante Stichpunkte zurecht, auf die Sie jederzeit zurückgreifen können. Überlegen Sie sich dabei, was Ihnen wichtig an Ihrem Gegenüber ist und was Sie unbedingt über diesen Menschen erfahren möchten. Wie schon in den ersten Schritten besprochen, ist es wichtig, die richtigen Fragen zu stellen. So haben Sie schon mal ein paar Fragen zur Konversation im Hinterkopf, die Sie auf jeden Fall in den unangenehmen Pausen stellen können.

Neben einer romantischen Atmosphäre und vorbildhafter Umgangsformen sollte auch die Unterhaltung angemessen sein. Angebereien, Selbstdarstellungen und Beschwerden über Ex-Beziehungen sind keine angemessenen Gesprächsthemen. Beim ersten Rendezvous wird üblicherweise geschickt abgetastet, wo Gemeinsamkeiten liegen könnten und was genau hinter dem äußeren Erscheinungsbild des anderen steckt. Man sollte nicht allzu viel über sich selbst erzählen und mehr mit offenen Fragen arbeiten, bzw. Nachfragen stellen. Wo immer dann Gemeinsamkeiten auftreten, können diese Themen vertieft werden.

Erzählen Sie die aufregendsten und interessanten Geschichten über sich selbst. Genauso sollten Sie sich vorher Gedanken darüber machen, was Sie von sich selbst preisgeben und welches Bild Sie dem Gegenüber von Ihnen vermitteln wollen. Dementsprechend können Sie dann ihre witzigsten Storys und Anekdoten aus Ihren Erlebnissen in der Vergangenheit erzählen, die vieles über Sie aussagen. Das Ganze natürlich, ohne großartig anzugeben oder zu prahlen.

Erzählen Sie Ihrem Date, wie Sie neulich nach einem Stadtbummel einfach spontan mit einem Freund nach Mailand geflogen sind. Oder wie Sie nachts mit einem Kumpel über den Grenzzaun des Nachbarn gestiegen sind, um ein erfrischendes Bad im Pool zu nehmen, während die Alarmanlage losging und der Hund des

Nachbarn Ihren Kumpel die Hose zerrissen hat. Solche aufregenden Geschichten liefern nicht nur einen Lächeln auf den Lippen Ihres Gegenübers, sondern auch neue witzige Gesprächsthemen bei Ihrem Date. Dadurch zeigen Sie auch, dass Sie keine langweilige Couchpotato sind, sondern eine aufregende Person, die durch die Weltgeschichte streift ist, um etwas erleben zu können.

Und für die peinlichen Schweigepausen, die trotzdem entstehen könnten, brauchen Sie einen Notfallplan. Für solche Notfälle können Sie sich einfach nur ein paar Notizen auf Ihrem Handy machen, wo Sie ein paar Ideen für Gesprächsthemen und interessante Storys hinterlegen. Sollte so eine peinliche Situation trotzdem entstehen, tun Sie so, als müssten Sie kurz aufs stille Örtchen und dort können Sie dann die Anregungen, die Sie sich notiert haben durchgehen und mit neuer Energie an die Sache herangehen.

Wenn Sie allerdings die Konversation mit anderen Menschen ständig trainieren, müssen Sie auf solche Notizen oder Vorbereitungen irgendwann nicht mehr zurückgreifen, sondern können selbstständig jedes Gespräch dominieren, ganz ohne solche Hilfsmittel. Wenn Sie stets ein freundliches und nettes Auftreten haben, aufmerksam sind und immer wieder den Blickkontakt suchen, können Sie leicht eine Ebene finden, die über eine guten Konversation hinausgeht.

Der perfekte Abschied ist eine Erfolgsgarantie

Die Verabschiedung nach dem Date ist ein wichtiges Thema, das häufig zu kurz kommt und unterschätzt wird. Frauen schätzen

Männer, die selbstbewusst sind, die Klarheit schaffen, sie aber trotzdem nicht mit überstürzten Handlungen überrumpeln. Sofern das Date hervorragend verlaufen ist und Lust auf mehr gemacht hat, sollte dies auch in klare Worte gefasst werden.

Eine angemessene Vorgehensweise ist situationsbedingt und erfordert ein hohes Maß an Timing. Wie schon im ersten Kapitel erwähnt, ist es unglaublich wichtig, das Richtige zur richtigen Zeit zu tun. Wer sich nicht traut, kann auch kurz nach dem Date eine Message senden, um sich für den schönen Abend zu bedanken.

Wichtig ist, eine gewisse Spannung aufrecht zu halten. Jedoch den Menschen nicht mit ständigen Messages oder Telefonaten zu erdrücken. Und wer gleich am nächsten Morgen vor ihrer Tür steht, regelrecht die Frau stalkt und sie auch noch mit SMS bombardiert, kann damit die Person in die Flucht schlagen. Auch solche überheilte Fragen, ob zum Abschied eine Umarmung oder ein Kuss erlaubt sind, kann das ganze Date vermasseln.

Zu aufdringlich sein ist nicht angebracht, denn so schlagen Sie garantiert jeden in die Flucht. Zum Abschied setzten Sie nur dann zum Küssen an, wenn der Partner auch deutlich signalisiert, dass er damit einverstanden ist. Und die Person gleich nach dem ersten Date zu sich nach Hause einzuladen ist auch ein No-Go. Normalerweise zeigt die Stimmung und das Verhalten des Gegenübers, ob solche Schritte angemessen ist.

Eine liebevolle Umarmung und ein sanfter Kuss auf die Wange sollte das höchste Maß der Dinge sein, sofern eine ernsthafte Beziehung angestrebt wird. Weniger ist hier häufig mehr, wenn sich ein Mann als Gentleman präsentieren und eine Frau erobern möchte.

Schrauben Sie Ihre Erwartungen nicht zu hoch. Ihre Idealen Vorstellungen existieren nur in Ihrem Wunschdenken. Die kann sicherlich niemand erfüllen und will es auch nicht. Bleiben Sie beim realen Bild. Hinterlassen Sie auch am Ende des Dates einen guten Eindruck und gehen Sie zufrieden und gut gelaunt nach Hause. Denken Sie positiv und mal sehen, was sich daraus entwickelt.

Wichtige Punkte zu Schritt 3

1. Behandeln Sie alle Menschen mit Respekt und Freundlichkeit.
2. Lernen Sie zu vergeben und leben Sie im Hier und Jetzt.. Nehmen Sie sich die Zeit zum Nachdenken.
3. Achten Sie auf Ihr Benehmen und Ihr Verhalten.

4. Eine aufgesetzte Rolle zu spielen führt zu nichts.
5. Lassen Sie Ihre Hemmungen, Ängste und Ihre Zurückhaltung daheim.
6. Akzeptieren Sie Ihre Stärken und Schwächen.
7. Seien Sie authentisch und tiefsinnig und die Menschen werden Ihnen folgen.
8. Männer sollten sich wie wahre Gentlemen verhalten, Frauen wie echte Ladies.
9. Übernehmen Sie Verantwortung für Ihr Handeln und stehen Sie zu Ihrem Wort.
10. Ein wahrer Gentleman wirkt auf Frauen extrem anziehend und sexy.
11. Achten Sie auf perfekte Tischmanieren.
12. Seien Sie ein perfekter Gentleman und nicht der Zahler.
13. Bereiten Sie sich vor einem Date vor, indem Sie Gesprächsthemen und Anregungen notieren.
14. Der perfekte Abschied ist eine Erfolgsgarantie.

Schritt 4

Die Suchstrategien erweitern / Kommunikation und Marktforschung

Um in einem Business erfolgreich zu sein, müssen Sie Ihr Produkt durch verschiedene Kanäle effektiv und durchgreifend verkaufen können. Dies beinhaltet die verschiedensten Strategien, sowohl das Produkt als auch die Botschaft schnell und so kostengünstig wie nur möglich verfügbar zu machen. Sogar die ältesten Unternehmen haben ihre Verkaufsstrategien angepasst und erkannt, dass das Internet einer der effektivsten, wenn nicht der stärkste Verkaufskanal ist. Das Online-Geschäft bietet schnell eine riesige, globale, zugleich kostengünstige Nutzerbasis und ein Marktsegment, das zu gigantisch ist, um es zu ignorieren.

Und wo kann man in wenigen Sekunden, mit ein paar Knopfdrücken und nur mit wenigen Cent Einsatz eine unglaubliche Masse erreichen? Wo, wenn nicht im World-Wide-Web? Dort können Sie ein virtuelles Geschäft eröffnen, verschiedene Verkaufsstellen betreiben oder Ihr Image direkt publik und für Millionen sichtbar machen. Bestellungen, Anfragen oder Anregungen können Sie 24 Stunden am Tag annehmen und je nach Bedarf unterschiedliche Nachrichten versenden und zeitgleich erfahren, welche Strategien funktionieren und welche nicht so erfolgversprechend sind. Online ist es möglich, die erworbenen Fähigkeiten und Möglichkeiten ständig optimieren zu können und das Budget ist effektiver eingesetzt als in jedes anderen Unterfangen.

Denken Sie jedoch daran, dass dies auch bei dem enormen Potenzial dieser virtuellen Welt nicht garantiert ist. Wie immer ist es notwendig, sorgfältig geplante Marketingstrategien für die verschiedensten Online-Plattformen anzuwenden. Dass es unheimlich wichtig ist, online nach einem Partner zu suchen, kennen sicherlich einige von Euch von Werbung oder auch von Freunden, die im Netz auch fündig geworden sind. Und vielleicht ist es schon eine Weile her, dass Sie im Internet gesurft sind, um neue Bekanntschaften zu schließen und die Vor- und Nachteile des virtuellen Netzwerks sind Ihnen bestens bekannt. Natürlich gibt es auch zahlreiche unter Ihnen, die überzeugt sind, das Internet kein seriöser Ort sei für so ein Unterfangen, denn es ist voller dummer Leute, voller Profile, die nur fake sind oder noch schlimmer.

Viele beurteilen auch Menschen, die Heiratsanzeigen im Netz aufgeben und sich dort erhoffen, der große Liebe zu begegnen, als absolute Verlierer und total verzweifelt. Und dann gibt es diejenigen, die sich von den negativen Berichten von Freunden beeinflussen lassen, die schlechte Erfahrungen mit einem Date in einem Chat oder auf anderen Portalen gemacht haben. Und doch müssen Sie sich damit abfinden, dass Sie viel mehr Zeit und Kosten einsetzen müssen und dann der verzweifelte sein werden, wenn Sie nicht das Internet als Suchoption mit in Betracht ziehen, um einen Partner kennenzulernen. Und das mit Abstand das Beste, was Sie tun können, um die Wahrscheinlichkeit zu optimieren, eine Person in Ihrem Leben zu finden.

Diese Art der Internetnutzung ist absolut ok und sozialverträglich, wird von Männern und Frauen jeden Alters in großem Umfang genutzt und praktiziert. Zwischen April und August 2018 haben sich allein in den USA mehr als 65 Millionen Menschen auf mindestens einer Online-Partnerbörse oder Seelensuchseite registriert. Diese Daten wurden von mehreren Forschungsagenturen erhoben und bestätigt und das Durchschnittsalter der aufstrebenden Ehepartner liegt etwa bei dreißig. Und was noch wichtiger ist, ungefähr 60% der Männer, die diese Art der Online-Anzeigen nutzen, streben eine ernsthafte Beziehung an. Und für eine Frau, die gerade über 35 ist und eine Partnerschaft sucht, ist es ein absolutes Muss. In der Tat, wenn Sie sich entscheiden, nur einen dieser Schritte in diesem Programm auszuführen, dann sollten Sie diesen Punkt „Online-Recherchen“, als einen der Wichtigsten ansehen. Außerdem, haben Sie sich entschieden dieses Buch zu lesen, weil Sie Ihre persönliche Situation ändern möchten, nicht wahr? Sie sollten wissen, dass Online-Anzeigen schalten, Online-Recherchen starten und die Digitalisierung für sich nutzen, das effektivste Kommunikationsmittel ist in der heutigen Zeit.

Stellen Sie sich vor, dass Ihr Traumpartner z.B. in Berlin lebt und Sie in Rom, dann würden Sie sicherlich diesem Menschen nie über den Weg laufen können. Doch im World-Wide-Web haben Sie auch die Möglichkeiten mit Menschen in Verbindung zu kommen, die nicht nur in Ihrer Umgebung leben, sondern auch auf der anderen Seite der Welt. Die Digitalisierung eröffnet den Menschen neue Wege, nicht nur für die zwischenmenschlichen Beziehungen, sondern auch für Beruf, Beschaffung, Unterhaltung, unbegrenztem Wissen und Chancen. Ich kann echt nicht wirklich sagen, wie viele meiner Freunde und Klienten zu mir ständig kommen, um mir zu sagen, dass sie alles versucht haben einen Partner im Netz zu finden, jedoch ohne Erfolg oder es hat einfach nicht funktioniert. Nach paar kurzen Fragen konnte ich fast in allen Fällen feststellen, dass der Grund für den Misserfolg meistens eine falsche Vorgehensweise war. Die Gründe waren auch gravierende Fehler, wie unpassende Fotos, unvorteilhafte Beschreibung oder fehlerhafte Selbstpräsentation.

In diesem Kapitel können Sie erfahren, wie Sie es richtig machen. Lassen Sie mich zunächst einige Gründe für die harten Skeptiker oder die ewigen Zweiflern erläutern, wie grundlegend wichtig und von großer Bedeutung diese Aktivität im Netz für unsere Zwecke ist.

1. **Anonymität**

Verschiedene Menschen können Ihnen gleichzeitig schreiben, aber auf Börse, wo Sie Ihre Kontaktanzeigen aufgegeben haben. Jedoch wird Ihr richtiger Name oder sonstige privaten Informationen niemandem mitgeteilt, nur die, Sie freiwillig in Ihrem Profil freigegeben haben. Sie wissen nicht, wer Ihr Gegenüber wirklich ist und diejenige Person weiß auch nicht, wer Sie wirklich sind. Einige Portale verfügen bereits über eine Sprachoption, mit der Sie einen anonymen Telefontermin organisieren können und mit der Person persönlich sprechen können. Die Tatsache, dass Sie Ihr aktuelles Bild einsetzten sollten, lässt Sie natürlich nicht völlig anonym bleiben, aber zumindest kann Sie niemand ohne Ihre Erlaubnis aufspüren. Sie haben es in der Hand, denn Sie entscheiden, ob Sie auf eine Anfrage antworten oder auch nicht. Sie geben auch nur preis, was, wie und wie viel Sie möchten. Und natürlich auch wo und wann Sie bereit sind, sich mit jemandem zu treffen.

2. Die Geschwindigkeit

Für all jenen, die es eilig haben, einen Partner zu treffen und dazu auch noch ein sehr geschäftiges Leben führen, ist das Kennenlernen im Internet viel einfacher. In kürzester Zeit werden Sie zahlreiche Menschen mit den richtigen Anforderungen kennenlernen und mit ihnen interagieren.

3. Die Breite des Netzwerks

Diese Art von Suchstrategie ist unglaublich effizient. Man kann das vergleichen, wenn Sie fischen gehen und verwenden dabei ein sehr breites Netz, als nur mit einer einzelne Angel. Mit Online-Anzeigen haben Sie die Möglichkeit, neue Personengruppen außerhalb Ihrer Reichweite kennenzulernen. Sie können Ihre

Anonymität trotzdem bewahren und durch die Verwendung der E-Mails-Adresse, mit neuen, interessanten Menschen kommunizieren.

4. Die Bequemlichkeit

Wenn Sie nach einem harten Arbeitstag im Büro oder auch im Haushalt nicht die Lust haben, sich in Schale zu werfen um auszugehen, dann können Sie sich auf Ihrer Couch entspannen und sehen, wer gerade online ist. Auf diese Weise können Sie nicht nur abends nach der Arbeit interessante Personen treffen, sondern auch tagsüber und sogar während der Arbeit.

Die Chats und Anzeigeseiten sind rund um die Uhr online und Sie können jederzeit die Dienste nutzen. Sie können Ihre bequemen Jogginghosen anbehalten, gelassen und auch ungestylt auf Ihrem Sofa sitzen und trotzdem agieren. Auch mit Ihrem Mobiltelefon können Sie surfen und somit mit den verschiedensten Personen ständig in Kontakt bleiben. Sogar für die engagiertesten Business-Menschen, die sonst sehr wenig Zeit haben und ständig unterwegs sind, ist die Onlinesuche eine echte Revolution. Jederzeit kann sich Ihr Traumpartner bei Ihnen melden, mit Ihnen Nachrichten austauschen mitten in einem Meeting oder in Ihren Pausen und auch weitere Informationen auf verschiedenen Online-Sites erhalten.

5. Die Kosten

Gegenwärtig kostet das Abonnement eines Online-Partnerbörsen-Dienstes ungefähr 40 bis 50 Euro pro Monat oder auch mehr. Es gibt keinen Vergleich mit den Hunderten oder Tausenden von Euros, die für andere Dating-Dienste, Videochats oder Honorare für private Agenturen ausgegeben werden könnten, die geplante

Treffen organisieren. Dann gibt es natürlich auch Plattformen wie Lovoo und Tinder, die kostenlos für jedermann zugänglich sind. Jedoch ist die Wahrscheinlichkeit, dort Fake-Profilen zu begegnen sehr hoch.

6. Worauf es wirklich ankommt

Tatsächlich wird ein alter Brauch wieder ins Leben gerufen. Liebespaare schreiben sich wieder Liebesbriefchen. Natürlich sehen Sie anfangs in dem Profils vielleicht nur ein paar Bilder, als erstes Auswahlkriterium aber der physische Aspekt sollte erst mal kein Hindernis sein, das Sie daran hindert, zu wissen, wer wirklich dahinter steckt, und zwar gegenseitig. Vielleicht kann es eine Chance sein, eine neue Beziehung mit jemandem auf einer tieferen Ebene einzugehen, mit Erwartung, Neugier und Gefühlen, anstatt nur auf der oberflächlichen Ebene des physischen Aspekts sich nur zu beziehen. Egal ob Partnerschaft, Freundschaften, Netzwerk-Aufbau oder die nächste Firmen-Sommerparty organisieren. Erfolgreiches Kommunizieren und Knüpfen neuer Kontakte bietet Ihnen enorme Perspektiven für persönlichen und beruflichen Erfolg.

7. Zahlreiche neue Bekanntschaften im Netz

Das Kennenlernen neuer Partner ist eine Frage der Dichte und der Anzahl der verschiedensten Persönlichkeiten, die im Internet erreicht werden können sind ohne gleichen. Wenn Sie in einer Großstadt leben, werden auf einer gewöhnlichen Partnerbörsenseite sicherlich bis zu 35.000 Profile von alleinstehenden Personen angezeigt. Schätzungsweise wohnen diese Personen nicht mehr als 20 bis 30 km von Ihnen entfernt und warten sehnsüchtig auf neue Anfragen, um Ihre Bekanntschaft zu machen.

Keine Ausreden mehr

Ich habe Ihnen sieben gute Gründe gegeben und alle möglichen Vorteile aufgezählt, um die verschiedensten Leute im Internet kennenzulernen. Und jegliche Entschuldigungen, warum Sie noch nicht ein oder mehrere Profile auf verschiedenen Partnerbörsenseiten veröffentlicht haben, werden nicht akzeptiert. Wie ich in der Einleitung erwähnt habe, gibt es in diesen Schritten, die wir zusammen gehen, keinen Platz für Ausreden oder Aufgeben.

Vielleicht haben Sie keinen Computer zu Hause oder Ihr Gerät ist derzeit nicht betriebsfähig und Sie haben keine Möglichkeit ins Netz zu gehen. Dies sollte auch kein Hindernis sein, um nicht online zu sein. An dieser Stelle können Sie das vorgesehene Budget verwenden, um einen Computer zu kaufen. Sie können vielleicht auch länger im Büro bleiben und vom Arbeitsplatz aus surfen. In verschiedenen Bibliotheken wird heutzutage auch der Internetzugang ermöglicht oder vielleicht im Haus eines Freundes, in Internetcafés oder auch in bestimmten Fachmärkten können Sie eine Anzeige aufzugeben.

Sie wissen vielleicht nicht, wie Sie Ihr Foto downloaden können oder wie man die Software bedient, um Ihr Online-Profil freischalten zu können. Ich muss zugeben, dass ich auch kein Experte für diese Art Technologie bin, aber für einige meiner Freunden habe ich nur wenigen Minuten gebraucht, um einen Account freischalten zu können. Wenn Sie niemanden haben, der Ihnen hilft, haben die meisten Partnerbörsen einen Support, der Ihnen Schritt für Schritt vorführen kann, wie Sie die Anzeige korrekt und mit Einfachheit aufgeben können.

Sind Sie immer noch der Meinung, dass es falsch, ist eine Online Anzeige freizuschalten? Ich kann die anfängliche Zurückhaltung und die vielen Zweifel verstehen, es zu versuchen, weil es mir vielleicht nicht selbstverständlich erscheint, ist vielleicht nicht der beste Start. Aber, wenn Sie einmal eine Anzeige geschaltet haben, werden Sie dieses Vorurteil schnell vergessen und Sie werden schnell merken, dass es nur eine moderne Art der Partnersuche in unserer Zeit ist. Auch die anderen Singles, die Sie treffen können, haben beschlossen, eine Anzeige zu schalten, sodass Sie alle im selben Boot sitzen.

Viele meiner Single-Freunde und auch Klienten sagen mir, dass es eine unglaubliche Heilung für ihr eigenes Ego ist, wenn ständig neue Messages von anderen Single, die Sie überhaupt nicht kennen in Ihre Mailbox flattern.

Habe ich Sie noch nicht überzeugt, dann denken Sie wieder an den ersten Schritt in diesem Programm und fragen Sie sich, ob Sie wirklich bereit sind, alles zu tun und nichts unversucht lassen, um die richtige Person finden zu können.

Einer der Gründe, warum Online-Anzeigen von vielen nicht gerne gesehen werden, ist, weil viele überzeugt sind, dass die Liebe mit dem Schicksal verbunden sei. Viele glauben an die magische, zufällige Begegnung. Ich dagegen bin kein Freund des Wartens, glaube nicht an zufällige Begegnungen und auch nicht an magische Momente. Ich bin der Meinung, dass Sie sich Ihren magischen Moment erschaffen müssen.

Die Ziele von Online-Anzeigen

Es gibt fünf Hauptziele, auf die Sie sich konzentrieren sollten, um beim Online-Dating erfolgreich zu sein. Beachten Sie diese Punkte, wenn Sie sich in das Internet wagen.

1. Seien Sie einzigartig. Es gibt zigtausende Personen, die im Netz nach einem Partner suchen, sodass Sie alles tun müssen, um sich von der Masse abheben zu können.

2. Seien Sie faszinierend. Die Interessenten wechseln schnell von einem Profil zum nächsten. Daher müssen sie einen Weg finden, sie neugierig zu machen, damit die Besucher etwas länger auf Ihrem Profil bleiben, um mehr über Sie herauszufinden und sich nach einem kurzen Blick auf Ihr Foto mit Ihnen in Verbindung setzen zu können.

3. Sorgen Sie für Volumen. Je mehr Personen Sie anschreiben, desto mehr Aufrufe und Antworten haben Sie. Seien Sie mutig, verplempern Sie nicht Ihre kostbare Zeit, das kostet Sie nur Energie und vielleicht auch noch Geld. Trauen Sie sich einiges zu, seien Sie nicht zögerlich. Wer nicht wagt, der nicht gewinnt. Um etwas zu erreichen, muss man einige Risiken eingehen.

4. Seien Sie effizient. Die vielen Partnerbörsen und Online-Anzeigen im Netz können viel Zeit in Anspruch nehmen, daher sollten Sie Suchfilter und nach bestimmten Suchkriterien suchen, um zwischen der großen Anzahl von Profilen schnell und effizient entscheiden zu können. Halten Sie sich auch nicht lange bei Profilen auf, die schon von vornherein für Sie nicht in Frage kommen. Ihre Zeit ist kostbar und sollte gerade in der Partnersuche effizient genutzt werden.

5. Suchen Sie nach einem geeigneten Partner. Suchen Sie nach einem Partner, der zu Ihnen wirklich passt. Sie fragen sich sicher, wie ein Algorithmus Ihnen helfen soll, die Liebe oder die eine Person in Ihrem Leben zu finden? Partnerbörsen arbeiten mit ausgeklügelten Matching-Direktiven und diese nutzen meistens bestimmte Kriterien, um den perfekten Partner für Sie ausfindig zu machen. Und zwar Ihr ausführliches Persönlichkeitsprofil und Ihre Individualität in den Suchkriterien. Denn eine erfolgreiche Partnersuche bedeutet, jemanden zu finden, der Ihnen im Liebesstil und in allen anderen Lebensbereichen gleicht. Es bringt nichts, wenn Sie z.B. 55 Jahre alt sind und nach einer 18-jährigen Partnerin suchen. Das sind natürlich ungewöhnliche Sucheigenschaften und können nur in die Hose gehen.

Marktforschung

Ich hoffe, Sie geben nicht so schnell auf, Zeit in die Marktforschung zu investieren, denn die Erforschung der verschiedenen Partnerbörsen ist immer eine entscheidende Phase jeder kommerziellen Initiative. Sie werden jetzt sicherlich denken, dass sie nur einen Partner suchen und nicht kommerzielle Transaktionen durchführen wollen. Doch eine Partnersuche läuft nicht anders als eine kommerzielle Handlung. Sie wollen für Ihr Geld, ihre Bemühungen, für Ihre Investition und Zeit das Beste für sich herausholen.

Verschiedene Vergleichsergebnisse sind erforderlich, um wichtige Informationen zu erhalten, damit Sie den Online-Markt mit den verschiedenen Anbietern verstehen können. Schauen Sie sich um, versuchen Sie zu verstehen, was gut und was nicht geeignet für Sie ist. All dies erfordert eine erhebliche Menge an Zeit, um täglich auf Ihrem Computer die zahlreichen Börsen zu durchforsten.

Daher schlage ich vor, Sie beginnen mit einer namenhaften Website, diese kann für Ihre anfänglichen Recherchen eine ausreichende Menge an Profilen zur Verfügung stellen. Übrigens ist die Suche völlig kostenlos. Sie können sich die verschiedensten Profile mit Fotos und persönlichen Daten auf den meisten Partnerbörsen ohne einen Cent auszugeben anschauen. Im

Allgemeinen werden Sie nur zur Kasse gebeten, wenn Sie die Abonnenten des Dienstleisters direkt kontaktieren möchten.
Sagen wir, Sie sind eine Frau, die einen Mann sucht, dann stellen Sie sich zunächst auf der Seite als Mann vor, der eine Frau sucht. Dadurch können Sie sehen, wie andere Frauenprofile aussehen, um den Wettbewerb einzuschätzen. Geben Sie ein Alter an, am besten machen Sie sich 10 Jahre jünger und dann geben Sie Ihre Postleitzahl ein. Lassen Sie sich ruhig Zeit. Betrachten Sie die angezeigten Fotos und lesen Sie sorgfältig die Profile. Machen Sie sich Notizen über die verschiedenen Angaben und achten Sie auf jedes Detail, wie die Qualität oder die Darstellung der Fotografie, Kleidung, Frisur, Make-Up, usw.
Wenn Sie ein Mann sind, sollten Sie das gleiche tun, um Ihre Konkurrenz einfach besser unter die Lupe nehmen zu können. Und wenn Sie ein Diverser sind, dann haben Sie die freie Auswahl. Sie können sich die unterschiedlichsten Profile anschauen und sich dann entscheiden, für welche Seite Sie sich ausgeben wollen.
Durch die Betrachtung anderer Profile können Sie viel dazulernen und somit viele Anfängerfehler vermeiden. Und solche Fragen wie: wie wirke ich auf den Bildern? Wie formuliere ich interessante Vorstellungstexte? Was kann ich tun, um mich von der Masse abheben zu können? Oder warum sollten sich Interessenten mein Profil genauer anschauen? beantworten sich von selbst.
Wie bereits erwähnt, sollten Sie sich immer notieren, was Sie in einer Anzeige nützlich finden und was für Sie gar nicht in Frage kommt.
Wiederholen Sie dieselbe Suche mit einer anderen Postleitzahl. Versuchen Sie es mit einer Börse einer Großstadt, um eine größere Anzahl von Profilen untersuchen zu können. Versuchen Sie auch, in einem Umkreis von 100 oder mehr Kilometern zu suchen. Durch die Erweiterung des Radius können Sie viel mehr

Menschen erreichen, auch in anderen Regionen, wie im Umland oder auch in Nachbardörfern.
Auch wenn Sie bereits jemanden online getroffen haben und Sie mit der Person Kontakt haben, ist es wichtig, dass Sie ihr Profil immer aktualisieren, mit aktuelleren Fotos oder gut gemachte Posts, wie z.B. spießen oder Outdoor Aktivitäten. Da dieses Medium sich ständig und schnell ändert, sollten Sie Ihre Präsenz immer auf dem neuesten Stand halten. Viele machen den Fehler, dass sobald der Kontakt zu einer Person aufgebaut wird, das eigene Profil komplett vernachlässigt wird.
Sie können gleichzeitig mit verschiedenen Interessenten Kontakt haben, um eine bestimmte Auswahl erreichen zu können. Mit der Zeit können Sie sich dann entscheiden für die Person, die Ihren Verstand raubt und Ihr Herz zum Pochen bringt. Die meisten Menschen versäumen die kleinen Taten und Aufmerksamkeiten. Doch Erfolg bildet sich aus vielen kleinen Dingen, die zu etwas Großartigem führen können.

So erzielen Sie signifikante Ergebnisse

Einer der Kernpunkte unserer gemeinsamen Reise besteht darin, die Anzahl Ihrer Kontakte zu erhöhen. Daher ist es unerlässlich, Orte oder auch Portale zu besuchen, an denen sich überwiegend Singles aufhalten. Solche Dating-Webseiten wie: Zoosk.com, Badoo.com, eHarmony.com, Ftdating.com, Tinder oder natürlich auch Match.com, sind derzeit die größten Website für Partnersuchanzeigen. Heutzutage spielen die Social-Networks, wie Facebook, Instagram und Co auch eine große Rolle im Bereich neue Bekanntschaften und Partnersuche. Daher nutzen Millionen und Millionen von Singles diese Portale ständig, um vielleicht die eine Person in ihrem Leben finden zu können. Und Ziel ist es, ohne

größeren Aufwand Frauen und Männern, die eine ernsthafte Beziehung oder auch nur neue Bekanntschaften suchen, zueinander bringen.
Die meisten Portale bieten einen unglaublich guten Service an. Viele verlangen jedoch ein monatliches Abonnement und andere können Sie komplett kostenlos nutzen. Doch dies ist eine effektive Möglichkeit, die Wahrscheinlichkeit zu optimieren, um einen Partner finden zu können. Auf solchen Seiten sollten Sie auf jeden Fall präsent sein, denn dort befinden sich die meisten Singles mit einem Ziel, die Liebe Ihres Lebens zu finden.
Ihr angezeigtes Profil besteht aus einem „Nickname", einem oder mehreren Lichtbildern, zudem einer Beschreibung Ihrer Person und natürlich einer Beschreibung des gesuchten Personentyps. Die grundlegende Strategie besteht darin, die Angaben zu Ihrer Person so zu gestallten, dass potenzielle Interessenten beim Surfen auf der Website von Ihrem Profil regelrecht angezogen werden.
Die meisten meiner Klienten, Freunde und auch Bekannten, mit denen ich gesprochen habe, sind ziemlich informiert darüber, wie sie eine Suche auf einer Dating-Website durchführen. Sie durchstreiten einen sehr einfachen Auswahlprozess, sie achten primär auf das Alter und die geografische Position der Person, die sie gerne kennenlernen würden und wenn sie beides anspricht, dann wird das Profil angeklickt. Gierig und zugleich kritisch schauen sie sich dann die hinterlegten Fotos an und in nur ein paar Sekunden wird entscheiden, ob es angebracht ist, diejenige Person per E-Mail zu kontaktieren oder auch nicht. Jedoch werden nach Angaben des Anbieters bis zu zwei Hochzeiten am Tag vermittelt.

Ihre Anzeigefotos

Beginnen wir mit dem Wichtigsten, nämlich Ihren Fotos auf der Anzeige. Ich wünschte, es wäre nicht so, aber die Singles, die solche Seiten besuchen, folgen einem strikten, visuellen Auswahlkriterium. Daher ist die Gestaltung, das Aussehen auf den Fotos und die Qualität der Fotografie unglaublich entscheidend.
Ihr Foto ist der erste Auswahlfilter, wenn ein Besucher eine Suche durchführt. Im zweiten Schritt haben wir schon darüber gesprochen, wie wichtig die äußerliche Erscheinung ist, die Sie sicherlich auch im täglichen Leben getestet haben. Was können wir dagegen tun? Nachdem wir wissen, dass die Besucher solcher Börsen sehr oberflächlich sind und schnell von einem Profil zum nächsten switchen, ist es wichtig, das bestmögliche Foto einzusetzen.
Wenn Sie in letzter Zeit kein schönes Foto aufgenommen haben, wiel Sie vielleicht keine Zeit oder auch Geld dafür zu Verfügung haben, sollten Sie dies schleunigst ändern. Sie haben ein Budget-Konto für solche Investitionen bereitgestellt, daher bitte ich Sie professionelles Foto machen zu lassen.
Daher haben ich Ihnen einige Möglichkeiten aufgelistet, bzw. Ideen, wie Sie vorgehen könnten. Sie können einen professionellen Fotografen beauftragen, jedoch ist diese Vorgehensweise mit hohen Kosten verbunden. Größere Kaufhäuser haben auch eine Fotoabteilung und dort können Sie sich fotografieren lassen. Diese Möglichkeit ist zwar kostengünstiger, aber solche Fotos wirken wie gestellt. Für persönliche Ausweisdokumente sind sie sicherlich geeignet, aber nicht für eine Partnerbörse. Oder Sie kontaktieren einen guten Freund, der sich einigermaßen mit fotografieren auskennt, und bitten ihn um Hilfe. Bei dieser Möglichkeit haben Sie sicherlich minimale Kosten und Sie können an den verschiedensten Orten Fotos machen, denn der Kreativität sind keine Grenzen gesetzt.

Doch wie soll man das Ganze nun richtig angehen? Lieber ein spontan wirkendes oder ein akkurat vorbereitetes Selfie hochladen? Vielleicht sollte ich das Shooting doch einem erfahrenen Fotografen überlassen und ein paar Euro in die ernsthafte Partnersuche investieren? Was ist mit einem privaten Fotoshooting in einem Studio oder auch Daheim? Bringt es wirklich was, wenn Sie Ihrem Freund, einem Kumpel oder auch einem Familienmitglied eine Kamera in die Hand drücken und einfach mal wild drauflos posieren oder verschwendet man damit eher seine Zeit?

Beginnen wir mal mit einem einfachen Selfie an. Solche Darstellungen können funktionieren, sind aber kein Garant für ein gutes Profilfoto. In den meisten Fällen sind solche Selfies zwar gut gemeint, aber schlecht umgesetzt. Die Fotos wirken oft konstruiert und dilettantisch aufgestellt. Sie werden überall geschossen, vor dem Spiegel im Aufzug, im Fitnesscenter in der Umkleide oder auch in solchen aufgestellten Selfieboxen. Und seien wir mal ehrlich, diese wirken auch total billig und teilweise geschmacklos.
Spontanes Auftreten lässt sich nur schwer planen. Zudem lassen solche Selfies Sie nicht automatisch vorteilhaft aussehen. Der Betrachtungswinkel von oben lässt vielleicht Ihr schwabbliges Kinn verschwinden, dafür könnten aber Ihre Augenringe oder auch Ihre angehende Glatze durch die ungeeignete Belichtung in den Fokus gerückt werden. Und wie bereits gesagt, sind Spiegel-Selfies total langweilig und heben sich kaum noch von der Masse ab. Und wenn ich manchmal auf einige Profile eines dieser Kunstwerke betrachten muss, mit einem Sportauto im Hintergrund oder auch mit der ganzen Clicke in einer Club, dann wird mir Kotzübel. Daher sage ich: Selfies Ja, aber nicht hochladen, ohne eine professionelle Beratung.

Daher sind Fotos vom Spezialisten empfehlenswert, denn sie glänzen durch eine geeignete Dosierung an Licht, die Zusammenstellung der Farben, Hintergründe und technisches Handwerk. In den besten Fällen beinhaltet die Fotosession nicht nur das bloße Fotografieren, sondern auch eine umfassende Beratung in Sachen Körperhaltung, Attitüde, Hintergrund, Kleidung und Make-Up.

Jedoch sind solche professionellen Beratungen und das Know-how mit hohen Kosten verbunden. Außerdem können Sie sich hier nie ganz sicher sein, ob Ihre Persönlichkeit oder Vorstellungen wirklich zur Geltung kommen. Einige Fotografen können scheinbar nur supergute Bewerbungsfotos herzaubern, sodass viele der Resultate eher an Jobbörsen-Profile erinnern. Sie möchten sich nicht für eine neue Stelle bewerben, sondern den passenden Partner in Ihrem Leben finden. Daher sind Fotos, auf denen Sie seriös, vielleicht sogar unnahbar und gestellt herüberkommen, nicht geeignet. Also Augen auf bei der Wahl des Fotografen.

Bei einem spontanen, privaten Foto-Shooting mit den besten Kumpels, bei einer Party oder am Arbeitsplatz, brauchen Sie sich nicht zu verstellen oder ein unechtes Lächeln aufzusetzten. Hier können echte Kunstwerke entstehen, die Ihre Persönlichkeit spontan, natürlich und unverfälscht zeigen. Solche Fotos wirken nicht nur am besten, sondern sie locken auf Partnerbörsen und Dating-Seiten auch die richtigen Personen an. Und ein Foto, dass Ihre Persönlichkeit spiegelt, kommt am besten an und sendet die richtigen Signale aus. Darauf reagiert dann auch die richtige Person, die wirklich mit Ihnen harmoniert. Und so soll es auch sein.

Das Profilbild darf auch nicht so alt sein, um es kurz zu sagen: Je aktueller, desto besser. Mag ja sein, dass Sie vielleicht auf dem Foto von der Familienfeier unglaublich attraktiv aussehen. Wenn das Ereignis allerdings schon fünfzehn Jahre zurückliegt und Sie sehen komplett anders aus, sollten Sie dieses Foto nicht verwenden. Das bringt nur Unstimmigkeiten und Verwirrung mit sich, denn spätestens beim ersten Treffen mit Ihrer neuen Bekanntschaft könnte alles in die Hose gehen.

Sie müssen auch nicht unbedingt allein auf dem Foto sein. Wundervolle, süße Tiere gehen immer, aber natürlich nur, wenn die Darstellung und die Gestaltungskriterien kreativ und sinnvoll sind. Ein Foto neben einem süßen Labrador oder einer wunderschönen, verspielten Katze ist sicherlich ein Eyecatcher. Sollten Sie aber Angst vor Hunden haben oder allergisch auf Katzen sein, sind solche Fotos aber eher ungünstig. Doch sobald sich eine begeisterte Katzenliebhaberin bei Ihnen meldet oder Sie eine Nachricht von einer unglaublichen Hundehalterin erhalten, werden Sie das Foto lieben.
Gruppenfotos sind dagegen nicht sehr beliebt. Da kann Ihr Outfit und Ihr Blick noch so gelungen und Ihr Lächeln noch so umwerfend sein wie nie zuvor. Wenn der Betrachter nicht genau weiß, mit welchem der vier oder fünf Personen er es gerade zu tun hat, war das Foto eine schlechte Wahl. Zudem sollten Profilbilder vermieden werden, die ungünstig oder sogar schief zurechtgeschnitten sind. Eine fremde, zusammenhangslose Hand oder ein Arm auf eurer Schulter weckt nicht nur unschöne Verbindung mit dem oder der Ex, es lenkt auch von eurem Gesicht und dem ganze Vorhaben ab.

Schwarz-Weiß Bilder können hingegen besonders ausdrucksstark und kunstvoll wirken. Allerdings sollten solche Bilder professionell gemacht werden, damit sie zwischen den anderen bunten und verschiedenen Profilfotos nicht untergehen. Während Farbfotos beim Betrachter generell eine expressive und warme Reaktion auslösen, begrenzen sich Schwarz-Weiß Bilder auf eine kunstvolle, distanzierte und grafische Darstellung. Wer mit der farblosen Variante trotzdem Gefühlsanregungen herauskitzeln möchte, sollte den Fokus auf das Motiv selbst und die Bildgestaltung legen. Solche farblosen Bilder wirken kontrastreicher und stellen den Abgebildeten ins Zentrum der Attraktion. Daher müssen Schwarz-Weiß-Bilder nicht zwangsweise in der Menge an Farbbildern untergehen. Wenn solche Kunstwerke gut gemacht sind und ein gewisses Maß an künstlerischem Anspruch und geschmackvollen Aufbau zeigen, können sie sogar herausstechen und wahre Wunder bewirken. Letztendlich kommt es auf die Darstellung Ihrer Person darauf an. Schließlich ist die Frage nach Farb- oder Schwarz-Weiß-Fotos eine reine Geschmackssache.

Nutzen Sie die Digitalisierung zu Ihrem Vorteil

Der großen Liebe zu begegnen und mit ihr eine glückliche Liebesbeziehung zu führen ist für viele Menschen auf der ganzen Welt einer der wichtigsten Grundsätze für das persönliche Lebensglück. Nach wie vor gibt es viele Beziehungen, die im Freundeskreis oder im Fitnesscenter oder auch beim Shoppen zusammen entstehen, doch das Internet, mit den zahlreichen online Partnerbörsen und Dating-Agenturen spielt eine immer wichtigere Rolle. Schätzungsweise gibt es mittlerweile um die 3000 Dating-Portale, wo man sich tausenden Profilen anschauen kann. Sogenannte Social-Dating Plattformen sind zum unverbindlichen Chatten und Flirten, aber es gibt auch seriöse Partnervermittlungen, mit kreativen und informativen Profilen, die für eine erfolgreiche Suche nach der großen Liebe eingesetzt werden können. Und dank Casual-Dating und Erotik-Portalen ist unverbindlicher und schneller Sex so einfach wie noch nie zu

bekommen. Das Internet füllt nahezu jede Nische, von Seiten für lesbische Singles und paarungswillige schwule Männer, bis transsexuell orientierte Personen.
Die moderne Digitalisierung bringt Individuen mit gleichen Interessen und Bedürfnissen via Algorithmen rund um die Uhr zusammen und das sogar auf globaler Ebene. Nur in Europa wird die Zahl der aktiven Nutzer auf rund hundert Millionen geschätzt, das heißt, jede siebte Person geht für die Partnersuche online.
Es gab noch nie so viele und weitreichende Möglichkeiten, um sich zu verbinden, zu verbandeln und die große Liebe zu finden und dies unabhängig von Zeit und Raum. Zudem ermöglicht das Internet Begegnungen und Bekanntschaften, die sonst nie stattgefunden hätten.
Die Menschen sind ständig auf der Suche nach einem neuen Haus, einem neuen Auto oder dem Traumjob. Doch vor allem nach der großen Liebe. Nie gab es so viele Singles wie heute, geschätzt jeder Dritte ist in einer Trennungsphase oder hat sich bereits getrennt. Laut einer Studie eines Analyse-Instituts in Deutschland nutzt inzwischen die Hälfte von ihnen das Internet als Kontaktbörse und zwar zehnmal so viele wie vor zehn Jahren. Und das ist sicherlich kein Wunder, weil das Internet hat unbegrenzte Möglichkeiten, es schläft nicht, es kennt weder Sperrstunde noch Ladenschluss, ist stets unabhängig und vielseitig. Das Netz begleitet uns überallhin, versendet unermüdlich Botschaften, stellt unsere Selbstdarstellung in Dauerschleife auf der ganzen Welt. Dieses Medium hat aber auch die Kommunikation zwischen den Menschen verändert. Es vollzieht Verbindungen, Eheschließungen, Trennungen und ersetzt alle Arten von Therapeuten.
Was aber kann das Internet wirklich für die Liebe tun? Und wo kann es an seine Grenzen stoßen?
Wer im virtuellen Netz nach Liebe sucht, spart Zeit und Geld. Im virtuellen Raum bewegen sich ausschließlich Gleichgesinnte, was

die Trefferquote erheblich steigert. Vor allem kann man den Wunschpartner gezielt nach gezielten Suchkriterien auswählen. Während man sich in der Realität den Kopf zerbricht, ob die Person single ist, und nicht einmal weiß, ob sie oder er überhaupt an mir interessiert ist, haben die Filter der Online-Partnerbörsen längst die Spreu vom Weizen getrennt. Von der Augen- und Haarfarbe bis zur Hautfarbe und Figur, von der Landessprache bis zum Wohnort, von der Beschäftigung bis zu Freizeitaktivitäten, über Leidenschaften und sexuelle Vorlieben. Jedes Detail wurde freiwillig aufgegeben, und ist einem Interessenten bekannt, wenn derjenige das Profil auswählt. Daher entspricht die neue Errungenschaft exakt den gewünschten Vorstellungen. Man kann gezielt jemanden kennenlernen, der zu einem passt.
Das Internet ist in jedem Fall auch altersgemäß, denn wer glaubt, Senioren machen Halt vor Hardware bedienen und Software installieren, da irren Sie sich. Am stärksten boomt sogar die Nutzergruppe der über 60-Jährigen bei den Singleportalen, bestätigen unzählige Statistiken. Verschiedene Online-Studien weltweit bestätigen auch, dass etwa 65 Prozent der 50 bis 70-jährigen Suchenden in den vergangenen drei Monaten mindestens einmal auf Online-Partnersuche sich umgeschaut haben. Der Grund liegt auf der Hand. Die Auswahl im World Wide Web ist unfassbar groß. Und der große Vorteil ist auch, dass das Angebot sehr umfangreich ist und auch kontinuierlich aktualisiert wird.
In meinen Sitzungen habe ich viele Paare kennengelernt, die sich online kennengelernt haben. Viele sind sehr glücklich und genießen jeden Moment miteinander und dann gibt es auch viele verbitterte ältere Paare oder solche, die schon mal getrennt waren oder es schon dutzende Male es versucht haben. Und die absolute Erfüllung von solchen unglücklichen oder unzufriedenen Menschen ist die Flucht im Netz. Sie verbringen oft Stunden vor dem Schirm auf der Suche nach der neunen Liebe. Und da die Netzsuche individuell gestaltbar ist, ist es eine Leichtigkeit. Ob

ausgefallen, extravagant oder außergewöhnlich, das Internet erfüllt so gut wie jedes Bedürfnis und jede Vorstellung. Es gibt Portale speziell für Alleinerziehende Mütter oder Väter, für sehr kleine, dicke oder blinde Menschen, für Esoteriker oder religiöse, für Ausländer, für Menschen mit körperlichen Einschränkungen, Behinderungen oder sogar chronischen Krankheiten. Es gibt Webseiten für Asexuelle bis Pansexuelle, für Bisexuelle, für Lesben und Schwule, für Swinger, Seitenspringer, SM-Anhänger oder Fetischisten. Aus einigen dieser Portale haben sich neue Formen des Zusammentreffens etabliert, wie zum Beispiel das Instant-Dating oder auch Casual Dating, das gerade durch Seitensprungagenturen immer mehr Zustrom bekommt. Und dies funktioniert so, dass sich zwei Personen verabreden und genau das machen, was sie zuvor abgesprochen haben. Nicht weniger, aber auch nicht mehr.

Die Anforderung, einen Partner zu finden, der den eigenen Wünschen, Vorlieben und Vorstellungen entspricht, rückt bei der digitalen Partnersuche immer mehr in den Fokus. Fast wie eine Pizza zu bestellen, mit viel Käse und mit allen möglichen Beilagen. Individuell, kommerziell und doch total unverbindlich.

Verschiedene Dating-Portale haben sich in diesem Bereich perfekt eingerichtet. Solche Portale sprechen bewusst weibliche Kunden an, die den passenden Partner wie ein Paar Schuhe oder eine Handtasche suchen. Dabei bedienen sich die Betreiber bewusst aus dem Shopping-System. Wenn eine der Suchenden einen Mann attraktiv finden, legt sie einfach das Profil in den Warenkorb und wartet ab, bis derjenige sich meldet. Es ist ja fast wie in einem Supermarkt. Die grenzenlose Auswahl trägt stets die Gefahr mit sich, dass ein gewähltes Profil wieder ins Regal zurückbefördert werden kann. Die Profile sollten sich also von ihrer Schokoladen-Seite zeigen. Bei der Präsentation wird fast immer geflunkert, wie verschiedene Dating-Agenturen durch eine Überprüfung ihrer Profildateien herausfanden. Die registrierten Mitglieder waren in der Regel zehn Zentimeter größer, 5 bis 10 Jahre jünger und 30 Prozent reicher als der Durchschnittsbürger. Zudem wirkten die meisten, dank veralteten und sehr stark bearbeiteten Profilbildern, überdurchschnittlich attraktiv. Dass hin und wieder übertrieben wird, ist sicherlich kein Wunder, denn dies passiert auch in den meisten Social-Portalen.

Das ist ja in der realen Welt auch nicht anders, zum Beispiel, wenn sich jemand erheblich schminkt, einen Push-Up trägt oder eine Bauchweg-Kummerbund trägt. Wichtig ist deshalb, sich so bald wie möglich zu treffen, damit die Realität noch eine echte Chance gegen das Virtuelle hat. Denn je mehr Fotofilter und Bilderbearbeitung-Software angewendet wird, desto schwieriger wird es, bei der ersten Begegnung zu punkten.

Die andere Sache ist die, dass Menschen, die sich im Netz gefunden haben, oft sehr größere Entfernungen überwinden müssen, um ihre Gefühle ausleben zu können. Natürlich können die Paare durch E-Mails, via Whats-App oder anderen Chats, durch eine unsichtbare Nabelschnur miteinander in Verbindung bleiben. Für viele sind die Video-Chats als Kommunikationsmedium in einer Fernbeziehung nicht mehr wegzudenken. Auch wenn beide Kilometerweit weg sitzen, so wird visuell und akustisch zumindest annähernd so etwas wie ein Alltag oder gewohnte Kontinuität erschaffen. Man sieht sich, man erzählt sich von seinem Arbeitstag, man lächelt sich an, hört gemeinsam die Lieblingsmusik oder schläft bei laufender Kamera miteinander ein. Küssen und Kuscheln ist leider nicht möglich, obwohl schon viele virtuell schmusen und kuscheln können. Viele Arten von erotischen Praktiken sind auch möglich, wenn auch auf einer anderen Ebene. Selbst mit viel Fantasie, Einfallsreichtum, bei entsprechender Beleuchtung, Dessous und allen möglichen Sextoys kommen die Beteiligten nicht über die Rolle des Beobachters hinaus und beide bleiben am Ende sich selbst überlassen. Wenn es dann noch im entscheidenden Moment

einfriert oder vielleicht der andere vom Monitor verschwindet, sollte man zumindest in der Lage sein, die Situation mit Humor zu nehmen. Doch trotz der Entfernung und vielleicht auch Empfangsprobleme können auch wundervolle und unvergessliche Momente entstehen.
Böse Zungen behaupten sogar, dass marktführende Partnervermittlungen die Partnersuche im Netz mittlerweile so selbstverständlich wie Online-Shopping sei. Doch obwohl Millionen Menschen einen Partner im Netz kennengelernt haben, tun sich viele noch immer schwer, das offen zuzugeben. Dass unsere Eltern sich vielleicht über eine Kontaktanzeige in einer Tageszeitung gefunden haben, behielten die meisten über 30 Jahren lieber für sich.
Heute hingegen ist sei es auch keine Besonderheit von Menschen, die nicht viel Zeit haben, in ihrer Freizeit eine Beziehung zu suchen, nach dem Motto, ich bin nicht zu unattraktiv oder zu dick, sondern war bisher zu beschäftigt, um auch eine Beziehung zu haben. Portale wie Instagram und Facebook sind unsere tägliche Adressen, wenn wir online nach einem Restaurant oder allem Möglichem suchen, warum nicht nach einem Partner?

Die dunkle Seite der Macht / im Netz

Das World Wide Web ist voll mit Gefahren, Risiken und schwarze Schafe, die einem das Geld aus der Tasche ziehen wollen. Das Internet hat viele Vorteile und zahlreiche Aspekte, die unser Leben verändert und verbessert haben. Angefangen von Businessmöglichkeiten, Onlineshops über die grenzenlosen Kommunikationsmöglichkeiten bis hin zu vielfaltigen Informationen ist das Netz aus dem Alltag der meisten Menschen nicht mehr wegzudenken. Eine der größten Veränderungen stellt zweifellos das Online-Dating dar. Weltweit kümmern sich eine

große Anzahl an Social-Portalen, Sexbörsen, Casual-Dating Seiten, Partnervermittlungen und Dating-Apps um die unterschiedlichen Anforderungen der Internetnutzer. Wie vieles im Internet ist auch das Online-Dating mit Risiken und Gefahren verbunden. Vor einiger Zeit haben Betrüger ihre Chancen erkannt und nutzen seitdem die Anonymität, um andere Nutzer mehr oder weniger zu betrügen. Insbesondere der Leichtsinn der meisten User macht es Cyber-Kriminellen leicht, Beute zu machen. Neben den vielen Risiken durch Mitnutzer gibt es noch zwei weitere Bereiche, in denen Gefahr droht, und diese sind das Risiko durch unseriöse Anbieter und die unstillbare Sucht nach Online-Kontakten.
Zudem gibt der User hochprivate, persönliche Daten und Bildmaterial an den Anbietern solcher Seiten weiter. Und eine Vereinbarung zum Verzicht der Weitergabe an Dritte, ist ein Mindestmaßstab an Sicherheit, den der User erwarten kann. Als Grundsatz gilt, je mehr Transparenz der Betreiber an den Tag legt, desto weniger Gefahr birgt die Plattform für den Nutzer. Auch in finanzieller Hinsicht kann die Gefahr groß sein, denn im Kleingedruckten (AGBs) versteckte kostspielige Abos und weitere Zusatzkosten können den angegeben Preis in erschreckende Höhen treiben.
Die Sicherheit sollte schon bei der richtigen Wahl der Dating-Portale und des richtigen Anbieters beginnen. Auf dem stetig wachsenden Dating-Markt ist nicht jeder Anbieter seriös oder vertrauenswürdig. Die meisten kostenlosen Dating-Börsen haben keine finanziellen Mittel, um die Daten der Mitglieder in ausreichendem Maße zu schützen. Worauf sollte ein Nutzer bei Dating-Portalen achten?

Die Transparenz des Angebots: Aus dem Content der Web-Seite muss das genaue Format aller Funktionen einer kostenpflichtigen Premium Mitgliedschaft ersichtlich sein. Wenn die AGBs bei einer automatischen Vertragsverlängerung keine detaillierten

Informationen über die Kündigungsfrist enthält, ist dies keine seröse Seite und hier sollten schon die Alarmglocken läuten. In diesem Fall gerät man leicht in eine Abo-Falle, wodurch überflüssige Kosten entstehen können. Bei einer seriösen Kontaktseite beantwortet der Kundenservice alle Fragen von Mitgliedern zum Thema Laufzeit und Kündigung des Premium Vertrages, ohne auf das Kleingedruckte zu verweisen.

Die Überprüfung der Profil-Angaben durch den Anbieter: Heutzutage ist es keine große Sache, die Angaben der Nutzer auf Plausibilität und Seriosität zu überprüfen. Daher sollte der Betreiber eines Online-Portals die Angaben eines jeden auf Wahrhaftigkeit überprüfen. Ein professioneller Kundenservice schaut sich jedes Profil genau an und sortiert mögliche Betrüger sofort aus. Profile, die schon längere Zeit inaktiv sind, sollten nicht mehr über die Suchfunktionen auffindbar sein oder als Partnervorschläge vermittelt werden. Eine Verifizierung der Mitglieder per Email-Adresse, Handynummer oder persönlicher Dokumente erhöht die Seriosität und entlarvt Fake-Profile. Nur eine professionelle Leistung und eine Seriosität des Betreibers rechtfertigt zum Teil die hohen Gebühren einer Mitgliedschaft.

Datenschutz und Maßnahmen gegen lästiges Stalking: Ein Seiten-Anbieter sollte auf der Web-Seite darauf hinweisen, dass er den Datenschutz sehr ernst genommen werden. Wenn Mitgliederdaten an Dritte weitergegeben werden, sollte die Kontaktbörse davon in Kenntnis gesetzt werden. Die gleichen Formalitäten gelten auch für alle Bilder, die ein Nutzer auf dem Portal hochlädt. Zudem sollte die Plattform Möglichkeiten anbieten, um unerwünschte Kontakte zu unterbinden. Bei seriösen Dating-Börsen gibt es direkt auf den Mitgliederprofilen Funktionen, um einige Stalker zu blockieren und dem Kundenservice zu melden.

Aufklärung über Risiken: Vor allem für unerfahrene Nutzer bergen Dating-Portale zahlreiche Risiken und versteckte Gefahren. Die unbekannte Web-Seite wirkt zunächst interessant und verleitet Neumitglieder dazu, viel zu viel über die eigene Person zu verraten. Solche Web-Seiten sind mit verlockenden Profil-Bildern geschmückt, werben mit kostenlosen Angeboten und machen einen unerfahrenen User neugierig. Das beinhaltet, dass sie ihren Kunden lediglich die Möglichkeit bieten, mit anderen Menschen über das Portal in Kontakt treten zu können. Daher ist es wichtig ein Blick ins Kleingedruckte zu werfen. Denn in den Geschäftsbedingungen finden sich oft böse Überraschungen, wie versteckte Kosten, so die Verbraucherschützer. Zum Beispiel werben einige Anbieter mit unscheinbaren Probe-Abos, die sehr günstig angeboten werden. Im Nachhinein stellt sich dann heraus, dass sich das Probe-Abo nach Ablauf automatisch um sechs oder sogar zwölf Monate zu einem weit höheren Preis verlängert. Die Anbieter solcher Portale sind sich dieser Tatsache ebenfalls bewusst. Deshalb ist es wichtig, dass der Kundenservice über mögliche Risiken aufklärt und die Kunden zur Vorsicht ermahnt.

Fake-Profile: Eher harmlos verhalten sich Fake-Profile, die unter Vorspiegelung einer falschen Identität mit anderen Nutzern flirten. Sie finden es vollkommen in Ordnung, im Schutz der Anonymität nichts ahnende Menschen hinters Licht zu führen. Der Spaß hört allerdings da auf, wo die Gefühle der Opfer verletzt werden. Hinter solchen Profilen befinden sich skrupellose Betrüger, die auf Profit aus sind und gnadenlos die Emotionen, Güte und Gefühle ahnungsloser Nutzer ausnutzen.

Wichtige Punkte zu Schritt 4

Die Suchstrategien erweitern / Kommunikation und Marktforschung

1. Die Partnersuche im Netz bietet schnell eine riesige, globale, zugleich kostengünstige Nutzerbasis und ein Marktsegment, das jedem Nutzer riesige Chancen bietet.
2. Online-Anzeigen aufzugeben oder Online-Recherchen zu starten und die Digitalisierung für sich zu nutzen ist das effektivste Kommunikationsmittel der heutigen Zeit.
3. Jederzeit kann sich Ihr Traumpartner bei Ihnen melden und mit Ihnen Nachrichten austauschen wollen.
4. Im Netz können Sie für Ihr Geld, ihre Bemühungen, für Ihre Investition und Zeit, das Beste für sich herausholen.
5. Durch die Betrachtung anderer Profile können Sie viel dazulernen und somit viele Anfängerfehler vermeiden.
6. Erfolg bildet sich aus vielen kleinen Dingen, die zu etwas Großartigem führen können.
7. Ihr Foto ist der erste Auswahlfilter, wenn ein Besucher eine Suche durchführt. Daher sollte Ihr Foto anziehend sein.
8. Die grundlegende Strategie besteht darin, die Angaben zu Ihrer Person so zu gestalten, dass potenzielle Interessenten von Ihrem Profil regelrecht angezogen werden.
9. Zudem ermöglicht das Internet Begegnungen und Bekanntschaften, die sonst nie stattgefunden hätten.

Schritt 5

Die Kunst der Verführung

Sicherlich haben Sie sich oft gefragt, warum einige Menschen regelrecht Personen um den Finger wickeln können und sie völlig in ihrer Hand haben, während andere trotz aller Mühe und tollem Aussehen von den meisten Menschen kaum wahrgenommen werden. Bitte verfallen Sie jetzt nicht dem Irrglauben, dass es einzig und allein an ihrem Aussehen oder finanzielle Position liegt, denn oft sind es Menschen, die den Schönheitsidealen oder Positionen kaum entsprechen.

Die Männer, die Frauen problemlos in ihren Bann ziehen und regelrecht verrückt machen können, sind weder Models noch Playboys noch besitzen sie irgendwelche übernatürlichen Kräfte. Nein, diese Männer wissen einfach nur, wie die Psyche einer Frau funktioniert und wie sie sich verhalten müssen, um eine Frau langfristig an sich zu binden und von ihr als der Mann, mit dem sie den Rest ihres Lebens zusammen sein möchte, wahrgenommen zu werden.

Natürlich sind wir Männer bekanntlich etwas oberflächlicher als Frauen, aber um einen zukünftiger Partner tatsächlich um den Finger wickeln zu können, müssen Sie vor allem verstehen, wie dieser emotional funktioniert. Sind Sie es leid, dem anderen Geschlecht ständig nachzujagen? Wollen Sie den Spieß umdrehen, sodass man stattdessen Ihnen hinterherrennt? Dann ist es an der Zeit, dass Sie die Kunst der Verführung erlernen und diese auch gekonnt anwenden.

Ich möchten Ihnen genau erklären, durch welche Verhaltensweisen auch Sie es schaffen können, Ihre Anziehung bei der potenziellen Partner-/in deutlich zu steigern. Leider enden viel zu viele Liebesgeschichten einfach viel zu schnell bis dramatisch, weil viele Personen genau dieses Wissen nicht haben. Meine wichtigste Message an Sie ist: Sie haben es selbst in Ihrer

Hand, eine realistische Chance darauf zu haben, mit dem Partner-/in Ihres Herzens zusammenzukommen.

Allein über die Kunst der Verführung könnte man mehrere Bücher schreiben. Die Mehrheit von uns weiß schon, dass die meisten Menschen im Alltag mit gekonnter Anwendung, durch bestimmte Handlungen oder auch per Sprachtechniken irgendwie von anderen beeinflusst, gesteuert oder im extremsten Fall auch manipuliert und verführt werden können. Das Ziel einer solchen Vorgehensweise ist natürlich, so gut wie nur möglich die Verbindung zu einer anderen Person zu schaffen und dauerhaft aufrechtzuerhalten. Sie werden jetzt bestimmt denken, Seduktion bzw. Verführung ist doch keine gewöhnliche Manipulation, wie wir sie im Normalfall kennen. Sicherlich sind Sie überzeugt, dass Sie Manipulationen sofort durchschauen und überreden lassen Sie sich schon gar nicht. In der Hinsicht haben Sie falsch gedacht. Gerade dann sind Sie ein besonders leichtes Opfer.

Personen beeinflussen oder manipulieren zu können hört sich irgendwie negativ an. Indem ich versuche, eine Person zu verführen, will ich sie doch nicht manipulieren. Wir verbinden mit dem Begriff „Manipulation" eine hinterhältige Täuschung, die uns zu einer Handlung führt, welche wir eigentlich nicht tun würden. Manipulation geschieht nämlich nicht erst beim Fernsehschauen, sondern beginnt schon während unserer Erziehung von klein auf.

Wir klären die Fragen: Was ist Verführung? Wie verführe ich Menschen? Und wie kann ich mich vor Manipulation schützen?

Erforschen Sie die Tricks und Kniffe, mit denen wir tagtäglich von Geschäftsleuten oder Politikern, in der Werbung oder im Alltagsgeschäft über den Tisch gezogen werden.

Beobachteten Sie Businessleute, Verkäufer und Konsumenten und versuchen Sie selbst, die verschiedensten Techniken anzuwenden. Dafür besuchen Sie Seminare über Marketing und zur Verkaufsförderung, lernen Sie von Illusionskünstlern und wenden Sie die erlernten Fähigkeiten als Verführer an. Dabei werden Sie sicherlich herausfinden, dass wir um so öfter übervorteilt werden, je selbstsicherer wir uns fühlen. Doch die große Verführung erfolgt immer nach dem gleichen Muster.

Verführung bzw. manipulieren bedeutet, eine Person zu beeinflussen, um sie in eine bestimmte Richtung lenken zu können. Eine Manipulation ist also ein Einfluss auf jemanden, zum Beispiel einen Menschen oder auch ein Produkt, um ein bestimmtes Verhalten oder Ergebnis zu erhalten. Eine Manipulation kann ein gezieltes Gespräch zwischen zwei Menschen sein, wenn einer davon mit seinen Worten eine Veränderung bei dem anderen erzielen möchte. Und eine direkte Manipulation liegt dann vor, wenn bei einem Informationsaustausch ein bestimmtes Ziel erreicht werden will. Von einer direkten Verführung können wir dann sprechen, wenn wir durch unsere Sinne, wie z.B. visuelle, auditiv und kinästhetisch deutliche Signale wahrnehmen. Jede Information, die wir unbewusst oder auch bewusst aufnehmen, verändert unsere Handlungen und teilweise die Denkweisen. Unser Denken und Handeln beruht immer auf unseren aktuellen Erlebnissen und Erfahrungsschatz. Demnach hinterlässt jede Handlung, jeder erwiderte Blick, jedes Lesen eines Textes, jedes Gespräch und jede Empfindung ihre Spuren und Wirkung.

Jede Handlung, jedes Anzeichen, egal wie sie auch geformt ist und wie sie uns präsentiert wird, müssen wir aufnehmen und im Gehirn verarbeiten. Allein schon durch die Verarbeitung einer Information entwickelt sich eine Manipulation in uns. Direkt nach der Aufnahme der Information wird diese gespeichert, ob wir wollen oder nicht, denn unser Gehirn speichert alles. Wenn ich Ihnen jetzt sage, denken Sie bitte NICHT an Donald Trump in pinker Unterwäsche, können Sie sich diesem Bild nicht verweigern. Sobald Sie diese Information aufgenommen haben, stellen Sie sich dieses Bild im Geiste vor. Und prompt sehen Sie den „Trump in pinker Unterwäsche", recht ungewöhnlich ist auch, dass Sie sich wahrscheinlich noch öfters daran erinnern werden. Wahrscheinlich jedes Mal wenn Sie Trump im Fernsehen oder in einer Zeitschrift sehen, oder einfach nur dann, wenn Sie das Wort „Trump" hören.

Eine gekonnte Verführung bzw. Seduktion ist ein bewusst steuernder Eingriff in den Willen einer anderen Person, um seine eigenen Ziele, entgegen dem Willen des anderen, durchzusetzen. Seduktion geht über Sprache hinaus. Seduktion kann in einer öffentlichen Rede vorkommen, aber auch in jeder Art der dialogischen Kommunikation. Seduktion ist immer möglich, wenn eine Meinung, eine Handlung, eine Ansicht einem oder mehreren Menschen übergestülpt werden soll. Wir können davon ausgehen, dass wir unter dem Begriff „Verführung bzw. Seduktion" eine Veränderung unseres Handelns und Denkens verstehen, egal ob diese Einflussnahme für uns sinnvoll ist oder nicht. Zudem sind Übertreibungen und Wiederholungen sehr wichtige Techniken zur gezielten Lenkung. Durch Ausschweifung und mehrmaliges Wiederholen wird eine Information zur Denkweise, weil sie einen großen verstärkten Effekt auf die Psyche haben. Auch Unwahrheiten, Verleumdungen und Verdrehungen von Übertreibungen sind wichtige Werkzeuge der Manipulation.

Sie können Ihr Gegenüber durch diese Tricks der Kommunikation in eine ganz bestimmte Richtung lenken, die Sie wollen und derjenige eigentlich nicht erwartet. Das Thema ist seit der römischen Antike immer noch aktuell und wird von vielen Experten und Wissenschaftlern auf verschiedenen Sektoren der Sozialwissenschaften wie Sprachwissenschaften, Philosophie, Psychologie bzw. Seelenkunde, Soziolinguistik, Soziologie, Sozialpsychologie usw. angewendet. Um die Kunst der Verführung ausführlich erklären und gekonnt anwenden zu können, muss man die Begriffe wie Redekunst, Analytik, Logistik, Rabulistik, Zweideutigkeit der Rhetorik und Lobbyismus professionell einsetzten können. Diese sprachlichen Techniken zielen mehr oder weniger auf die Zustimmung und Überzeugung ab.

In der Redegewandtheit ist es sehr wichtig, richtige Begriffe und stilistische Mittel zu wählen und die Sätze zur richtigen Zeit und am richtigen Ort zum Ausdruck zu bringen. Die sprachlichen Fähigkeiten und die Redewendungen einer Person spielen hier eine ausschlaggebende Rolle. Diese Fähigkeiten sind notwendig, um Menschen überzeugen zu können.

Die Menschen verdanken ihre sprachlichen Fähigkeiten der gekonnten Redekunst und anderen sprachlichen Fähigkeiten. Es muss hier zwischen einer negativen und von einer positiven Überzeugung differenziert werden. Alle Kategorien der negativen Überzeugungen, sofern Sie diese perfekt beherrschen, führen eine Person zu einer Verführung oder zu einer negativen Manipulation. Die positiven Überzeugungen oder positiven Seduktion ist nicht irreführend oder verführerisch täuschend. Auf der Ebene der positiven Überzeugung ist der Anwender nicht heimtückisch oder hinterhältig.

Wir treffen in unserem Alltag sehr oft Menschen, die uns etwas zu unseren Gunsten erzählen, erklären oder uns zu etwas initiieren wollen, um uns zu überzeugen. Diese Überzeugungsreden kann man gutmütige Bestrebungen nennen. Wir Menschen sind soziale Wesen. Austausch und Beziehungen sind für uns lebenswichtig.

Und so kommunizieren wir miteinander, helfen und unterstützen uns gegenseitig und machen uns miteinander stark oder auch schwach. Es gibt Menschen, die rauben uns Kraft und können uns schaden. Sie nehmen mehr als sie geben und andere wiederum, können Ihnen sehr viel geben und Sie regelrecht mit Energie und Motivation auftanken.

An der Stelle möchte ich Sie darauf aufmerksam machen, dass Sie gerade gezielt manipuliert wurden, sofern Sie den oberen Teil gelesen haben. Demnach werden Sie wahrscheinlich ab jetzt das Wort „Trump" mit dem Bild des „Trumps in pinker Unterwäsche" assoziieren. Genau so funktioniert die manipulative Werbung, die uns sagt, dass wir nur mit ihren Produkten besser, schöner und gesünder leben. Mit dieser Vorgehensweise werden im Gehirn einfach eine neue Synapsen geschaffen, ob dieses Produkt einen wirklichen Nutzen für uns hat, spielt keine Rolle, Hauptsache das Produkt ist in Ihrer Psyche hängen geblieben und auch gekauft worden.

Es ist die logische Schlussfolgerung aus Ihrem Verhalten, wenn Sie Personen anziehen wollen, indem Sie ihnen etwas vormachen, sie manipulieren wollen oder sich bewusst verstellen, dann werden Sie auch solche Menschen anziehen. Daher sind Dramen, Enttäuschungen und Mogeleien in Ihrer Beziehung zu einem Partner vorprogrammiert. Doch es ist nicht nur so, dass diese Tipps und Tricks selten funktionieren und oft dazu führen, dass Sie die falschen Partnern anziehen und einige Menschen können Sie auch auf einer emotionalen Ebene ernsthaft schaden. Aus diesem Grund sollte das Verführen einer Person nicht zu einem logischen und objektbezogenen Prozess werden. Ein zukünftiger Partner möchte nicht, dass Sie etwas auswendig lernen, in eine fremde Rolle schlüpfen oder Sie sich in ihrer Gegenwart anders verhalten als sonst. Anziehung, Verlockung und Verführung sind emotionale, keine logischen Prozesse. Feinfühlige Personen spüren intuitiv, was für eine Art Mensch Sie sind und ob Sie schauspielern.

Die Person, die Sie gerne verführen würden, werden Sie sicherlich nicht mit ein paar auswendig gelernten Sprüchen oder aufgesetzten Verhaltensweisen überzeugen. So persönlich und individuell eine jede Begegnung mit einem anderen Menschen ist, so individuell und persönlich sollten auch die Vorgehensweisen sein. Daher ist Einfallsreichtum und gezielte Hingabe gefragt.

Deuten Sie die Körpersprache und finden Sie heraus, wie Ihre neue Errungenschaft wirklich tickt. Die meisten vergessen dabei, dass sie das Gesagte ganz unbewusst mit ihrer Körpersprache wieder revidieren können. Ich habe ein paar grundlegende Gesten und Verhaltensweisen zusammengestellt, mit denen potenzielle Partnern sehr schnell ihre echten Gefühle preisgeben und dadurch zeigen, ob sie wirklich zu Ihrer Persönlichkeit passen.

Der erste Eindruck ist ausschlaggebend. Die meisten meiner Klienten und Freunde behaupten, dass sie bereits innerhalb der ersten Sekunden beurteilen können, wie diejenige Person so tickt. Der erste visuelle Eindruck wird sicherlich zu einem großen Teil vom äußerlichen Erscheinungsbild beeinflusst, aber auch von der Körpersprache.

Nervöse Bewegungen, ständiges Zurechtrücken der Kleidung und Haare, ein zu schwacher Händedruck oder eine Begrüßung ohne direkten Augenkontakt sind wichtige Zeichen von Unsicherheit und fehlendem Selbstbewusstsein.

Und während Sie mit der Person sprechen und Ihr Date ignoriert Sie, wippt mit dem Fuß, trippelt mit den Fingern oder schaut ständig woanders hin. Gesten wie diese sind in der Regel ein

Zeichen dafür, dass diese Person sehr unruhig ist, sich nicht konzentrieren kann und desinteressiert ist.

Folgende eindeutige Alarmsignale habe ich auch aufgelistet, die Sie bei einem Gespräch beachten sollten.

- Wenn sich die Person am Hinterkopf oder Nacken reibt, vermittelt dieses Verhalten meistens pures Desinteresse.
- Sitzt er oder sie mit verschränkten Armen da, dann deutet dies auf eine typische Abwehrhaltung hin und dass die Person sehr verschlossen ist und eine dicke Wand um sich erbaut hat.
- Schlägt die Person ein Bein über das andere und wackelt ganz unkontrolliert mit dem Fuß, dann ist dieses Verhalten einen reine Ablenkung und zeigt, dass Ihr Date sich in Ihrer Gegenwart nicht wohl fühlt.
- Zieht derjenige die Augenbrauen hoch, spitzt die Lippen, seufzt ständig herum, blickt ständig aufs Handy oder neigt den Kopf nach oben, dann scheint dieser Mensch sich seiner selbst sehr sicher zu sein, ein deutliches Zeichen für Arroganz, Hochnäsigkeit und Dominanz.
- Sitzt die Person mit dem Oberkörper Richtung Tür oder sitzt sie nicht bequem, dann scheint Ihr Date am liebsten die Flucht ergreifen zu wollen.
- Ist die Person ständig am Handy und tippt während Sie sich mit ihr unterhalten, ist dies ein Zeichen von Respektlosigkeit, Desinteresse und Langeweile.
- Starrt die Person mit leerem Blick zurück, ist dies normalerweise ein Hinweis darauf, dass dieser Mensch in einer anderen Dimension lebt und sich distanzieren möchte.
- Hat die Person ein aufdringliches Parfum oder Aftershave, kann dies möglicherweise ein Täuschungsmanöver sein und möchte dadurch vom Wesentlichen ablenken.

- Fasst sich die Person an die Nase oder ans Kinn, dann ist Ihr Date vermutlich nicht ganz ehrlich. Dieser versucht wahrscheinlich die Tatsachen etwas zu verdrehen. Das heißt aber auch nicht, dass wenn sich diejenige kurz an die Nase kratzt, dass er gleich ein Lügner ist.
  Natürlich habe ich auch Verhaltensweisen aufgelistet für eine starke und höfliche Persönlichkeit.
- Die Person präsentiert sich mit einem Lächeln und Augenkontakt.
- Sie hat eine aufrechte Haltung, sitzt mit dem Oberkörper leicht nach vorne gebeugt und hat einen dezenten, verführerischen Duft.
- Die Person hat ein echtes Interesse am Gespräch, vermittelt Zustimmung, Bewunderung und Offenheit.
- Ihr Gesprächspartner lächelt Sie an, nickt und wendet andere positive Gesten an. Sie redet aufmerksam, themenbezogen und hört aktiv zu. Solch ein Verhalten ist ein Zeichen für Begeisterung, Sicherheit und Interesse.

Achten Sie in Ihren zukünftigen Begegnungen einfach auf diese Verhaltensweisen und schon können Sie Personen besser einschätzen. Sie verplempern keine Zeit mit sinnlosen Dates, werden erfolgreicher sowie schlichtweg zufriedener sein.

Es gibt Menschen, die schon von Natur aus mit perfektem Benehmen, Aussehen und Charme gesegnet sind, dass jeder ihnen die Wünsche von den Augen abliest. Sie sind allseits beliebt, haben ein riesiges Netzwerk und dementsprechend viel Erfolg in allen Lebensbereichen. Doch ein sicheres Auftreten, Eleganz und gute Manieren müssen nicht unbedingt angeboren sein. Sie können diese auch trainieren, trotz der Tatsache, dass Sie bislang vielleicht eher plump auf andere Menschen zugegangen sind.

Wenn Sie attraktiver für potenzielle Partnern werden möchten, dann müssen Sie wirklich der Sache auf den Grund gehen und sich um die eigentlichen Ursachen kümmern. Und nachdem Sie dieses Buch durchgelesen haben und alle Schritte durchgegangen sind, etliche Veränderungen mit sich selbst erzielt haben und vielleicht auch mit den verschiedensten Partnern im Bett waren, möchte ich Ihnen erklären, wie Sie die richtige Person verführen können. Die Person, die Sie wirklich suchen und auch finden wollen.

Doch trotz aller Anwendungen, Erfahrungen, Tricks und Tipps gibt es Nüsse, die einfach nicht zu knacken sind. Diese Tatsache sollten Sie auch rechtzeitig erkennen können und dementsprechend reagieren, damit sie nicht kostbare Energie verplempern. Sich die Zähne an einer Nuss auszubeißen, die nicht zu knacken ist, wäre eine Verschwendung von Zeit und wertvoller Energie. Daher ist es wichtig, auch loslassen zu können, denn Zeit ist kostbar. Das bedeutet allerdings nicht, dass Sie aufgeben sollten. Seien Sie flexibel, achten Sie auf andere süße Nüsse, beziehungsweise neue Herausforderung. Und wie so oft öffnet sich manche so harte Nuss von ganz allein.

Die erfolgreiche Vorgehensweise bei der Kunst der Verführung, ist nicht einen auf Mitleid zu machen. Sie sind kein Opfer, sondern ein Eroberer. Sie sind ein Gewinner und auch ein Korb kann sie nicht innerlich oder äußerlich umhauen. Bedürftig zu wirken, um jemanden verführen zu können, ist ein absolutes No-Go. Je verzweifelter Sie wirken, desto weniger attraktiv sind Sie für andere. Und was Sie auch niemals tun sollten, ist die Person unter Druck zu setzen. Zu aufdringlich oder hartnäckig sein kann oft auch fehl am Platze sein. Wenn Sie eine äußerst unabhängige Person verführen möchten, können Sie davon profitieren, wenn Sie wissen, wie man einen Freigeist für sich gewinnen kann.

Wenn Sie eine spezielle Person verführen wollen, dann versuchen Sie eine sorglose Verhaltensweise an den Tag zu legen. Zeigen Sie sich ein wenig gewagt oder eine Spur leichtsinnig. Machen Sie etwas riskantes oder unerwartetes, damit Sie ein wenig hintergründig wirken. Gehen Sie zum Beispiel mitten in der Nacht am Strand spazieren, machen Sie einen unangekündigten Ausflug oder reservieren Sie Karten für die Oper. Die Frauen lieben zum Beispiel die Oper oder spezielle Anlässe. Schon beim Gedanken, dass sie in ein schönen Abendkleid schlüpfen dürfen, lässt sie dahinschmelzen, wie Butter in der Sonne. Entspannen Sie sich und bauen sie keine Spannung auf. Je wohler Sie sich fühlen und entspannter Sie sind, desto besser wird sich auch die andere Person in Ihrer Gegenwart fühlen und umso empfänglicher wird sie auch für Ihre Verführungsversuche sein.

Nutzen Sie Ihre Körpersprache zum Flirten

Zeigen Sie sich gut gelaunt, ausgelassen. Seien Sie albern und sorgen Sie für eine humorvolle Atmosphäre. Laufen Sie lieber ein paar Schritte irgendwohin, anstatt zu fahren. Selbst ein paar Minuten körperliche Aktivität können die Anspannung verringern und Ihnen bei der Auflockerung helfen. Flirten ist ein aufregendes Spiel mit körpersprachlichen Signalen. Wenn Sie erfolgreich flirten wollen und auf der Show-Bühne der Liebe eine gute Figur machen wollen, müssen Sie gekonnt die Körpersprache einsetzten.

Setzen Sie Ihre Körpersprache effektiv ein. Strahlen Sie bei Ihren Bewegungen Selbstbewusstsein aus. Die meisten Menschen fühlen sich nicht von Mauerblümchen oder zu konservativen Personen angezogen, sondern von Menschen, die sich Ihrer sicher sind.

Lächeln Sie. Vergessen Sie nicht zu lächeln und wenn möglich Körperkontakt herzustellen, wenn es angemessen und nicht zu aufdringlich ist. Wenn Sie kein Shakespeare oder Freud beim Umgang mit Worten sind, dann lassen Sie Taten für sich sprechen. Benutzen Sie Ihre Körpersprache zum Flirten. Sie können eindeutige Signale an die Personen senden, die Sie für sich gewinnen möchten, abhängig von der sozialen Situation. Trauen Sie sich und haben Sie keine Angst davor, den Arm oder die Hand Ihres Gegenübers zu berühren, wenn Sie mit der Person reden. Die körperliche Nähe und der Körperkontakt sind unglaublich wichtig. Suchen Sie, wann immer es geht, den körperlichen Kontakt, beim gemeinsamen Laufen, beim Sitzen am Tisch, bei der Begrüßung oder Abschied. Der körperliche Kontakt von Männern kann tatsächlich die Körpertemperatur bei Frauen um bis zu ein Grad erhöhen.

Weibliche Geschöpfe, die besonders gutaussehend und anziehend wirken, senden darüber hinaus eine Menge kaum unübersehbare Flirtsignale aus, wie lange, gezielte Blicke, ein zur Seite geneigter Kopf, der die erotische Halsseite präsentiert, verführerische Lippen oder übereinander geschlagene Beine, die in die Richtung des Mannes positioniert werden. Das sind alles Zeichen, die sagen sollen: „Ich bin wunderschön und ich finde dich unglaublich interessant."

Weil ein Mann gerne als Eroberer vom Platz gehen will, versucht er möglichst viele dieser Signale wie ein Schwamm aufzusaugen, bis er sich ziemlich sicher fühlt, dass eine Abfuhr absolut nicht möglich ist. Frauen oder auch homosexuelle Personen, die in der Stunde mehrere dutzende Flirtsignale aussenden, sich etwa mit dem Oberkörper dem Flirtobjekt zuwenden, mit ihren Haaren spielen, mit den Blicken flirten oder die Bewegungen ihres Gegenübers unauffällig spiegeln, werden häufiger angesprochen.

Mit ihrer verführerischen Körpersprache signalisieren sie Bereitschaft für zwanglose Scharmützeln.

Die Fünf-Sekunden-Faustregel

Um die Angst vieler vor dem Ansprechen zu überwinden, achten Sie auf die ersten 4 oder 5 Sekunden. Innerhalb dieser paar Sekunden, nachdem Sie eine interessante Person wahrgenommen haben, sollten Sie sie ansprechen. Dazu genügt schon ein einfaches „Hallo", ein Kommentar zur jeweiligen Situation, ein freundliches Lächeln oder ein Kompliment. Außer geschmacklosen Sprüchen ist alles erlaubt. Besonders gut ins Gespräch kommt man mit der Strategie des aktiven Desinteresses. Dabei scheint der Gesprächspartner bei einer unverfänglichen Frage nach dem Weg zunächst immun gegenüber Ihren sexuellen Reizen. So gewinnen Sie genug Zeit, um herauszufinden, ob sie Sie ebenfalls sympathisch findet, denn wenn die Person freundlich antwortet und sogar zurücklächelt, dann haben Sie eine Tür geöffnet und können ein Gespräch einleiten. Manchmal verpassen wir eine Chance und merken erst im Nachhinein, wie viel mehr wir hätten tun können. Also verpassen Sie nicht diese einmalige und kurze Gelegenheit. Daher sollten Sie dieses kleine Zeitfenster bestmöglich nutzen. Wenn nicht dann können Sie rechtzeitig den Rückzug antreten und es als Trainingseinheit sehen.

Zögerliche Fragen sind ein No-Go

Wenn sich die Person auf ein Gespräch einlässt, stehen die Chancen sehr gut. Wenn es dann am Ende um die Telefonnummer oder um den Facebook-Account der Person geht, seien Sie nicht zögerlich oder schieben es ewig in die Länge. Eine zu unsichere Frage, wie: „Könntest du mir vielleicht, eventuell mal deine Telefonnummer geben?" provoziert in den meisten Fällen ein sofortiges Nein. Besser ist es wenn Sie eine direkte Aufforderung aussprechen, wie: „Bitte gib mir deine Nummer."

Wenn Sie die Bitte mit Ihrer Körpersprache, einer ausgestreckten Hand, angehobenen Augenbrauen und Ihrem schönsten Lächeln unterstützen, dann wirken Sie authentisch und ein „Nein!" ist unwahrscheinlich.

Die Pupillen verraten verborgene Erregung

Achten Sie beim Date auf die Pupillen Ihres Gegenübers. Die innere Erregung hat Einfluss auf ihre Größe. Bei Interesse kann sich ihr Durchmesser viervierfachen. Kürzer als eine Drittelsekunde. Länger dauert der menschliche Lidschlag nicht. Bis zu 30 Mal blinzeln unsere Augen in der Minute, um Tränenflüssigkeit auf dem Auge zu verteilen und auch um Staubpartikel wegzuwischen. Es ist ein körperlicher Reflex, dem man kaum Beachtung schenkt.

Mit der Körpersprache, Gestik und Mimik beschäftigen sich Psychiater, Psychologen, Psychotherapeuten, Neurologen und Verhaltenstherapeuten seit Jahrzehnten. Dass diese unmittelbar wirksamer sind als Worte, gilt als gesichert. Die Sprache der Augen aber kommt oft zu kurz, dabei ist sie eine Spiegelung der

Seele und verleiht uns große Wirkung. Vorausgesetzt, wir beherrschen dic Kunst, in Augen und Pupillen lesen zu können.

Sieh mir in die Augen Baby und ich verrate dir eine Menge über mich. Tatsächlich lässt sich aus unserem Augenspiel und dem Blickkontakt viel lesen und interpretieren. Wer zum Beispiel viel redet, blinzelt häufiger als einer, der schweigt oder kaum redet. Ist das umgekehrt, kann man davon ausgehen, dass sich der Zuhörer langweilt. Häufiges oder ziemlich schnelles Augenklimpern wiederum, wie es Frauen gerne machen, wenn sie einem Mann Interesse signalisieren, ist in Wahrheit eine Unterwürfigkeitsgeste. Sprichwörtlich schöne Augen machen.

Der intensive, starre Blick dagegen wird als Zeichen von Stärke, Macht und Charisma gewertet. Der Schauspieler Michael Caine zum Beispiel soll jahrelang geübt haben, um bei Nahaufnahmen kaum zu blinzeln.

Sein Gegenüber visuell zu fixieren kann einschüchternd oder entmutigend wirken. Der prüfende, stechende Blick verunsichert. Entsprechend spielen viele Geschäftsleute beim Erstkontakt eine Art Augen-Battle. Wer zuerst wegsieht, ist nicht selbstbewusst genug und hat verloren. Danach ist klar, wer die schwächeren Nerven oder etwas zu verbergen hat.

Wenn Sie Ihr Date sympathisch finden, schauen Sie ihn oder sie häufig an. Bei einem Experiment wurden zwei Flirtpartner vor der ersten Verabredung auf eine angebliche Augenverletzung des anderen hingewiesen. Nach dem Tipp „Wenn du ganz genau hinsiehst, kannst du es erkennen" schauten sich die Testpersonen besonders lange und tief in die Augen. Nach dem Date berichteten die Turteltauben von einer viel stärkeren Anziehung zum Flirtpartner als die Kontrollgruppe. Ihr Treffen empfanden sie besonders intensiv und romantisch.

Nutzen Sie den Augenkontakt beim Flirten

Benutzen Sie den Augenkontakt beim Flirten. Das Erste, was Sie unbedingt wissen sollten, ist, dass Sie durch Ihren bloßen Blickkontakt anderen signalisieren, woran Sie Interesse haben. Wenn Sie also ständig eine Person anstarren, signalisieren Sie damit demjenigen, Ihnen selbst und auch allen anderen Menschen um sich herum, dass Sie Interesse an dieser Person haben.

Zu Komplikationen kann führen, wenn Sie die Person anschließend nicht ansprechen oder auf sie zugehen, um sie kennenzulernen. Denn damit kriegt jeder mit, dass Sie interessiert sind, aber nicht die Eier haben, auf sie zuzugehen, was Sie dann unsicher und unattraktiv erscheinen lässt. Dies gilt auch, wenn Sie allein in einem Café hocken und nach langem Blickkontakt sich nicht trauen die Person anzusprechen. Sie haben also zwei Möglichkeiten beim Flirten durch Blickkontakt. Die erste Möglichkeit ist, dass Sie sich angewöhnen, in den ersten Minuten, in der Sie eine interessante Person ansehen, spätestens aber in dem exakten Moment, indem sie bemerkt, dass Sie sie ins Visier genommen haben, sofort auf sie zugehen, um sie anzusprechen oder nach der Telefonnummer zu fragen. Die zweite Möglichkeit funktioniert in der seltensten Fällen. Das ist praktisch der Weg des faulen oder unmutigen Mannes, um Frauen durch den reinen Blickkontakt kennenzulernen.

Der besteht darin, dass Sie darauf warten, bis eine Person „Sie" zuerst ansieht. Das ist deshalb so genial, weil sie damit Ihnen, aber sich selbst auch im klaren ist, dass sie Sie unwiderstehlich findet. Wenn Ihnen das passiert und Ihre Blicke sich kreuzen, ist es absolut kritisch, dass Sie nicht zuerst wegblicken. Sehen Sie ihr fest in die Augen und lächeln Sie freundlich. Falls die Person nun den Blickkontakt noch eine Zeit lang hält oder vielleicht sogar leicht schüchtern wegblickt, gehen Sie direkt, selbstbewusst mit einem leichten Lächeln auf sie zu und sprechen Sie sie sofort an. Wenn Sie die Fähigkeit entwickelt haben, direkt und angstfrei auf Personen zugehen zu können und sie anzusprechen, wirkt das irre attraktiv und selbstbewusst.

Augen sind unglaublich mächtige Werkzeuge, also setzen Sie diese Waffen weise ein. Schauen Sie Ihrem Date beim Gespräch tief in die Augen. Denn es gibt nichts, das mehr nach Selbstvertrauen schreit, als ein tiefer Blick in die Augen seines Gegenübers. Wenn Sie Augenkontakt zum Flirten benutzen wollen, sollten Sie jedoch nicht die gesamte Location durchforsten und jede Person stechend anstarren.

Die meisten Menschen wollen sich als etwas Besonderes fühlen, also suchen Sie sich eine passende Person aus und überschütten Sie diese mit Ihren verführerischen Blicken. Problematisch wird es, wenn Sie einen Schlägertyp ständig anstarren, denn dann riskieren Sie eine dicke Lippe.

Achten Sie auf Ihre Stimme

Achten Sie auf Ihre Stimme. Eine sanfte, weiche Stimme löst bei den meisten Menschen positive Gefühle und eine gewisse Sicherheit aus. Dies liegt daran, dass eine wütende, aufgeregte Stimme meistens höher und lauter ist. Eine tiefere, ruhige Stimme signalisiert damit: "Ich bin sehr nett und ein ausgelassener und geduldiger Mensch." Sollten Sie selbst sanfte Stimmen wenig attraktiv finden, so könnte es daran liegen, dass Sie ruhige, weiche

Stimmen mit wenig Initiative oder Trägheit assoziieren. Doch Menschen mögen es, eine gute Zeit zu haben, also seien Sie nicht zu ernst. Haben Sie Spaß mit der Person und genießen Sie die Zeit. Versuchen Sie eine prickelnde und geheimnisvolle Aura zu schaffen. Und selbst wenn Sie sich unbeholfen oder unmotiviert fühlen, ergeben Sie sich nicht Ihrem Gefühl. Sie werden erfolgreich sein und Ihre Bedürfnisse werden irgendwann befriedigt, vielleicht nicht in diesem Moment, aber zu gegebener Zeit. In der Psychologie nennt man diese Denkweise Belohnungsaufschub.

Viele Studien und unzählige Recherchen haben gezeigt, dass Menschen mit ausgelassener Haltung attraktiver wirken. Ausgelassenheit bei Männern signalisiert Ausgeglichenheit, während sie bei Frauen Jugend und Fruchtbarkeit anzeigt. Humor ist ein weiterer wichtiger Aspekt Ihrer Persönlichkeit, die eine Rolle dabei spielt, wie attraktiv Sie auf andere wirken. Eine Studie in den Staaten hat gezeigt, dass Frauen einem Mann eher ihre Telefonnummer geben, wenn dieser einen Sinn für Humor bewiesen hat und sie zum Lächeln gebracht hat. Und bei den Männern ist es auch nicht anders, sie betrachten Humor als ein attraktives Charaktermerkmal bei Frauen. Seien Sie in der Lage, über sich selbst zu lachen. Man wird sehr schnell unbeliebt, wenn man keinen Witz über die eigene Person verträgt oder direkt beleidigt ist. Zeigen Sie, dass Sie nicht ganz ernst gemeinte Kritik mit einem Lächeln einfach wegstecken. Denn wenn Sie andere Menschen gerne veralbern und das sollten Sie tun, denn witzig sein ist attraktiv, dann solltest Sie auch etwas einstecken können.

Machen Sie sich interessant. Sie sind schon lange alleine und wollen das Single-Dasein endlich hinter sich lassen? Bleiben Sie trotzdem entspannt und lassen Sie sich nichts anmerken. Selbstverständlich muss man zeigen, dass man an seinem Gegenüber interessiert ist, aber bombardieren Sie den potenziellen Partner nicht ständig mit Text-Messages oder Telefonaten, um nach einem neuen Date zu fragen. Das kann schnell nerven, und die Person könnte Sie dadurch als verzweifelten Stalker abstempeln. Besser ist es, cool zu bleiben und die Person dazu zu bringen, selbst die Initiative zu ergreifen.

Genießen Sie Ihr Leben und Ihre Privatsphäre, denn wer das tut, wirkt automatisch anziehender auf seinen Mitmenschen. Pflegen Sie Ihr Sozialleben und gehen Sie Ihren Interessen und Hobbys nach. Ihre neue Errungenschaft möchte mit Ihnen auf einen Happen essen gehen, Sie haben aber schon einen Restaurantbesuch mit dem besten Freund ausgemacht? Seien Sie nicht immer sofort verfügbar oder erreichbar, wenn Ihr neuer möglicher Partner sich mit Ihnen treffen möchte. Wenn Sie bereits Pläne haben, müssen Sie diese nicht gleich für eine andere Person ändern. Und Sie wollen auch nicht den Eindruck erwecken, dass Sie nur unruhig zu Hause neben dem Telefon darauf warten, dass sich die Person meldet.

Und wenn Sie zu bestimmten Anlässen von einer Person auf ein Date eingeladen wurden, sagen Sie nicht sofort zu. Sondern teilen Sie der Person mit, dass Sie zuerst in Ihrem Terminplaner nachschauen müssen und stimmen erst später zu. Selbst wenn Sie nichts geplant haben, sollten Sie absolut gelassen wirken. Durch diesen einfachen Trick wird Ihre soziale Erscheinung aufgebessert. Füllen Sie Ihren Kalender mit echten Ereignissen und echten Menschen. Es gibt keinen Ersatz für einen echten Kontakt, für einen echten Kuss. Sie werden sich glücklicher und erfüllter fühlen, wenn Sie draußen sind und nicht daheim sitzen und Däumchen drehen.

Beim ersten Treffen versuchen beide, sich von ihrer besten Seite zu zeigen. Während Frauen mit ihrer verspielten und kindlichen Seite meistens punkten, wollen Männer selbstbewusst und stark wirken. Wirft er ihr mit leicht geneigtem Kopf einen Seitenblick zu, hebt sie die Augenbrauen und lächelt dabei. Dann genießt er die Situation, will ihr imponieren. Spielt sie dann sinnlich mit Gegenständen, streichelt ihr Weinglas oder berührt ihn im Gespräch wie unabsichtlich am Unterarm, dann läuft es hervorragend. Menschen mögen das Zusammensein mit anderen Menschen, die aufregende und interessante Dinge in ihrem Leben erleben, weil sie glücklich darüber sind, dass so jemand seine kostbare Zeit mit ihnen zusammen verbringt. Also seien Sie nicht immer erreichbar und beantworten Sie auch nicht gleich jede Message.

Was erreichen Sie also, wenn Sie andauernd versuchen, die Person zu erreichen oder mit ihr zu reden? Nicht viel. Deswegen sollten Sie nicht versuchen, Ihre Zeit andauernd mit der Person zu verbringen oder zu planen, sondern lassen Sie zu, dass die Beziehung sich langsam entwickelt. Texten Sie die Personen auch nicht mit ultralangen Textmessages oder Sprachnachrichten zu. Nutzen Sie die Möglichkeiten der Emojis, wie Smileys oder Herzchen, um eine bestimmte Würze und Sympathie in Ihren Nachrichten auszudrücken, aber übertreiben Sie es nicht. Senden Sie zweideutige Nachrichten mit einem tiefen Sinn. Wenn Sie Sprachnachrichten, Textnachrichten oder auch E-Mails austauschen, dann lernen, wie sie gleichzeitig Besonderheit, Coolness als auch Ihre Interesse kommunizieren zu können.

Anstatt zu sagen: "Hast du Lust, später einen Happen mit mir essen zu gehen?", versuchen Sie es etwas zweideutiger wie: "Ich spüre ein seltsames Verlangen und es könnte etwas mit dir zu tun haben. Ich hab Lust auf was Leckeres, bist du dabei?".

Seien Sie auch kein offenes Buch für jeden. Seien Sie lieber ein guter Zuhörer. Man wird allerdings nicht von ganz allein jemand, der gut zuhören kann, dafür braucht es eine Menge Übung und viel Zeit. Doch wenn Sie die Technik beherrschen, können Sie in der Zwischenzeit Ihre Gedanken sammeln, bevor Sie diese übermitteilen, zudem können Sie wichtige Pluspunkte für sich gewinnen. Lassen Sie daher einige Dinge im Verborgenen. Sie sollten nicht jede Einzelheit Ihres Lebens direkt mit der anderen Person teilen, denn Geheimnisse machen Sie um so attraktiver.

Wenn Sie aber dazu aufgefordert werden, etwas über sich zu erzählen, dann geben Sie nur vage Einzelheiten preis und gehen Sie nicht zu sehr ins Detail. Sie können beschreiben, woher Sie kommen, wie Sie aufgewachsen sind und was Ihre Pläne für die Zukunft sind, aber halten Sie es in Kurzform und erzählen keine unendlich lange Story, die jeden im Raum langweilt. Widerstehen Sie dem Drang, der anderen Person Ihre gesamte Lebensgeschichte zu erzählen, besonders nichts über Ihre Familie und Eltern. Das soll nicht heißen, dass Ihre Familie nicht großartig ist, allerdings wirken Sie dann nicht sehr verführerisch. Dadurch bemerken andere Menschen, dass sie nicht alles über Sie wissen und dieses Geheimnisvolle verleiht Ihnen eine unglaublich verführerische Aura.

Üben Sie sich in Geduld, dann treffen Sie bessere Entscheidungen. Abwarten und eine durchdachte Analyse der Situation erlaubt es Ihnen, genauer abzuwägen. Ungeduld führt häufig zu schlechten und unpassenden Entscheidungen, die in Eile getroffen werden. Geduld erlaubt es Ihnen, das große Ganze zu betrachten anstatt sich nur auf die Gegenwart zu konzentrieren. Geduld ist eine Tugend. Aber leider ist es nicht immer leicht, geduldig zu sein.

Ein leichtes, elegantes Desinteresse zu signalisieren, kann sie um so mehr verführerischer machen. Machen Sie erst nach einer Weile ein Date aus, damit Ihr Traumpartner es herbeisehnt. Das Unbekannte ist aufregend. Warten Sie, bis das Verlangen der anderen Person auf Sie, das gleiche Niveau erreicht hat, wie Ihr

Verlangen auf sie. Sie sollten daran glauben, dass es nur eine Frage der Zeit ist, bis diejenige Person erkennt, was für eine unglaubliche und besondere Person Sie sind. Wenn Sie selbst nicht dieser Meinung sind und selbst nicht an sich glauben, werden Sie niemanden verführen können. Denn es ist eine Tatsache, dass wir uns auf natürliche Weise von Menschen angezogen fühlen, in deren Gegenwart wir uns wohl fühlen, die uns zum Lachen bringen und mit denen wir uns unbeschwert unterhalten können.

Bei der Verführung geht es hauptsächlich um die eigene Einstellung, um das eigene Spiegelbild. Daher ist es äußerst wichtig, auch auf das äußere Erscheinungsbild zu achten. Wie ich bereits am Anfang erwähnt habe, sollten Sie immer auf Ihr Äußeres achten. Beachten Sie immer die Verpackung. Sie müssen nicht aussehen, als ob Sie gerade von einer Modenschau kommen oder überteuerte Klamotten tragen, dennoch sollten Sie regelmäßig duschen, sich pflegen, saubere Kleidung tragen und gut riechen. Denn selbst wenn Sie den charmantesten Mann oder die attraktivste Frau der Welt treffen würden, müssten Sie dieser Person wahrscheinlich eine Abfuhr erteilen, wenn Sie schon durch den Geruch erkennen können, dass sie seit Wochen nicht mehr gebadet hat.

Verführung ist eine Lebenseinstellung, eine Philosophie, eine Kunst, denn nur wer sich täglich um die geliebte Person bemüht und sich ins Zeug legt, kann Monotonie und Entfremdung verhindern. Die Kunst der Verführung am Beginn einer Beziehung ist ein psychologisches Verkörpern, in dem man sich mit allen Sinnen auf einen anderen Menschen konzentriert und versucht, diesen romantisch zu verzaubern. Manchmal ist es ein schmaler Grat zwischen verführerisch und unheimlich. Jemanden verführen zu wollen, der aber auf der Suche nach einer Beziehung ist, während man selbst nur eine einmalige Sache sucht, ist Irreführung und führt zu keinem guten Ende.

Am Anfang einer Liebesbeziehung ist das Verführungsspiel zwar ganz besonders intensiv, die Schmetterlinge spielen im Bauch verrückt, die Hormone treiben uns an und wir sind vor Begeisterung für den anderen kaum zu bremsen. Doch mit der Zeit verfliegt die Intensität und die Selbstverständlichkeit und der Alltag gewinnt die Oberhand. Der Schlüssel einer langfristigen Beziehung liegt genau darin, einen Ausgleich im Alltag zu finden und die Flamme der Liebe und Leidenschaft immer wieder neu zu entfachen.

In einer langjährigen Partnerschaft gehen meistens die kleinen Gesten, Zärtlichkeiten und Liebesbeweise in der Hektik des Arbeitsalltags oft verloren. Genau dies sollten Sie verhindern. Eine Beziehung muss täglich genährt werden, um die Würze, das Feuer und die Flammen erhalten zu können. Mit einer positiven Einstellung, Hingabe und Einfallsreichtum können Sie die Leidenschaft immer wieder neu entfachen.

Die tägliche Routine kann zum Feind jeder Beziehung werden. Es geht dabei nicht um die Beschäftigung oder um täglichen Anforderungen und Verantwortungen, sondern um die Routine in der Zweisamkeit selbst. Wenn der Tagesablauf immer auf dieselbe Weise verläuft, dann wird es mit der Zeit langweilig. Sie gehen immer denselben Beschäftigungen nach, sitzt auf der Couch am gleichen Platz, essen immer am gleichen Ort und im Schlafzimmer ertönen nur Schnarchgeräusche, anstatt Erektionen herzuzaubern. Und wenn es zum Sex kommt, dann immer in der gleichen, langweiligen Missionar-Stellung, lustlos und die Abstände zwischen den Aktivitäten werden immer größer und größer. Man lebt nebeneinander, nicht mehr miteinander, die

Leidenschaft geht verloren und das lodernde Feuer erlischt endgültig.

Sie wissen ganz genau, wie Ihr Partner in welcher Situation reagieren wird, es gibt keine Überraschungen mehr, alles ist berechenbar und eintönig. Eine Liebesbeziehung kann nur dann überleben, wenn Sie für neuen Schwung, Einfallsreichtum und neue Leidenschaft sorgen. Das ist gar nicht so schwierig, verschiedene kleine Neurungen können den Unterschied machen. Und wenn Sie nur einen einzigen Tag im Jahr an die Liebesdetails denken, dann ist Ihr Alltag ziemlich traurig und keine Person wird sich mit Ihnen einlassen. Zeigen Sie Ihrem Partner, wie wichtig er oder sie für Sie ist, indem Sie den grauen Alltag mit kleinen Liebesbeweisen oder Aufmerksamkeiten schmücken. Die tägliche Verführung besteht auch darin, das passende Umfeld zu schaffen, um gemeinsame, leidenschaftliche Augenblicke erleben zu können. Verführerische Worte, heiße Blicke, kleine Komplimente oder Berührungen. Lassen Sie die Person spüren, wie sehr Sie sie begehren, sie immer wieder überraschen und sie glücklich machen. Ihr Partner wird so empfänglicher sein und die Beziehung wird im Allgemeinen und auch im Bett aufregender und leidenschaftlicher sein.

Eine Frau möchte verführt werden

Was echte Ladys lieben und worauf sie stehen, was gar nicht ankommt und wie aus dem ersten Treffen vielleicht sogar schon eine aufregende Nacht werden kann, liegt an Ihrer Zielsetzung und Vorgehensweise. Tatsächlich gibt es auch zahlreiche Artikel, Ratgeber und Bücher zu dem Thema, aber keine absolute

Erfolgsstrategie, die für jede Situation und jede Person die einzige zum Erfolg führende ist.

Sich wie ein echter Gentleman zu verhalten, die Frau zu hofieren und sich um sie zu bemühen wirkt wahre Wunder. Aber auch hier ist Einfühlungsvermögen gefragt, denn es geht nicht darum, sich wie ein schleimiger Ja-Sager zu verhalten, der ihr hinterherdackelt und alles tut, was sie verlangt. Vielmehr sind Männer mit autonomem und souveränem Auftreten gefragt, die sich sprachgewandt in jeder Situation zu benehmen wissen, ohne darum ein großes Drumherum zu machen, wohlgemerkt.

Die Verführung ist wie eine Droge, wie ein Tanz mit dem Feuer, ein unverzichtbarer Adrenalinschub, ein geheimnisvolles Ritual. Verführung ist ein Zustand, eine Anziehungskraft, die großteils davon abhängt, wie man sich der Person nähert. Öffnen Sie sich neuen Möglichkeiten und nutzen Sie diese, um gemeinsam überraschende Situationen zu entfachen. Und auch wenn jede Frau anders tickt, mit Rücksicht, Einfühlsamkeit, Interesse, List aber auch Zielstrebigkeit kann jeder Mann viel erreichen. Wenn er weiß, was er will, und ihr das Gefühl gibt, dass sie verführerisch und besonders ist und wenn er das Spiel mit dem Feuer und der Leidenschaft versteht und beherrscht, sind das die besten Voraussetzungen für ein prickelndes erotisches Abenteuer.

Wahrscheinlich haben Sie schon darauf gewartet, die ultimative Vorgehensweise, die absolut goldene Anleitung, wie man eine Lady am besten verführt. Schließlich ist es ein spannungsreiches, aufregendes und prickelndes Unterfangen, die Person der Begierde zu erobern. Immer nach dem gleichen Schema vorzugehen ist nach einiger Zeit ziemlich langweilig und macht sicherlich kein Spaß. Das funktioniert auch gar nicht, denn jede Situation ist unterschiedlich und jede Person ist einzigartig, und möchte auch auf individuelle Weise verführt werden. Trotzdem gibt es ein paar ganz grundlegende Dinge, die Frauen sich gerne wünschen und auch erwarten und auf die ein Mann achten sollte.

Der ideale Verführer muss von Anfang an auf jeden Fall authentisch rüberkommen. Männer, die schon bei der ersten Kontaktaufnahme irgendwie unsicher und aufgesetzt wirken, fallen sicherlich gleich durchs Raster. Im Klartext bedeutet dies, dass Offenheit, Authentizität und Ehrlichkeit sich immer auszahlen. Gerade wenn Sie eine Person online kennenlernen, also zunächst nur schriftlichen Kontakt haben, bevor man sich zum ersten Mal persönlich trifft, ermöglichen sich viele gute Eventualitäten, den Weg von der verbalen zur tatsächlichen Verführung zu ebnen.

Frauen mögen Aufmerksamkeiten, vorbildhaftes Benehmen und ehrlich gemeinte Komplimente, aber sicherlich keine Lügen, Unehrlichkeiten oder übertriebenes Verhalten. Sie mögen es nicht in schriftlicher Form und ebenso nicht beim realen Date. Da die meisten Männer sehr gerne und ausführlich von sich reden, bieten sich hier perfekte Gelegenheiten, bei einer Frau punkten zu können. Einfach, indem man Unerwartetes tut und die Person somit überrascht. Denn viele Damen sind es gar nicht gewöhnt, dass ein Mann im Gespräch aktiv zuhört und auch mal interessiert nachfragt, zeigt, dass er ihr zuhört und sich an Details erinnert, die sie erzählt hat.

Mit Charme und zielgerichtetem Humor können Sie jeden noch so verschlossenen Eingang öffnen. Die sonst so starre Gedankenwelt verändert sich durch ein echtes Lachen. Es lockern sich beim Lachen also nicht nur die Gesichtsmuskeln, sondern auch die meisten Körpermuskeln und die Gedankenmuster. Es kommt dann zu einer veränderten Sicht der Dinge. Dabei werden echte Emotionen geweckt. Den Menschen wird es möglich, seine Situation, die darin involvierten Personen und sich selbst, mit etwas Flexibilität und aus einer neuen Perspektive die Situation zu sehen. Durch diese veränderte Sichtweise ist es der betroffenen Person möglich, seine, als starr empfundene Empfindung zu überdenken und neue mögliche Gedankensätze für eine neue Situation zu finden.

Und durch ein herzliches Lachen kann auch die Psyche beeinträchtigt werden. Ein heiterer, lachender Mensch begegnet seiner Umwelt und der Umgebung anders als ein schlecht gelaunter Mensch. Bedingt durch größeren Einfallsreichtum, Mut und Gelassenheit in Kombination mit geringerer Nervosität und Anspannung sind fröhliche Menschen kontaktfreudiger, zudem auch zufriedener und bei anderen beliebter und dadurch zwischenmenschlich erfolgreicher.

Das bedeutet, der Lachende hat andere soziale Bezüge, eine sehr spezifische Kommunikation mit anderen Menschen und dadurch auch eine besondere Beziehung. Er reagiert also auch auf seine eigenen Gefühle und Bedürfnisse und vermittelt diese auch, anders als ein pessimistischer und verschlossener Mensch. Selber viel Lachen und zum Lachen bringen wirkt sich auf physischer, emotionaler und sozialer Ebene positiv aus und bewirkt wahre Wunder.

Speziell Frauen lieben es, wenn ein Mann sie zum Lachen bringt. Gemeinsam lachen macht Spaß. Guter Sex macht Spaß. Tiefes Lachen und Erregung liegen ganz nah beinander. Wenn Sie eine Frau so richtig zum Lachen bringen, dann hat Sie ihren Schutzschild gelockert und Sie können sie leichter verführen. Sie haben die schwer durchdringbaren Mauern durchdrungen und sind auf dem richtigen Weg. Das Durchschütteln des Körpers beim Lachen weckt echte Emotionen. Glücksgefühle oder sonst verborgene Empfindungen können geweckt werden. Beim Lachen erhöht sich das Kuschelhormon Oxytocin, dass für eine erhöhte Empathiefähigkeit, insbesondere bei Frauen sorgt.

Ein aufrichtiges Lachen oder ein freundliches Lächeln verbessert die Stimmung sogar dann, wenn unangenehme Themen besprochen werden. Das sind Ergebnisse jahrelanger Verhaltensforschung, die deutlich machen, wie wichtig Lachen für die Harmonie in einer Zweisamkeit ist. Dennoch ist es nicht immer leicht, denn leider haben Frauen oft auch einen etwas anderen Humor als Männer. Also am besten nicht mit dem geschmacklosen sexistischen Witz vom letzten Bierzeltbesuch punkten wollen, denn das schreckt die meisten Frauen nämlich eher ab. Die meisten Frauen stehen sowieso nicht so sehr darauf, Witze erzählt zu bekommen.

Lachen können sie viel eher über intelligenten, manchmal etwas frechen, zweideutigen aber nie taktlosen oder unverschämten Humor. Eine lustige Bemerkung, passende Situationskomik oder Schlagfertigkeit, all dies kann wahre Wunder bewirken, ohne albern zu werden. Mit einem strahlenden Lächeln in Verbindung mit Selbstbewusstsein und guten Manieren können Sie wahnsinnig punkten und den Sack zumachen. Zu den guten Manieren gehört es, nicht nur mit der Tür ins Haus zu fallen, sondern sich gekonnt vorzutasten und das Gegenüber immer wieder zu überraschen. Nicht nur im Beruf, auch bei der Partnersuche sind gute Manieren und Höflichkeit sehr gefragt. Gutes Benehmen kommt nie aus der Mode und ist bei jeder Lady unheimlich wichtig und ein Muss.

Wenn Sie beim Date mit guten Manieren punkten, sind Sie Ihren Konkurrenten einen Schritt voraus. Zeigen Sie sich bei der Online-Suche auf Ihrem Foto mit einem freundlichen und ehrlichen Lächeln. Beschreiben Sie sich, sodass Ihr zukünftiger Partner/-in einen ersten Eindruck von Ihnen bekommt. Finden Sie umgekehrt ein Profil interessant und Sie möchten anklopfen, sollten Sie diese Anweisungen beachten und Höflichkeit walten lassen, formulieren Sie individuell und vermeiden Sie die typischen Standardphrasen, wie: „Hallo! Wie geht's dir?"

Wie wir schon im zweiten Schritt angesprochen haben: „Kreieren Sie Ihren besten Look", ist auch bei der Verführung ein gepflegtes Äußeres Pflicht. Körpergerüche oder verdreckte Kleidung sind beim Date ein absolutes No-Go und können das ganze Unterfangen vermasseln.

Ladies stehen auf echte und ganze Kerle, aber sie sollten unbedingt gepflegt sein und auch gut riechen. Ein ordentlich getrimmter Mehr-Tage-Bart ist ok und kann auch sehr männlich wirken, verfilzte Strähnen sind es sicherlich nicht. Eine Trainingshose darf sein, aber nur beim gemeinsamen Joggen und nicht beim Candle-Light-Dinner. Wie der große Modeschöpfer und Designer Karl Lagerfeld mal gesagt hat: "Wer eine Jogginghose trägt, hat die Kontrolle über sein Leben verloren."

Im Nachhinein hat der große Modezar diese Aussage wieder revidiert. Nichtsdestotrotz bin ich der Meinung, dass wenn jemand ständig und bei jeder Gelegenheit eine Jogginghose trägt, auf jeden Fall die Kontrolle über sein Leben verloren hat. Also immer situationsangemessen anziehen und nicht nur beim ersten Date, sondern bei jedem Treffen und Anlass. Frisch geputzte Zähne und ein frischer Atem sind auch extrem wichtig, wenn es ans Eingemachte gehen soll. Unbedingt Zeit zum Duschen, Haare waschen und für die Maniküre nehmen. Aber das wissen Sie natürlich. Ich habe es nochmals der Vollständigkeit halber erwähnt.

Jetzt geht's ans Angemachte: das richtige Verhalten beim ersten Date.

Jeder Mensch hat andere Vorstellungen vom perfekten ersten Date und deshalb auch unterschiedliche Vorgehensweisen parat. Wie ich aber aus Erfahrung sagen kann, kommt bei Männern Natürlichkeit und Ungezwungenheit viel besser an als die mega gestellte Show abzuziehen. Also seien Sie einfach Sie selbst und fühlen Sie sich wohl. Das ist vielleicht einer der wichtigsten Tipps von allen.

„Wow, du siehst wunderschön aus!“ Das ist sicherlich nicht das einfallsreichste oder kreativste Kompliment, aber eines, das sicher punktet, zumindest, wenn es ehrlich gemeint ist.

Spürt die Frau, dass ihr Gegenüber sie attraktiv findet, bestätigt sie das nämlich in ihrer Weiblichkeit, sie fühlt sich verführerisch und anziehend und lässt sich dann auch lieber verführen. Wie eine verschlossene Rosenblüte öffnet sie sich langsam und verwandelt sich in eine atemraubende Pracht.

Sehr reizvoll ist für die Frau auch, wenn er ihr sein Interesse signalisiert aber dabei niemals aufdringlich wird, sondern vielleicht sogar zwischendurch etwas auf Distanz geht, desinteressiert, geheimnisvoll wirkt und unterbewusst ihren Jagdinstinkt wachkitzelt. Hat die Frau das Gefühl, dass der Mann wählerisch ist und nicht einfach nimmt, was er kriegen kann, ist das ebenfalls ein Pluspunkt. Sie werden dann zum Objekt der Begierde und sie fängt an zu kämpfen und so wird sie von der Gejagten zur Jägerin. Solch eine Vorgehensweise erfordert sehr viel Erfahrung, Menschenkenntnis und Fingerspitzengefühl.

Keinesfalls will eine Frau nämlich den Eindruck bekommen, dass er gerade sein typisches Verführungsprogramm abspielt, mit dem er parallel auch noch andere Damen bezirzt. Eine Frau will die Einzige sein, für die ein Mann sich die Mühe gibt.

Trauen Sie sich, experimentieren Sie, improvisieren Sie. Keine Angst, Fehler zu machen, ist der Schlüssel zum Erfolg. Wir definieren uns durch unseren Erfolg oder sein Fehlen. Und das ist ein Problem für viele, denn sie tun lieber nichts, als einen Fehler zu riskieren. Ein erfolgreicher Freund von mir hat mir mal gesagt:

„Ich mache einfach, entschuldigen kann ich mich immer wieder."

Wenn Sie Angst vor dem Scheitern haben, werden Sie niemals Erfolg haben. Wenn Sie Ihre Fehler wie Sünden behandeln, selbst wenn Sie die Idee, einen Fehler zu machen, Sie erschreckt, wie können Sie Ihre Träume verwirklichen? Also in Zukunft sollten Sie mehr Fehler machen, ohne sich dafür zu schämen oder Angst zu empfinden. Zufällige und sanfte Berührungen können die Lust auf mehr wecken. Daher seien Sie furchtlos und trauen Sie sich. Denn jede Aktion erzeugt eine Reaktion auf einen gegebenen Sachverhalt, und jede Reaktion ist gleichzeitig eine Aktion in Bezug auf jede weitere Handlung.

Verführung durch neue gemeinsame Erfahrungen kann die Leidenschaft im Nu entfachen. Dafür sind keine exotischen Reiseziele oder teure Restaurants notwendig, manchmal sind kleine Aufmerksamkeiten, besondere Blicke oder Berührungen ausreichend. Auch wenn Sie vor dem ersten Date schon in Ihren Mails und Telefonaten auf Teufel komm raus miteinander geflirtet haben und auch wenn klar ist, dass Sie beide füreinander geschaffen seid, braucht Verführung trotzdem Muße, Zeit und viel Geduld.

Also nicht gleich mit der Tür ins Haus fallen, sondern die Momente der langsamen Annäherung genießen, die Vorfreude auf das, was da vielleicht noch kommen mag, durchleben und auskosten. Vergessen Sie nicht, dass es sich um ein Tanz handelt, ein Spiel mit dem Feuer, pure Leidenschaft, eine wahre Explosion der Gefühle. Immer wieder mit Annäherung und Distanz spielen, mit zufälligen Berührungen und sanftem Herankommen beginnen und innehalten, wenn es ihr zu schnell geht. Sie sitzen am Gaspedal und somit können Sie die Geschwindigkeit kontrollieren. Mal geben Sie mehr Gas und dann drücken Sie wieder auf die Bremse. Läuft alles perfekt, wird sie vielleicht irgendwann selbst so scharf auf Sie sein, dass sie die Führung übernimmt und sie das Tempo bestimmt.

Ganze Bücher könnte man füllen mit die Andersartigkeiten zwischen Männern und Frauen. Dabei sind Männer mitsamt ihren Bedürfnissen eigentlich ganz leicht zufriedenzustellen. Sie wollen respektiert, geliebt und gebraucht werden, besonders von ihrer Herzdame und Freunden.

Männer sehnen sich ständig nach Bestätigung, genauso wie die meisten Frauen auch. Hinzu kommt, dass Männer von Natur aus sehr leistungsorientiert sind, es kann also nie zu viel Anerkennung sein. Es ist wie eine Droge, die sie ständig brauchen. Besonders wichtig ist natürlich die Bestätigung und die Wertschätzung der eigenen Partnerin. Dahinter stehen übrigens typisch männliche Ängste, wie etwa nicht potent genug, nicht ausreichend genug bestückt zu sein oder kein guter Jäger, sprich Ernährer zu sein.

Wer diese Begehrlichkeiten bzw. auch Ängste erkennt, danach handelt und diese auch berücksichtigt, schafft beste Voraussetzungen für eine lange und harmonische Partnerschaft. Dies gilt natürlich auch auf der sexuellen Ebene, denn wer nur gelangweilt im Bett liegt und ohne erkennbare Lust dabei ist, der wird jeden Partner schnell vertreiben.

Wir Männer wollen erobern. Wir sind ewige Jäger, denn dieses Verlangen ist in unseren Genen verankert. Dies gilt nicht nur für das erste Kennenlernen, wenn sich beide gegenseitig beschnuppern. Auch bei einer längeren Beziehung kommt es immer wieder darauf an, das Herz der Partnerin zu erobern und sie immer wieder zu umwerben.

Das gefällt ihr natürlich ebenfalls. Denn eine Frau fühlt sich erst dann so richtig begehrt und begehrenswert, wenn sie schöne Blumen bekommt oder ihr ehrlich gemeinte Komplimente gemacht werden. Dies wiederum facht auch das Feuer und die Leidenschaft in der Beziehung in jeglicher Hinsicht immer wieder an.

Die Mehrheit der Männer steht bei einer Frau auf eine persönliche Selbständigkeit und eine emotionale Stabilität. Kein Wunder, denn nur in diesem Fall macht das Jagen und Erobern wirklich Spaß. Damen, die einen Mann hingegen bereits in der Kennenlernphase mit ihren Kinderwünschen konfrontieren und ihn unter Druck setzten, schlagen ihn in der Regel schnell in die Flucht. Männer lieben es also, ihre Traumfrau immer wieder aufs Neue zu erobern, dies gilt übrigens auch für die langjährige Partnerin. Dies gelingt jedoch nur, wenn diese sich nicht mehr und mehr aufgibt und versucht, ihrem Mann alles recht zu machen.

Männer haben auch deshalb weniger echte Freunde, sondern vielmehr Kumpels, mit denen sie sich zum Computer spielen oder zum gemeinsamen Sport Treiben verabreden. Meist sind das jedoch eher Bekanntschaften. Daher kommt der Frau an der Seite eine weitaus größere Bedeutung zu.

In der heutigen Zeit der Emanzipation und Gleichberechtigung scheint dies nämlich immer weniger wichtig zu werden, sind zumindest viele Waschlappen-Männer oder diese super emanzipierte Frauen, die vergessen haben, was einen echten Mann ausmacht, der Meinung. Doch nach wie vor gilt: Männer lieben es zu jagen und Frauen lieben es erobert zu werden. Und daran wird sich auch in tausend Jahren nichts ändern.

Hier zehn Erfolgreiche Anregungen für die Verführung

Reden wir nicht lange drumherum, aber Frauen lieben es, angemacht zu werden. Natürlich nicht plump und geschmacklos, sondern mit viel Stil und Einfallsreichtum. Auch wenn sie gleich abblocken, arrogant wirken und Ihre Komplimente oder Mühen auf taube Ohren stoßen, lassen Sie sich auf keinen Fall entmutigen. Wo wäre dann der Spaß, wenn jede gleich anbeißen würde?

Warum glauben Sie, dass manche Frauen stundenlang im Fitness-Center sich abrackern und bevor sie aus dem Haus gehen sich unheimlich aufbrezeln? Sie wollen beachtet werden. Sie lieben es, wenn die heißen Blicken sie verfolgen. Manche Frauen sind regelrecht süchtig danach.

Eins sollten Sie wissen, erfolgreich in der Verführung zu sein, ist nichts anderes, als Erfolg in allen Sektoren im Leben zu haben. Die gleiche Energie, Techniken und Intention, die Sie in anderen Lebensbereichen bereit sind zu investieren, können Sie auch in der Kunst der Verführung einbringen.

Wayne Dyer, einer der größten Motivatoren und Psychologen in den Staaten, hat mehrere Vorträge über „The Power of Intention" (die Kraft der Absicht) abgehalten. Und die Erfolgsstrategie, bzw. Vorgehensweise, die er für alle Bereiche im Leben wirkungsvoll rät einzusetzen, verstärkt auch in der Partnersuche, ist:

- Decide (Entscheide dich für die richtige Person)

- Commit (Bleibe fokussiert)

- Act (Handle effektiv)

- Succeed (Genieße jeden noch so kleinen Erfolg)

- Repeat (Wiederhole es immer wieder)

Wenn Sie sich dies bewusst machen und nach diesen Regeln vorgehen, werden Sie schon bald keine Schwierigkeiten mehr haben, mit unbekannten Personen ins Gespräch zu kommen und neue interessante Menschen kennenzulernen. Wir Männer sind sowieso in Sachen Erotik ziemlich einfach gestrickt, sobald wir ein attraktives Mädel mit prallem Hintern oder üppigem Dekolleté sehen, bekommen wir Lust auf Sex.

Frauen hingegen sind nicht so stark visuell fixiert wie wir Männer, ihre Wahrnehmung wird aktiviert, nachdem man sie psychologisch stimuliert. Sie reagieren viel eher auf psychologische Reize, wie visuelle, auditive, olfaktorische (der Geruchssinn), taktile oder kinästhetische Wahrnehmungen, die bewirken, sich einem Mann hingeben zu wollen. Das heißt, Ihre Angebetete muss Sie sympathisch oder anziehend finden, Ihnen vertrauen, aber zugleich auch eine sexuelle Anziehung zu Ihnen verspüren.

Bei der Verführung einer Frau kommt es also auch „NICHT“ auf die Körpergröße, Muskelmasse oder Figur an, auch nicht darauf, welches Luxusfahrzeug Sie fahren oder wie viel Geld Sie auf Ihrem Bankkonto angehäuft haben.

Allein Ihr männliches Verhalten, Ihr Mut, Ihr Charme und Ihre Aufmerksamkeit, sowie Ihre Fähigkeiten beim Flirten sind entscheidend, ob Sie am Ende des Abends oder auch beim nächsten Date mit ihr im Bett landen, heißen Sex haben oder aber wieder allein auf ihrer Couch sitzen und mit sich selber spielen. Vorab sollten Sie sich natürlich im Klarem sein, was Ihre Absichten sind. Möchten Sie eine heiße Nacht erleben, Spaß haben und that's it oder jemanden für eine seriöse, langfristige Partnerschaft kennenlernen?

Ich z.B. gehe immer in die Vollen, das heißt, dass ich nicht lange herumfackle, sondern ich signalisiere deutlich meine Absichten und gehe somit volles Risiko ein. Bei mir gibt es nur „Top oder Flop“.

Schon beim ersten Date versuche ich sie ins Bett zu schleppen. Lässt Sie sich darauf ein und landet gleich nach dem ersten Date mit mir im Bett, dann nehme ich dieses Erlebnis auch als Bettgeschichte wahr. Ich genieße es, habe Spaß dabei und dazu wird mein Ego noch um so mehr gestärkt. Lässt sie mich jedoch zappeln oder abblitzen, reagiert nicht auf meine eleganten, ausgeklügelten und hoch charmanten Verführungsversuche, dann weiß ich, dass diese Frau nicht leicht zu knacken ist und passe meine Strategie an. Ich ändere sozusagen meinen Angriffsplan. Es ist nichts anderes als ein Spiel und wie ich zuvor bereits beschrieben habe, es ist ein Tanz mit dem Feuer. Ein Ritt auf einem wilden Stier oder das Gefühl vor einem Bungeejumping-Sprung. Es liegt in Ihrer Hand.

„Ob Sie an sich glauben und zum unwiderstehlichen Verführer heranwachsen oder nicht an sich glauben und der wartende, voller Zweifel „No-Risk-Man“ bleiben wollen, in beiden Fällen haben Sie Recht.“

Das Leben ist zu kurz um nur zu warten, um nur langweilige Dinge zu tun und um nicht solche Risiken einzugehen. Seien Sie ein Lady Killer, ein James Bond. Und ich gebe offen zu, dass ich es aufregender finde, die Frauen zu knacken, die schon von Anfang an total abblocken und sich als unknackbar erweisen, denn diese sind die Aufregendsten. Hier die 10+1 heiligen Gebote der Verführung:

1. Frauen sind ganz scharf auf Sex mit Männern

Ich ahnte schon immer, dass Männer und Frauen in ihrem Paarungs- und Beziehungsverhalten oft unterschiedlich ticken. Versteht mich jetzt aber nicht falsch, Sex kann in jedem Alter wunderbar sein. Und Frauen wollen sich nicht nur zum Sex verführen lassen, sie lieben es. Die meisten Frauen sind regelrecht verrückt nach Sex und sie würden es am liebsten den ganzen Tag treiben. Am liebsten würden sie gleich mit mehreren Männern gleichzeitig Sex haben wollen. Sie lieben es mehr als Süßigkeiten, Shopping und Schnulzen-Filme zusammen, aber warum glauben so viele Männer an das alte Vorurteil, dass die Damenwelt nur ungern auf das „rein und raus Spiel“ steht?

Damit will ich dieses unwahre Klischee revidieren. An der US-amerikanischen Ohio University wurden die Gedankenmuster von 300 männlichen und weiblichen Versuchsteilnehmern untersucht. Es zeigte sich, dass männliche Teilnehmer in der Regel 20 bis 30 Mal am Tag an Sex denken. Frauen hingegen geben sich täglich an die 15 Mal erotischen Gedanken hin, allerdings sind diese viel intensiver und tiefer. Im Rahmen der Studie aber stachen jedoch auch Teilnehmerinnen mit einem überdurchschnittlich hohen Wert hinsichtlich Sexgedanken heraus. So wurde durch die Auswertung beispielsweise ermittelt, dass einige der weiblichen Probanden bis zu 150 Mal pro Tag an Sex denken. Was beweist uns diese US-Studie?

Dies bedeutet, dass viele Frauen regelrecht sechs süchtig sind, ihnen juckt es regelrecht im Schritt. Jedoch wird in unserer Gesellschaft eine sexuell aktive Frau noch immer als „Nymphomanin", „Schlampe" oder „leicht zu haben" verurteilt, wenn sich ihre Bettgeschichten herumsprechen.

Lassen Sie sich also niemals davon täuschen oder gar abschrecken, wenn Ihre Angebetete nie über Sex redet, sogar desinteressiert wirkt oder sich ihre Lust auch sonst nicht anmerken lässt. Diese Frau könnte ein heißer Feger sein und Ihnen den heißesten Sex Ihres Lebens bescheren. Meistens gilt immer, nach außen unschuldiger Engel, aber innen drin ein wilder Teufel und das sollte Ihnen bei der Verführung einer Frau immer bewusst sein und Sie motivieren, am Ball zu bleiben.

2. Beim Flirten sollten Sie sexuelle Anziehung erzeugen

Wenn Männer Frauen beim ersten Date treffen, neigen sie dazu, das sexuelle Interesse der Frau zu überschätzen. Wenn Sie also eine Frau ansprechen oder sich auf einem Date mit ihr treffen, müssen Sie in den ersten Schritten unbedingt ihr sexuelles Interesse checken, damit sie Sie nicht nur als „guter Kumpel" sieht, sondern Sie sexuell attraktiv findet.

Machen Sie bloß nicht den Fehler und versuchen Sie sich zuerst mit ihr anzufreunden, denn das Risiko, von ihr in die „Guter-Freund-Zone" gesteckt zu werden, ist einfach viel zu groß.

Ab dem Zeitpunkt, zu dem Sie sich zuerst begegnet sind, muss für die Frau klar sein, dass Sie ein Mann mit Bedürfnissen sind. Verstecken Sie daher niemals vor ihr Ihren sexuellen Trieb. Nur so können Sie schnell herausfinden, ob sie auch an Ihnen interessiert ist. Somit sollten Sie beim Flirten ständig erotisch, knisternde Spannung aufbauen. Wenn Sie Ihre Angebetete erobern wollen, müssen Sie vorher sexuelle Anziehung erzeugen, um attraktiv wirken zu können. Ihr Gegenüber muss deutlich merken, dass Sie scharf auf sie sind. Ohne dieses Gefühl der knisternden, erotischen Spannung geht gar nichts.

Die Männer, die ihre Trefferquote konstant hochhalten, sind jene, die mit der Frau in eine echte Interaktion treten und so schnell wie möglich sexuelle Anziehung erzeugen. Männer, die pausenlos über Gott und die Welt quasseln und sich ewig nicht trauen, werden schnell langweilig. Viele Männer quatschen meistens beim ersten Date einfach viel zu viel. Und nach einiger Zeit denkt sich das Gegenüber:

„Wann hört er einfach auf zu quatschen und kommt zur Sache."

„Nicht der intelligenteste kommt zum Stich, sondern der mutigste."

Dabei ist es weder nötig, der Frau Honig ums Maul zu schmieren, sie zu kitzeln ohne irgendwelchen sofortigen Gegenleistungen zu erwarten. Sexuelle Anziehung hat nichts, aber auch gar nichts, mit Romantik oder Freundschaft zu tun. Alles, was Sie tun müssen, ist die Frau Ihre sexuelle Energie spüren lassen. Sprechen Sie mit einem tiefen, langsamen Ton und lassen Sie ein wenig das Kratzen in Ihrer Stimme spielen. Frauen lieben es, die beruhigende Stimme eines Mannes kennenzulernen, besonders wenn sie ihn noch nicht so gut kennen. Auch sprachliche Zweideutigkeiten funktionieren hier sehr gut, solange Sie das sexuell erregte Gefühl haben und es gekonnt ausstrahlen.

Führen Sie bei einem Date keinen langweiligen Smalltalk wie die meisten Männer, sondern necken Sie sie im Gespräch, gerne auch mit spielerischen Sprüchen, die für eine gute Stimmung sorgen und sie auch zum Lachen bringen. Hier ein paar lustige Sprüche:

- „Willst du mich vielleicht verführen? Denn ich bin nicht so leicht zu haben."
- „Schönheit, bei mir gibt es keinen Sex vor der Ehe, damit das klar ist!"
- „Willst du eine heiße Nacht erleben? Dann komm zu mir und ich dreh so richtig die Heizung auf!"
- „Nicht, dass du denkst, ich will nur mit die ins Bett. Der Küchentisch tut es auch."
- „Wenn du mit mir schlafen willst, dann sag jetzt nichts. Lächle einfach nur."
- „Hast du 15 Minuten Zeit und 20 Zentimeter Platz für mich?"

Sagen Sie solche Sprüche aber immer mit einem Lächeln und lustigen Tonfall, damit ihr klar ist, dass Sie ihr gegenüber sexuelle Interessen haben.

3. Flirten Sie mit Ihren Augen / Blickkontakt

Ein verführerischer Blick, gerötete Wangen, gefolgt von einem unwiderstehlichen Wimpernschlag und ein schüchternes, angedeutetes Lächeln, das von einer Haarsträhne, die langsam um ein Finger gewickelt wird und dafür sorgt, dass die Herzfrequenz unkontrollierbar steigt.

Findet man das Gegenüber attraktiv, sendet insbesondere der Körper einer Frau viele unübersehbare Signale aus und jeder Wimpernaufschlag, jede Augenbraubewegung ist voller Absichten und Magie.

Laut einer alten Sage sind die Augen eines Menschen das Fenster zu seiner Seele, und da ist viel Wahres dran. Ihr Blickkontakt kann magische Impulse aussenden, wie ein Magnetfeld, das sofort sexuelle Anziehung erzeugt.

Jeder Mensch hat die Sensibilität, die Fähigkeit Strahlungsfelder auszustrahlen und auch wahrzunehmen. Er kann unbewusst mit einer nonverbalen Kommunikation zeigen, wie er sich fühlt, ob ihm etwas gefällt oder unangenehm ist.

Laut einer Verhaltensstudie empfangen Menschen während eines Dialogs nur sieben Prozent der Information über die Artikulierung. Fast 40 Prozent fallen auf den Tonfall der Stimme und und über 50 Prozent auf die angewandte Gestik. Das bedeutet vor allem, dass in einer Flirtsituation es weniger auf den Inhalt der Konversation ankommt, als vielmehr auf die Zeichen, die der ganze Körper aussendet, angefangen von der Körperhaltung, der Mimik bis zu den Augen und der Stimme. Daher sollten Sie die Körpersprache des Gegenübers erkennen, entschlüsseln und auf ihre Signale reagieren.

Aus diesem Grund sollten Sie die Frau also nicht nur körperlich berühren, sondern Sie beim Flirten auch genau durchleuchten, Augenkontakt herstellen, anlächeln, um sie bei der Verführung in Ihren Bann ziehen zu können. Wenn sie Ihre Blicke lange erwidert und sie regelrecht in Ihren Augen versinkt, ist das ein Zeichen, dass sie Sie attraktiv findet und geküsst werden will. Zögern Sie dann nicht und setzen zum Kuss an. Lässt sie Sie nicht mehr aus den Augen, dann haben Sie sie aus der Fassung gebracht und Sie will mehr. Und wenn Sie Ihren Blick dann gar nicht mehr von Ihnen wenden kann, dann deutet das stark darauf hin, dass sie in Sie verliebt ist. Blicke sagen mehr als tausend Worte und können der Beginn großartiger Emotionen sein. Doch will sie Ihren Blick absolut nicht erwidern und beachtet sie Sie gar nicht, suchen Sie sich am besten eine andere Flirtpartnerin.

4. Zu ihr Vertrauen aufbauen ist der Schlüssel zum Erfolg

Die meisten Frauen sind uns Männern körperlich unterlegen und gehen damit ein hohes persönliches Risiko ein, wenn sie einen fremden Mann für Intimitäten nach Hause begleiten.

Für Ihren sexuellen Erfolg ist es deshalb sehr wichtig, dass die Frau Ihnen zu hundert Prozent vertrauen kann und weiß, dass Sie kein perverser Serienmörder sind, sondern ein harmloser, lieber Mann, der auf hemmungslosen Sex aus ist. Prinzipiell heißt Vertrauen aufbauen, dass Ihre Aussagen und Handlungen für Ihr Gegenüber als glaubwürdig und wahrheitsgemäß empfunden werden. Vor einer Person, der man vertraut, hat man keine Hemmungen mehr und glaubt an ihre positiven Absichten. Gegenseitiges Vertrauen heißt, dass eine andere Person auch Sie so einschätzt. Dieses tiefe Vertrauen erreichen Sie, indem Sie sie erstens zu nichts drängen und zweitens ihr das Gefühl geben, Sie gut zu kennen, wie einen jahrelangen Freund. Und, dass sie keine Angst haben braucht, sich Ihnen zu öffnen. Stellen Sie ihr also nicht nur neugierige Fragen im Gespräch, sondern öffnen Sie sich selbst und erzählen etwas über sich, wie Beruf, Hobbys, sportliche Aktivitäten, Familie, aber auch persönliche Geheimnisse und Vorlieben.

5. Streuen Sie ausgeklügelt sexuelle Anspielungen ein

Wenn Sie ihre Lust auf Sex wecken wollen, idealerweise natürlich mit Ihnen, müssen Sie ihre Gedanken in diese Richtung lenken. Diese Vorgehensweise ist logisch, oder?

Diese unterschwelligen Botschaften erzeugen Sie durch sexuelle Anspielungen, die Sie unbemerkt und mit viel Humor in Ihre Unterhaltung einfließen lassen. Dies machen Sie aber natürlich nicht plump mit der Kopf durch die Wand-Methode, sondern unauffällig, indem Sie zum Beispiel solche Sprüche sagen:

„Frauen küssen und umarmen ihre Freundinnen ständig. Und was ist mit euren Kumpels? Kriege ich dann auch eine Umarmung mit Kuss?" oder „Ich liebe Umarmungen. Ich bin regelrecht süchtig danach und was ist mit dir?"

Sofern Ihr weibliches Gegenüber Humor hat, gut gelaunt und sexuell aufgeschlossen ist, geht das Gespräch schnell in die gewünschte Richtung. Fingerspitzengefühl, Mut und Kreativität sind gefragt. Glauben Sie mir und trauen Sie sich.

6. Nehmen Sie ihr das schlechte Gewissen vor dem Sex

Ein guter und geduldiger Verführer nimmt sich immer Zeit für seinen potenziellen Sexpartner, strahlt durch Aufmerksamkeit, Höflichkeit und Hingabe. Er lässt nichts anbrennen, hört ihr aufmerksam zu und versucht, ihre Bedenken und Ängste aus dem Weg zu räumen, denn eine Frau will sich beim Sex wohl und begehrt führen.

Ein aufmerksamer Verführer spürt die Bereitschaft, auch wenn sie nicht ausgesprochen ist. Gefragt ist beim Verführen nicht nur die sexuelle direkte Sprache, sondern auch der erotische Ausdruck des Andeutens. Man bleibt bewusst nebelhaft, sozusagen vage.

Denn wie ich bereits erwähnt habe, es ist immer noch so, dass in unserer Gesellschaft Frauen viel zu schnell verurteilt werden, die sich allzu schnell der körperlichen Liebe hingeben und sich auf fremde Männer leicht einlassen. Und damit eine Frau sich von Ihnen zum Sex verführen lässt, muss sie Ihnen absolut vertrauen können. Sie muss sich bei Ihnen wohlfühlen, geborgen fühlen, sie muss sichergehen, dass Sie Stillschweigen über Ihre Bettgeschichte bewahren und dass sie für ihre Hingabe nicht als „billige Schlampe" abgestempelt wird.

7. Mit leichten Berührungen können Sie ihre Lust steigern

Wenn Sie so weit sind, dass Sie ihr an die Wäsche dürfen, dann haben Sie sicherlich alles richtig gemacht. Sie sind auf dem richtigen Kurs und befinden sich kurz vorm Jackpot.

Wenn Sie bei der Verführung erfolgreich sein wollen, sollte Ihnen die Macht von Berührungen oder die magische Energie des Abtastens bewusst sein und dem Körper ihres Gegenübers die nötige Aufmerksamkeit und Impulse schenken. Bauen Sie gleich zu Beginn des Flirts Körperkontakt auf.

Beim Ansprechen in einem Café oder auf der Straße berühren Sie zum Beispiel leicht ihren Arm oder an der Hand, auch zur Begrüßung beim Date sollten Sie sie direkt umarmen und der obligatorische Schmatzer auf die Backe sollte nicht fehlen. Steigern Sie dann die Berührungen im Verlauf des Abends Schritt für Schritt immer weiter. Ziel ist natürlich, dass Sie nach ihrer Hand greifen, denn wenn Sie ihre Hand halten dürfen, haben Sie sie schon überzeugt. Zögern Sie bloß nicht, sie wird schon reagieren, wenn Sie sich zu weit aus dem Fenster lehnen.

Sie sollten sich auch im Klarem sein, dass jede Frau absolut anders ist. Das bedeutet wiederum, dass Sie sich immer neu auf Ihr Gegenüber einstellen müssen, denn was die eine Person mag, kann die nächste als lusttötend und abtörnend empfinden. Fingerspitzengefühl und blitzschnelle Anpassung ist hier gefragt.

Sie sollten außerdem durch spielerisches Abtasten und leidenschaftliche Annäherungen herausfinden, welche Art von körperlicher Nähe Ihre Gespielin sexuell antörnt. Manch eine liebt es, wenn man ihre Brüste hauchzart streichelt, andere stehen mehr auf gröbere Berührungen und wollen auch ihren Popo versohlt haben oder auch gebissen werden, andere werden wiederum total verrückt, wenn man sie nur am Hals küsst oder sie am Ohr leckt. Und wenn Sie diese tiefen Geheimnisse, diese Antörnpunkte kennen, besitzen Sie nicht nur den Generalschlüssel zur Lust, sondern auch eine Art Monopolstellung und werden zum unverzichtbaren Meister der Erregung. Jedoch können Sie diese

Attitüde nur erreichen, indem Sie es immer wieder versuchen, es versuchen und erneut versuchen.

8. Die richtigen Worte erleichtern die Verführung

Wie heißt es doch so schön: Die richtigen Worte können Berge versetzen. Natürlich ist die Macht der Worte eine der einfühlsamsten und effektivsten Strategie, um eine Frau verführen zu können. Jede Person liebt gut gemeinte Komplimente. Jeder Mensch liebt Schmeicheleien, Bewunderung und Frauen um so mehr, sie lieben das Gefühl, von einem attraktiven Mann begehrt zu werden, der sich alle möglichen Strategien einfallen lässt, um sie für sich gewinnen zu können. Wie ich aber bereits erwähnt habe, wir Männer reden bei einem Date einfach viel zu viel und erkennen gar nicht, dass unser Gegenüber manchmal überhaupt keine Lust hat zum Quatschen, sondern sie will einfach Sex haben. Natürlich können Sie bestimmte Bemerkungen nicht gegenüber einer wildfremden, attraktiven Frau in einem Café machen, diese würde Sie sofort ohrfeigen. Ausschlaggebend ist, dass Sie sich beide schon auf einer vertrauten Episode befinden und Ihnen beiden auf jeden Fall klar ist, in welche Richtung die Liebelei geht. Um Ihnen ein Verständnis für einige Verführungssätze zu vermitteln, möchte ich Ihnen ein paar Beispiele mit auf den Weg geben, um ihn oder sie verführen zu können:

-Sie oder er sagt: "Letzte Nacht habe ich geträumt, dass wir..."

Auf diesem Weg können Sie Ihrem/Ihrer Liebsten mitteilen, welche verboten, heißen Dinge Sie gerne mal ausprobieren würden. Und sonst auch signalisieren Sie mit so einem Spruch großes Interesse.

-Sie sagt zu ihm: "Ich trage gerade keine Unterwäsche."

Glauben Sie mir, dies ist einer der aufregendsten Sprüche überhaupt. Den Herren der Schöpfung wird es in jedem Fall den Verstand rauben. Doch umgekehrt ist es fraglich, ob ein Mann ohne Unterhose bei den Ladys auch so aufregend herüberkommt.

-Er oder sie sagt: „Lass uns etwas Verbotenes ausprobieren".

Bei so einem Spruch bekommen Sie auf jeden Fall die volle Aufmerksamkeit Ihres Gegenübers. Allerdings wäre es dann ratsam, wenn Sie auch ein paar Beispiele für verbotene Spielereien parat hätten und nicht, dass Sie dann auf die obligatorische Rückfrage: "Und was?" einfach nur dumm schauen.

-Er oder sie sagt: „Sorry, du kannst mit zu mir, wenn du mir eine Sache versprichst." Und er oder sie: „Was denn?" „Du musst mir unbedingt versprechen, dass du deine Hände da lässt, wo ich sie deutlich sehen kann. Ansonsten fühle ich mich gezwungen, dich direkt wieder nach Hause zu schicken."

-Er oder sie sagt: "Du kannst mit mir machen, was du willst."

Diesen Spruch lässt sich bestimmt kein Partner zweimal sagen, natürlich wenn es zwischen beiden unheimlich knistert. Diese Aufforderung sollte aber nur ausgesprochen werden, wenn Sie auch damit einverstanden sind, dass er oder sie jetzt vielleicht darauf besteht, dass Sie sich in ein hautenges Tigerkostüm hineinquetschen und während des Sex fauchen und brüllen wie ein Raubtier. Oder Ähnliches...

-Sie oder er sagt: „Ich habe letzte Nacht an dich gedacht, bevor ich eingeschlafen bin."

Das ist der Klassiker. Bei dem Spruch signalisieren Sie auch großes Interesse und Zuneigung. Natürlich sollten Sie auch hier einige Antworten parat haben, denn die Frage: „Und was hast du gedacht?“ kommt sicherlich.

-Er sagt zu ihr: „Wenn du deine Haare so zurücklegst, kommt dein Hals zum Vorschein. Das macht mich wahnsinnig.“

Bei dieser Feststellung signalisieren Sie großes sexuelles Interesse. Dadurch schmeicheln Sie ihrem Gegenüber und heizen gleichzeitig die Stimmung an.

Er oder sie sagt: "Ich denke schon den ganzen Tag nur an dich und wie du wohl ohne Kleidung aussiehst."

Mit dieser Bemerkung heizen Sie nicht nur die Stimmung unglaublich an, sondern schmeicheln Ihrem Gegenüber auch gleichzeitig und bauen sich sehr gute Voraussetzungen für aufregenden Sex auf.

Ich glaube, dass Sie jetzt einigermaßen verstehen, was ich Ihnen vermitteln möchte. Mit einfachen Worten, eine Frau zu verführen ist am Anfang gar nicht so leicht. Sie müssen mit der Stimme spielen, Pausen gezielt einbauen, ihre Reaktion abwarten und natürlich ihr Zeit geben, diese Art der Verführung auf sich wirken zu lassen. Sobald Sie eine zweideutige Anspielung oder einen verführerischen Spruch gemacht haben, achten Sie erst einmal auf ihre Mimik und auf ihre Reaktion. Entweder sie reagiert darauf, in welcher Art auch immer oder sie ignoriert es.

Wenn sie Ihren Flirtversuch ignoriert, dann ist sie vielleicht nicht der Typ Frau für solche Anspielungen, weil sie entweder zu schüchtern ist, vergeben ist oder sie ist von Ihnen noch nicht genug sexuell angezogen. Hier hilft es nur, wenn Sie etwas auf die Bremse treten und nichts überstürzen. Wichtig ist nur, dass Sie es probiert haben. Jetzt nur nicht aufgeben. Sie hat Ihren Versuch mitbekommen, sie zeigt Ihnen aber zunächst die kalte Schulter, wartet aber desinteressiert auf Weiteres. Jedoch kann es auch sein, dass sie einfach kein Interesse hat oder sie nicht auf Sie steht und deswegen springt sie auf solche Anspielungen nicht an. In solch einem Fall sollten Sie Ihre Aufmerksamkeit lieber anderen Frauen widmen.

Reagiert sie hingegen mit einem Lächeln und ist angetan von Ihren Anspielungen und macht sogar selbst welche, dann heißt es für Sie auf das Gaspedal treten und Feuer frei. Sie hat Ihnen hiermit quasi die Erlaubnis gegeben weiterzumachen.

9. Die Frage aller Fragen: „Zu dir oder zu mir?"

„Hast du noch Lust mit rauf zu kommen auf einen Drink?" Diese altbekannte Frage nach einem Date mit eindeutigen Absichten ist häufig mit einer wichtigen Entscheidung verbunden: Zu mir, zu dir oder vielleicht doch lieber auf neutralem Territorium, etwa in einem Hotel? Das hängt natürlich auch immer von Ihnen und der Situation Ihres Gegenübers ab.

Wenn plötzlich Ihr gegenüber aber Ihnen diese Frage stellt, dann haben Sie leichtes Spiel und ja, Sie haben alles richtig gemacht und auch ja, Sie haben die Erlaubnis: „Du kannst mich f*****!" Doch wenn Sie diese Frage stellen und die Person ist noch unschlüssig, dann warten Sie auch hier einfach die Reaktion ab. Überstürzen Sie jetzt nichts und bloß kein Druck aufbauen, denn an der Stelle könnte durch einen unangebrachten Spruch oder Handlung, das vielleicht mühsam erarbeitet Unterfangen noch scheitern und Sie sitzen wieder allein auf der Couch. Ich kann mir sicherlich vorstellen, dass sie in dem Moment Druck in der Hose verspüren, aber bleiben Sie einfach cool, gelassen und fast desinteressiert.

In dieser Situation entstehen meistens unangenehme Pausen und die meisten lassen ihre Körpersprache für sich sprechen. Hier ein paar Möglichkeiten, die ich wahrgenommen habe:

- Sie schaut fragend und hält ihren Kopf etwas schief.
- Sie legt ihr Poker-Face auf und blickt plötzlich wo anders hin.
- Sie hält Blickkontakt und schüttelt dabei leicht den Kopf.
- Sie bleibt plötzlich stehen und verschränkt die Arme.
- Sie verdreht die Augen, lächelt aber geheimnisvoll.
- Sie ignoriert komplett die Aussage und schweigt.

Nach ein paar Sekunden ihrer schweigenden Antwort wechseln Sie einfach das Thema und lockern damit die Stimmung wieder auf. Sie können an der Stelle auch ein Witzchen mit einbauen, um Sie zum Lachen zu bringen. Indem Sie vielleicht sagen:

„Was hast du schon wieder verstanden? Ich habe auf einmal einen riesigen Hunger und wir könnten noch zu mir oder zu dir einen Happen essen. Außerdem hab ich noch meine Tage."

Bei dem Spruch lachen die meisten. Wichtig ist, dass Sie Ihr gegenüber einfach zum Lachen bringen. Er oder sie soll sich mit Ihnen wohlfühlen und die Zeit mit Ihnen genießen. Wer will schon mit einer Person abhängen, die einfach zu ernst, langweilig ist oder sogar eine negative Aura ausstrahlt. Sicherlich niemand. Gehen wir aber davon aus, dass Ihr Gegenüber lächelt und Ihren Vorschlag nicht verneint. Zu wem sollten Sie nach Hause gehen?

Wenn eine Frau Interesse an Sex mit Ihnen signalisiert, ist es für sie immer noch eine sehr große Gefahr, solange Sie sich nur kurz unterhalten haben und sie nicht genau weiß, wie Sie so ticken.

Denn einem Menschen fängt man an sein Vertrauen zu schenken laut mehreren Psychologische Studien erst nach 5 bis 10 Stunden des Kennenlernens. In dem Fall und um der Sexpartnerin Sicherheit zu vermitteln ist es vorteilhaft, dass Sie zu ihr gehen, schließlich befindet sie sich in ihrer gewohnten Umgebung und muss somit keine Angst haben, dass Sie sie einsperren und „Fifty Shades of Grey" bei Ihnen im Keller mit ihr nachspielen ;-).

Ich zum Beispiel versuche auch immer zu ihr zu gehen. Als erstes kann ich mir ein Bild machen, wie sie so wohnt und was für ein Mensch sie ist, und zweitens kann ich immer wieder abhauen, wenn sie mich langweilt oder grottenschlecht im Bett ist.

Doch die Erfahrung hat mich auch gelehrt, dass viele selbstbewusste Frauen manchmal auch gerne in der Wohnung des Mannes Unterschlupf suchen. Ihr Vorteil ist natürlich auch der gleiche, sie kann sich selbst den Zeitpunkt aussuchen, wann der Typ einfach ein Reinfall war und sie die Sache beenden und gehen will.

Entscheiden Sie also immer anhand der Situation, wie Ihr Gegenüber mental gerade eingestellt ist und wo sie oder er sich am wohlsten fühlt. Auch hier ist sehr großes Fingerspitzengefühl und Menschenkenntnis gefragt. Und dass Sie Ihre Wohnung natürlich stets aufgeräumt, sauber und verführerisch duftend halten, ist ein absolutes Muss. Eine Person, die sich in Ihren vier Wänden ekelt und sich auch noch die Nase zuhalten muss, wird sich bei den Sexspielchen kaum entspannen und die Bude sicherlich auch rennend wieder verlassen.

10. Was wenn Ihr Date im letzten Moment noch abblockt?

Selbst wenn Herz und Bauch ja sagen, kann der Verstand immer noch abblocken, weil die Zeit vielleicht nicht passt oder plötzliche Zweifel auftauchen. Wendet sie sich ab, das muss noch nicht gleich das „Aus“ bedeuten. Die Gründe können, wie oben beschrieben, ganz unterschiedlicher Natur sein. Trotzdem ist es der Alptraum jedes Mannes, der seine neue Flamme verführen will nach einem wundervollen Abend und im Schlafzimmer fängt sie an abzublocken und sich querzustellen. Die Gründe können natürlich unzählige sein, von der Periode, bis Schmerzen, Infektionen, Ängste oder vielleicht will sie Sie noch ein bisschen zappeln lassen. Sie fangen an, sie zu küssen, auszuziehen, es wird immer heißer und Ihre Hand taucht tiefer und sucht sich den Weg zu ihrem Höschen und plötzlich zieht sie die Hand weg.

Sie liegt vielleicht auch noch nur in Unterwäsche neben Ihnen und hat sogar Ihre Waffe gespürt und dann tritt sie voll auf die Bremse. Sie haben ein riesigen Baseballschläger in der Hose, zittern vor Erregung und plötzlich blockt sie ab und, sogar während sie Sie noch küsst, sagt sie:

-„Warte, das geht mir jetzt zu schnell.“

-„Nein, ich will nicht. Ich bin noch nicht so weit.“

-„Wir werden jetzt kein Sex haben!“

-„So eine bin ich nicht! Sex beim erste Date geht gar nicht.“

Doch alles schön und gut und ich bin auch tolerant, einfühlsam und geduldig, aber reden wir mal Klartext. Wenn eine Frau halb nackt bei mir im Bett liegt, nach Stundenlangem Hin und Her und sie plötzlich nicht mehr vögeln will, dann schicke ich sie einfach nach Hause oder ich ziehe mich an und gehe. In dem Fall blocke ich dann ab und schicke sie einfach weg oder fahr sie nach Hause. Bei mir gilt die Regel, wenn eine Frau zu mir nach Hause kommt, sich fast nackt auszieht, mich heiß macht, bei mir im Bett liegt und sogar mit meinem Johann spielt, dann wird sie genudelt.

Natürlich ist sie auch dann stinksauer und total beleidigt, wenn ich mich dann anziehe und zu ihr sage, dass sie gehen soll. Und kurz danach kommt auch die Message: „Du bist ein Schwein!"

Doch das ist mir egal, denn kurze Zeit später meldet sie sich meistens wieder und will sich doch wieder mit mir treffen. Ich denke, ein Mann muss auch die Eier haben, um einer Frau einfach die Meinung ins Gesicht zu sagen und sie auch mal nach Hause zu schicken. Wenn sie nicht weiß, was sie will und mit einem Mann nur spielen will, dann soll sie gar nicht zu ihm nach Hause gehen. Wir Männer haben es schon schwer genug, denn wir müssen die Frauen umschwärmen, wir müssen geduldig sein, tolerant, ihnen jede Menge Honig aufs Maul schmieren und alle möglichen Strategien uns einfallen lassen, um sie rumzukriegen. Doch irgendwann ist der Ofen aus und auch ein Mann kann sagen: „Jetzt reicht es!"

Dies gilt natürlich für die Frauen, die solche Spielchen spielen und einfach es genießen, einen Mann zappeln zu lassen. Ich bin auch der Meinung, dass viele Frauen oft Angst haben, weil viele Männer sie nach dem Sex einfach verstoßen, deswegen ein Ratschlag von mir: Vermitteln Sie ihr Sicherheit. Vermitteln Sie ihr Vertrauen. Geben Sie ihr zu verstehen, dass es völlig okay ist und Sie ihr die Zeit geben, die sie braucht.

Eine Frau, die Angst hat, braucht Zeit und die Kunst ist, ihr die Angst zu nehmen. Drängen Sie nie zu etwas. Stellen Sie sich auf ihr Tempo ein. Lernen Sie sich kennen, sie muss sich schließlich in

Ihrer Gegenwart wohlfühlen. Und wenn sie soweit ist, verführen Sie sie. Aber, wie bereits beschrieben, nicht plump, machen Sie ein aufregendes Spiel daraus, etwas Verrücktes und verführen Sie sie in einer neuen Dimension der Lust. Wenn Sie diese Regeln beachten, werden Sie früher oder später ein Meister der Verführung, egal, ob es um einen One-Night-Stand handelt oder um eine feste Beziehung mit echten Liebesgefühlen.

11. Lassen Sie die Finger von vergebenen / verlobten / verheirateten Frauen oder Männern

Dieser Punkt hat eigentlich mit der Kunst der Verführung an sich nichts zu tun. Dies ist einfach ein gut gemeinter Ratschlag, den ich Ihnen mit auf den Weg geben will. Denn hätte ich dieses Gebot auch befolgt, wäre mir sehr viel Ärger und Zeit erspart geblieben. Entgegen aller Klischees oder Vorurteile gehen statistisch gesehen mehr Frauen fremd als Männer. Laut verschiedener Studien mehrerer namhafter Partnerbörsen und Partnervermittlungsagenturen ist es bei ca. 40 Prozent der Männer, die fremdgegangen sind und der angegebene Grund war meistens: „es ist einfach passiert". Jedoch bei mehr als 50 Prozent der Frauen, die ihre Partner betrogen haben, taten dies, weil sie sich bis über beide Ohren verliebt hatten. Den Männern hingegen geht es eigentlich nur um Sex, sobald sie ein tiefes Dekolleté oder einen richtig knackigen Hintern sehen, verlieren die meisten alle Sinne und sind wie ferngesteuert. Mir z.B. tun es Waden an. Sobald ich wohlgeformte, muskulöse Waden bei einer Frau sehe, macht mich das total an und kann ich mich kaum mehr konzentrieren.

Wenn aber Frauen sich entscheiden fremdzugehen, geht es nicht nur um Body, Muskeln oder Sex, sie sind meistens emotional darin verwickelt und können das Körperliche vom Seelischen schwer trennen. Die am häufigsten genannten Gründe von weiblichen Seitenspringern sind Stress im Job, Alltagsroutine, fehlende Aufmerksamkeit, Lust nach Neuem oder ein unbefriedigendes Liebesleben mit dem eigenen Partner.

Wer sich auf eine Affäre mit einer verheirateten Person einlässt, ist oft Opfer seines eigenen mangelnden Selbstbewusstseins und ist auf der Suche nach Anerkennung und Selbstbestätigung. Die vermeintliche Liebe zu einer verheirateten Person ist vielmehr die Sehnsucht nach einem Beweis dafür, dass man liebenswert und anziehend ist. Doch dieser Plan geht meistens nicht auf. Die meisten Frauen lassen sich gar nicht bewusst auf eine solche Affäre ein, denn sie sind sehr naiv. Für sie selbst stellt es ein Tabu dar, da sie sich nicht wünschen würden, an der Stelle der Ehefrau auf diese Weise behandelt zu werden. Der springende Punkt besteht jedoch darin, dass die verheirateten Männer dies sehr genau wissen und mit allen möglichen Tricks und Vertuschungen arbeiten.

Daher wird beim Rausgehen auch gerne der Ehering in die Hosentasche gesteckt, das Handy auf stumm gestellt, die Freundin oder Frau zuhause wird ganz zufällig bei allen Gesprächen einfach nicht erwähnt und die Dates werden meist an abgelegenen Orten abgehalten. Viele Frauen erfahren erst dann etwas vom Background des Mannes, wenn es eigentlich zu spät ist und sie schon mit Herz und Seele drin stecken. Und irgendwann werden sie auch von einer wildfremden Frau angerufen, die sie aufs übelste beschimpft und sie mit aggressiver Stimme auffordert: „Lass die Finger von meinem Mann, du Schlampe!"

In so einer Situation sollten Sie sich Fragen, warum sollte die Person sich auch scheiden lassen und sich für Sie zu entscheiden? So, wie die Situation momentan ist, bietet sie für die Person nur

Vorteile. Zuhause hat er seine feste Wohnung, es wird wahrscheinlich auch täglich für ihn gekocht, geputzt, seine Frau regelt den kompletten Alltag und hütet sogar die Kinder. Und am Abend bekommt er bei der Geliebten den Sex, den er braucht und daheim spielt er der braven, liebevollen Mann.

Sie können nur den Kürzeren ziehen, denn eine Scheidung oder eine Trennung hätte nur unangenehme Konsequenzen für die ganze Familie. Der Streit um das Sorgerecht entfacht, Ärger mit der gemeinsamen Immobilie, Stress wegen des Unterhalts, unheimliche Kosten mit Anwälten und, und, und. Zudem würde er die ganze Verwandtschaft, wahrscheinlich auch Freunde gegen sich haben, er müsste sich von der eigenen Familie trennen und die Kinder würden die Leidtragenden sein. Außerdem ausziehen, sich mit einer kleineren Wohnung zufrieden geben müssen, den Haushalt alleine schmeißen, sich selbst bekochen, all dies sind unheimliche Nachteile, die er sicherlich keine Lust hat auf sich zu nehmen. Und all diesen Ärger, Kosten und Unannehmlichkeiten wird er sicherlich nicht in Kauf nehmen, nur für ein paar heiße Nächte mit einer Person, die er kaum kennt.

Doch trotz einer guten und sorgfältigen Planung kann der Schuss auch nach hinten losgehen und die Folgen auch gravierend sein, indem die Ehe in die Brüche geht. Durchaus stehen die Chancen, eine eigentlich stabile Ehe zu retten, auch nach einem Fremdgehen oder einer Affäre, grundsätzlich nicht schlecht. Jedoch ist jeder Seitensprung oder Langzeitaffäre ein Vertrauensbruch, eine Hintergehung und stellt eine Beziehung auf eine harte Probe. Zwar hat der Partner, der fremdgegangen ist, das Treuegelöbnis mit den Füßen getreten und damit das Vertrauen des anderen komplett missbraucht. Doch wenn beide Seiten dazu entschlossen sind, den Bruch zu reparieren, das Vergangene zu überwinden und weiterhin gemeinsam an einem

Strang zu ziehen, lässt sich sicherlich ein Weg finden, um die Eheprobleme zu lösen. Jedoch passiert dies nur in den seltensten Fällen.

Dies natürlich für den Fall, dass Ihr Gegenüber gekonnt verheimlicht, dass er liiert ist und Sie unwissend in so eine Affäre hineingeraten. Doch wenn Sie wissend sich auf so ein Schlamassel einlassen und die Finger davon nicht lassen können, aus welchem Grund auch immer, dann spielen Sie regelrecht mit dem Feuer und müssen auch mit den Konsequenzen zurechtkommen. Nicht nur, dass Sie mitverantwortlich sind, dass vielleicht eine ganze Familie zerstört wird, Sie müssen dies auch mit Ihrem eigenen Gewissen vereinbaren.

Ich sag nur: „Karma Baby." Das Karma schaffen wir uns selbst, mit jeder Entscheidung, die wir in unseren Leben treffen. Es ist jedoch nicht nur die Tat an sich, sondern auch die Wirkung, die durch Denken, Fühlen, Vorgehensweise und Handeln ausgelöst wird.

Wenn Sie sich gerade in so einer Situation befinden und einfach nicht loslassen können, aus welchem Grund auch immer, dann schreiben Sie mir, sprechen Sie mit einem guten Freund darüber oder ziehen Ihre Feedback-Gruppe hinzu, denn mitverantwortlich sein für einen Ehebruch, für Kinder die leiden, weil sie ihren Papa oder Mama nicht mehr sehen können oder für gebrochene Herzen, ist natürlich gravierend und kann Ihr Karma sicherlich gewaltig negativ beeinflussen. Meinen Freunden und auch Klienten gebe ich immer den Ratschlag: „Wenn du nicht willst, dass jemand deinen Partner verführt, dann versuche auch nicht, den Partner anderer zu verführen."

Wie Sie erkennen können, ist dieser Spruch, vom ursprünglichen Spruch abgeleitet worden: „Tu nichts anderen, was dir selbst nicht gefallen würde."

Wichtige Punkte zu Schritt 5

Die 10+1 Gebote der Verführung

1. Denken Sie daran, Frauen sind ganz verrückt nach Sex mit Männern.
2. Beim Flirten sollten Sie sexuelle Anziehung erzeugen.
3. Flirten sie mit Ihren Augen, Haaren, Blickkontakt und mit allem, was Sie haben.
4. Vertrauen aufbauen ist der Schlüssel zum Erfolg.
5. Streuen Sie ausgeklügelt sexuelle Anspielungen ein.
6. Nehmen Sie ihr das schlechte Gewissen vor dem Sex.
7. Mit leichten Berührungen steigern Sie ihre Lust.
8. Die richtigen Worte erleichtern die Verführung.
9. Fackeln Sie nicht lange herum, sondern schreiten Sie angstfrei zur Tat.
10. Nur keinen Druck aufbauen! Seien Sie geduldig, tolerant und stellen Sie sich auf ihr Tempo ein.
11. Lassen Sie die Finger von vergebenen, verlobten, verheirateten Frauen oder Männern.

Schritt 6

Reden wir mal offen über Sex

Bevor wir ans Eingemachte gehen, will ich Ihnen von meinem perfekten Einstieg in eine unvergessliche Nacht erzählen. Es war unser erstes Date und eigentlich hatte ich gar nicht vor, so weit zu gehen. Doch dann kam alles ganz anders als geplant. Ich hatte Monica, eine unglaublich heiße Granate, die ich nur seit paar Tagen kannte, in ein romantisches, kleines Restaurant zum Essen eingeladen und verhielt mich von Anfang an wie ein echter Gentleman. Ihr den Mantel abnehmen, die Türen aufhalten, den Stuhl zurechtrücken und lauter solche Aufmerksamkeiten, die vielleicht für viele altmodisch klingen, habe ich mit Bravour eingesetzt. Bei angenehmer Jazz-Musik, romantischem Kerzenlicht, gutem Wein und einer tollen Umgebung redeten wir dann über Gott und die Welt und Monica zeigte mit ihren ausgeklügelten Fragen und Kommentaren, dass sie sich wirklich für mich interessierte. Kleine zweideutige Bemerkungen und freche Anspielungen zwischendurch und ein Blitzen aus ihren grünen Augen sorgten dafür, dass die Unterhaltung immer prickelnder, aufregender und gewagter wurde.

Ich holte alles aus meiner Trickkiste und gab alles, was mein Repertoire so hergab. Vom Flirten mit den Augen, mit meiner Mimik und sogar Vertiefung meiner Stimme, bis Poesie und auch Zitate von Freud zauberte ich herbei. Doch als sie mich von ihrem Dessert probieren ließ und dabei sich zufällig unsere Hände ganz leicht berührten, wusste ich, dass der Bieber im Bau ist. Dieser kurze Augenblick, in dem ich ihre hauchzarte Haut berührte, elektrisierte meinen kompletten Körper und schlagartig rührte sich bei mir etwas in der Hose. Sie hingegen blieb ganz cool und ließ sich nichts anmerken und versuchte auch nicht, mich noch einmal absichtlich zu berühren oder näher zu rücken, obwohl ich den Eindruck hatte, dass sie innerlich brannte und verrückt nach mir war. Nach dem Essen entführte ich sie noch in eine kleine Bar, die ein guter Freund von mir betreibt, um mit ihr so lange wie möglich zusammen zu bleiben. Wir verstanden uns so gut, dass wir kaum merkten, wie die Zeit verging. Ich hatte das Gefühl, dass sie es genoss, sich mit mir zu unterhalten, meine angenehme, tiefe Stimme zu hören und meine Nähe zu spüren. Ich spürte ständig ihre Blicke, wie sie mich wortwörtlich berührten und mich regelrecht durchleuchteten. Ich ließ natürlich nichts anbrennen und vermied jede noch so unangenehme Sprachpause. Doch plötzlich mitten im Gespräch und wie aus der Pistole herausgeschossen, sagte sie zu mir:

„Hast du Lust auf Sex?“

Alle möglichen Fragen dieser Welt hatte ich erwartet, doch nicht diese. Ich war wie versteinert, meine Atmung stockte und meine Kinnlade fiel wie bei einem Zeichentrickfilm herunter. Daraufhin nahm Sie meine Hand und fragte mich nach meinem roten Armreif, den ich trug. Meine Hand in ihrer zu spüren fühlte sich unheimlich gut an und sie genoss, wie ich ihre Finger streichelte. Ich ließ keine fünf Minuten verstreichen und schon bat ich nach der Rechnung. Im Nu landeten wir im nächsten Hotel und kaum waren wir im Zimmer, schon fiel sie über mich her und riss mir alle Kleider vom Leib. Wir trieben es wie gestört bis tief in die Nacht hinein, als ob es kein morgen gäbe. Drei oder viermal bumsten wir miteinander, bis wir komplett erschöpft und völlig durchgeschwitzt waren. Dabei stöhnte sie wie verrückt. Das Bett quietschte ununterbrochen, sie kratze und biss mich und rief alle möglichen Dinge und dann pennten wir umarmt ein. Und am nächsten Morgen ging der Kampf weiter, denn kaum öffnete ich die Augen, schon stand ein Zelt von mir. Bis Mittag bleiben wir im

Bett und trieben es ununterbrochen. Das war die absolut aufregendste Nacht, der wildeste Sex und die bis dato besten Orgasmen in meinem Leben. Monica war ein echter Volltreffer. Oft denke ich an diese Nacht und schmunzle immer noch dabei.

Legen wir los

Wie gut sind Sie wirklich im Bett? Um dies zu wissen, wie unglaublich Sie sind, müssen Sie Ihren Partner fragen. Wie sieht es tatsächlich aus, sind wir wirklich ein lustvoller Leckerbissen im Bett oder ist Ihr Gegenüber einfach nur zu höflich, um Ihnen die echte Meinung zu sagen? Sind Sie der langweilige Missionarsstellung-Typ? Oder vielleicht sind Sie der „rein-raus-Nikolaus-Typ?"

Jeder tickt im Bett ein bisschen anders und oft liegt in der Abwechslung der Reiz. Vor dem Sex tauchen plötzlich immer die gleichen Fragen auf. Werde ich einen Orgasmus haben oder spiele ich wieder einen vor, sobald ich keine Lust mehr habe? Oder sollte ich heute die neue Stellung probieren, die ich vor kurzem in einem Pornostreifen gesehen habe? Soll ich sie fragen ob sie ihn auch in den Mund nimmt? Oder hat sie vielleicht eine Überraschung für mich parat, zum Beispiel Reizwäsche oder Sextoys?

Wir gehen immer mit einer gewissen Erwartungshaltung an die Sache ran, schließlich sind die meisten Menschen zwar Gewohnheitsindividuen, aber bei der aufregendsten Nebensache der Welt erwünschen wir uns Neurungen, Spannung, Aufregung und auf kein Fall Eintönigkeit. Viele mögen es zärtlich und liebevoll, andere brauchen den ständigen Reiz, sie mögen es lieber wild und sind dabei in Sachen Fesselspiele, Sexspielzeug und auch mit sehr schmerzhaften Techniken sehr experimentierfreudig.

Zu welchem der Typen zählen Sie? Oder fallen Sie vielleicht sogar in eine ganz andere Kategorie? Wenn Sie sich vielleicht nicht trauen, Ihren Partner zu fragen, dann können Sie im Netz auch einen Selbsttest machen, in dem Sie herausfinden können, wie Sie im Bett wirklich ticken. Jedoch sieht die Realität bei den meisten ganz düster und langweilig aus. Viele machen es monatelang nicht oder sie vereinbaren mit dem Partner, vor dem Schlafengehen einen Quickie in der langweiligen Missionarsstellung zu haben, um danach schnell schlafen gehen zu können. Andere wiederum sagen, dass der Sex in einer Beziehung nicht so wichtig ist. Jedoch sage ich, dass wenn der Sex in einer Beziehung nicht regelmäßig und aufregend ist, dann funktioniert die ganze Beziehung auch nicht. Ohne gescheiten Sex geht mit der Zeit jede Beziehung in die Brüche.

Wir haben nicht den Mut oder auch nicht die Kraft, neue Dinge auszuprobieren. Vielleicht sind Sie schon seit Jahren mit demselben Partner zusammen, jedoch trauen Sie sich nicht, offen zu sagen, dass Sie gerne oral befriedigt werden möchten, oder auch mal Analsex probieren würden oder was auch immer. Wir sind einfach zu bequem geworden, weshalb wir keinen Sinn darin sehen, frischen Wind in unser Schlafzimmer zu bringen und vegetieren unbefriedigt dahin. Und ich bin der Meinung, dass das Leben viel zu kurz und hart ist, um unbefriedigt herumzulaufen. Also, meine lieben Freunde, traut Euch und holt Euch eure galaktischen Orgasmen. Dazu ein paar hilfreiche Tipps von mir.

Der Sex fängt bereits in Ihrem Kopf an

Sexuelle Attraktivität wird durch genetische Synapsen (Kommunikation der Nervensysteme) unbewusst gesteuert. Bei Männern und Frauen läuft schon ab der Kennenlernphase eines potenziellen Partners und auch verstärkt beim Flirten eine uralte genetisch veranlagte Prozedur ab. Und Eigenschaften wie Charakter, innere Werte, Bildung oder Humor spielen bei dieser Empfindung erst mal keine ausschlaggebende Rolle. An erster Stelle steht die biologische Attraktivität, die von den verschiedenen Individuen in Sekundenbruchteilen schon beim ersten Augenkontakt eines potenziellen Partners bewertet wird. Frauen und Männer begutachten unbewusst äußerliche Merkmale wie die Gesichtsform, die Haut, den Geruch, den Gang und die Stimme genauestens. Gewerkstelligen diese Punkte einen gesunden Nachwuchs, dann ist das Gegenüber sexuell und als möglicher Partner attraktiv. Auf diese selbstlaufenden, internen Prozesse haben wir keinen Einfluss. Dies ist ein biologischer Ablauf, wie ein Reflex, den wir nicht kontrollieren können. Und auch in einer bestehenden Partnerschaft spielt unser Verstand beim Empfinden von Lust die entscheidende Rolle und stimuliert unbewusst unser Verlangen.

Schon vor dem Sex werden Teile der Großhirnrinde stimuliert und diese sind zuständig für die Lust. Amerikanische Forscher haben herausgefunden, dass diese beiden Hirnareale bei einer Frau entscheidend für den Orgasmus sind. Erst wenn sie ausgeschaltet sind, verliert die Frau die Kontrolle über sich und kann sich völlig dem Höhepunkt hingeben. Einfach gesagt, guter Sex ist Kopfsache. Und das nicht nur, wenn es um das Abspritzen geht. Schon bei der ersten Berührung spielt das Gehirn als Schaltzentrale für das Zusammenspiel von Nervenzellen, Kortikalen und Synapsen eine entscheidende Rolle. Die Vorgänge, die sich dabei in unserem Gehirn abspielen, gleichen den Effekten von Heroin oder Kokain. Tatsächlich sind Dopamin, Serotonin und andere entscheidende Stoffe wohl auch dafür verantwortlich, dass wir uns beim Knutschen und Berühren mitunter wie Süchtige verhalten. Solch ein Verhalten aktiviert das Belohnungssystem in unserem Gehirn massiv, dadurch geraten wir in einen Rausch, eine Art Euphorie, die uns unserer Sinne raubt. Dieses Zusammenwirken ist letztlich der Grund dafür, dass wir Lust empfinden, begierig auf Sex sind, das Tierische in uns geweckt wird und uns danach entspannt und befriedigt fühlen.

Schon vor dem Vorspiel können Sie Ihre Sexgespielin empfänglicher für den Sex machen. Sie können hierfür die Macht der Worte nutzen, indem Sie mit ihr Dirty-Talk betreiben. Frauen geben es nicht zu, aber sie lieben schmutzige Gespräche. Solche speziellen Unterhaltungen sorgen dafür, dass Ihre Freundin sich bereits in ihren Gedanken aufregende sexuelle Handlungen mit Ihnen vorstellt. Diese Arten von „Talks“, bzw. auch Messages, kann man geschickt in Form von WhatsAp-Nachrichten, auch „Sexting“ genannt, versenden. Eignen sich auch super zum Einstieg. Hier einige erste Beispielnachrichten, die Sie verwenden können:

- Ich bin süchtig nach deinem Geruch

- Wäre schön, wenn du jetzt hier bei mir wärst

- Ich muss ständig an deinen sexy Körper denken

- Heute warst du den ganzen Tag in meinen Gedanken

- Bin schon ganz aufgeregt dich wieder zu sehen

Nachdem Sie die erste Message dieser Art versendet haben und sie darauf mit einem Smiley antwortet und somit mitmacht, dann haben Sie für das Sexting, für die Dirty-Messages mit ihr, grünes Licht.

Wie befriedige ich eine Frau und bringe sie zum Höhepunkt?

Es gibt kaum ein Thema, über das ich so gerne rede oder schreibe, wie über unseren heißgeliebten Sex. Dass es bei diesem Hochgefühl um alles oder nichts geht, zeigen die Franzosen, denn sie nennen den Höhepunkt: «La petite Mort». Sie vergleichen einen Orgasmus, mit einem kleinen Tod. Das liegt vielleicht daran, dass die aufregendsten und intensivsten Momente in unserem Leben bei diesem mysteriösen, zwischenmenschlichen Akt der Intimität entstanden sind. Wir Männer können mit Leichtigkeit einen Orgasmus bekommen. Wir brauchen nur ein paar anständigen Brüste sehen oder einen wohlgeformten Hintern von Frauen sehen, schon kommen wir in Fahrt und unsere Hose bläst sich auf. Die meisten Frauen hingegen benötigen ein sehr langes Vorspiel und viel Aufmerksamkeit, damit sie leichter einen Orgasmus bekommen können. Somit reicht es nicht, Ihren schmutzigen Erotik-Clip am Handy auf Dauerschleife zu setzten. Fühlen Sie sich beim Fingern nach einiger Zeit auch etwas verloren und wissen nicht genau, was Sie da genau tun sollen? Sie möchten Ihrer Partnerin mit intensiven Gefühlen und Orgasmen beschenken, aber die Reaktion auf Ihre Bemühungen ist nicht so prickelnd? Nur nicht den Kopf hängen lassen. Nach der Lektüre dieses Kapitels sind Sie mit geballtem Expertenwissen ausgerüstet, um jeden Mensch, der eine Vagina hat, mit Ihren Fingern um den Verstand zu bringen.

In diesem Kapitel will ich Ihnen zeigen, wie Sie eine Frau so richtig heiß auf Sex machen und wie Sie sie so richtig befriedigen können, dass sie fast ihren Verstand dabei verliert und nie genug von Ihnen bekommt.

Das Vorspiel

Wir Männer sind keine großen Liebhaber von zu langen Vorspielen. Wir geben uns viel zu wenig Mühe und wollen auch viel zu schnell zur Sache kommen. Ein langes, sanftes und ausgedehntes Vorspiel ist jedoch essentiell notwendig, damit eine Frau ziemlich leicht beim Sex mit Ihnen einen Orgasmus bekommen kann. Selbst wenn Sie schon denken, dass Sie viel zu langsam beim Vorspiel vorgehen, sind Sie immer noch einen Gang zu schnell für die Frau. Als grobe Faustregel empfehlt sich ein Vorspiel, welches mindestens eine halbe Stunde bis 45 Minuten dauert, als angebracht. Je länger Sie die Penetration hinauszögern und sie zappeln lassen, desto geiler wird sie auf den bevorstehenden Sex mit Ihnen sein. Sie wird es kaum erwarten können, bis Sie endlich ihre Hosen ausziehen und Ihren Penis reinstecken. Sie wird Sie regelrecht anflehen, endlich zur Tat zu schreiten.

Eine Frau hat unglaublich viele erogene Zonen. Im Grunde genommen ist ihr gesamter Körper eine erogene Zone. Deshalb sollten Sie auch ihrem gesamten Körper Ihre volle Aufmerksamkeit schenken. Jeder Zentimeter ist eine erogene Zone. Bevor Sie ihre Brüste oder ihre Vagina berühren, sollten Sie sich auf alle anderen Körperstellen konzentrieren. Küssen Sie langsam und intensiv ihren Nacken und ihre Wangen. Ab und zu können Sie als Abwechslung ihr auch sanft in den Nacken oder auch in den Rücken beißen. Viele Frauen stehen unheimlich darauf, wenn man ihnen sanft in ihrer Nackenmuskulatur oder in die Schultern beißt. Wichtig dabei, dass Sie ganz sanft beißen, denn Sie sind ja kein Vampir. Wenn sie nur noch Reizwäsche oder auch Dessous anhat, können Sie ihren gesamten Körper liebevoll streicheln und küssen. Lassen Sie sich dabei Zeit und während des Küssens können Sie auch ihre Arme oder Hände sanft berühren.

Weitere erogene Zonen sind ihre Innenschenkel und ihr Bauch. Beißen Sie, streicheln und küssen Sie ihre Innenschenkel. Tasten Sie hierbei immer näher zu Ihrer Vagina heran. Berühren Sie jedoch ihre Vagina trotzdem nicht. So erhöhen Sie noch mehr die sexuelle Erregung. Sie wird Sie regelrecht anflehen, endlich loszulegen, aber Sie lassen sich Zeit und spannen Sie richtig auf die Folter. Sie weiß eben nicht, was Sie als nächstes tun und wann Sie endlich richtig loslegen. Spätestens jetzt sollte sie schon ziemlich feucht geworden sein.

Zudem können Sie mit einem langen Vorspiel sicherstellen, dass sie ausreichend erregt und feucht wird. Das Vorspiel ist nicht nur eine Vorbereitung, sondern auch ein Angriffsplan. Sie dürfen niemals, und dies betone ich nochmal, „niemals" Ihr bestes Stück reinschieben, wenn sie noch nicht völlig feucht ist und nicht erregt ist, da sie sonst Schmerzen hat. Daher rate ich Ihnen, sie zu fingern, bis Ihre Finger wund werden. Sie könnten auch gekonnt Ihre Zunge einsetzten, bis diese so richtig pelzig wird, aber viele Männer finden es nicht so toll. Ihre Fingerchen aber sind eine gigantische Spielart beim Sex und diese sind absolut wertvoll. Ein Experte im Fingern zu sein ist unglaublich wichtig beim Sex. Warum, denken Sie sich jetzt? Ich verrate es Ihnen:

Ihre Finger sind ein Präzisionswerkzeug und multifunktional einsetzbar. Sie können die erogenen Zonen der Vagina viel gezielter stimulieren als mit dem Penis oder der Zunge. Ihre Hände haben viel mehr Kraft als Ihr Penis und meistens ist diese bei vaginaler Stimulation ausschlaggebend für intensive G-Punkt-Orgasmen. Wenn Sie z.B. mal zu früh kommen sollten oder Ihr Penis auf einmal schlaff wird, können Sie immer entspannt auf Ihre Fingerfertigkeit zurückgreifen, um nichts anbrennen zu lassen, denn Ihre Finger sind immer startklar und ejakulieren auch nicht.

Die Kunst des Fingerns zu beherrschen ist unheimlich wichtig, es ist die beste Methode, Ihrer Partnerin einen zuverlässigen Orgasmus zu schenken. Bei penetrativem Sex fällt es vielen Frauen schwer, einen Höhepunkt zu erleben, da viele einfach viel zu früh kommen oder sie mit Ihrem Gerät nicht professionell umgehen können. Viele Männer glauben nämlich, einen Plan vom Fingern zu haben, aber wissen überhaupt nicht, was sie da unten veranstalten. Die meisten stochern unkontrolliert und teilweise auch viel zu schnell durch die Gegend, wie ein wildgewordener Fechtkämpfer auf einem Wettkampf und bewirken damit nur, dass die Frauen endlich froh sind, wenn sie endlich damit aufhören.

Es gibt nichts Langweiligeres für Frauen als ein mit dem Finger sinnloses Stochern. Für das Stechen ist eher der Penis zuständig, denn der hat dafür die richtige Größe. Finger hingegen sind dafür viel zu schmal und können durch Stochern nicht viel bewirken, es sei denn, Sie haben Finger so dick wie der Hulk, dann haben Sie wiederum gute Karten. Die Finger sind dafür aber sehr gelenkig und das ist ein großer Vorteil. Mit anderen Worten, beim Fingern sollten Sie unbedingt auf die Gelenkigkeit und den ausübbaren Druck Ihrer Finger zurückgreifen und sie in der Vagina und um die Vagina herum geschickt einsetzen.

Sie haben sicherlich schon die eine oder andere Sexerfahrung gehabt und wissen ganz genau, dass eine Frau nicht gleich und plump zwischen den Beinen angefasst werden will. Sie begeben sich immerhin an die sensibelste Stelle ihres gesamten Körpers. Und diese besondere Stelle ist nicht sofort empfänglich für Fummeleien oder stimulierende Berührungen. Ein guter Liebhaber weckt den Körper der Frau erst einmal auf, heizt somit das Bedürfnis nach Berührungen an der Vagina erst einmal an. Wie ein kalter Motor, der erst mal auf Temperatur gebracht werden sollte, bevor er auf Touren gebracht werden kann und so richtig schön läuft.

Wie fragen Sie sich? Dies erreichen Sie durch zärtliches Streicheln, intensives Küssen, Massieren aller möglicher Körperstellen und erogenen Zonen. Vom Kopf, über die Brüste, den Rücken, den Bauch bis über die Oberschenkelinnenseiten, Füße und wo Ihre Partnerin sonst noch gerne berührt werden will. Sogar mit angebrachtem Dirty-Talk können Sie diesen Status erreichen. Wie das geht, besprechen wir in den folgenden 5 Methoden, die ich für Sie zusammengestellt habe. Legen wir erst mal los mit der Start-Up Methode.

Ich verspreche Ihnen, dass Sie nach diesem Kapitel Sie mit allen möglichen Techniken gewappnet und ein Meister der Fingerfertigkeit sein werden. Es gibt einige eindeutige Anzeichen, welche Ihnen genau zeigen, dass Ihre Sexgespielin sich bei dem, was Sie tun, wohlfühlt. Achten Sie mit großer Aufmerksamkeit auf die Reaktionen Ihres Partners und handeln Sie dementsprechend. Was Sie auf jeden Fall vermeiden sollten, ist, sie bei jeder Handlung zu fragen, ob ihr das gefällt. Dieses Nachfragen, ob ihr der Sex oder die Handarbeit gefällt, ist ein absoluter Abturner im Bett. Unsicherheit oder zu viel Reden im Bett ist einfach ein totaler Lustkiller. Sollten Sie bei einer bestimmten Handlung oder Position merken, dass ihre Atmung schneller und lauter wird, dann ist sie kurz davor, zum Orgasmus zu kommen. Mache genau in dieser Position weiter und intensivieren Sie die Bewegungen, damit sie noch leichter zum Höhepunkt kommen kann. Wir starten jetzt mit den 5 Methoden für euphorische Orgasmen und besprechen kurz essentielle Grundlagen für die richtige Vorgehensweise.

Methode 1: Die Start-Up Methode

Es ist Ihre erste Berührung ihrer Vagina. Sie sollte hier ganz zärtlich sein und hauchzart über ihren Bauch streicheln, bis nach unten über ihre Lippen und gleiten weiter zu ihren Oberschenkeln, so als würde Sie ihre Vagina gar nicht so interessieren. Das machen Sie ein paar mal und damit nehmen Sie ihr auch die Anspannung und die Nervosität. Nachdem Sie dies ein paarmal gemacht haben, können Sie langsam zur Tat schreiten. Aus dem Zeigefinger, Mittelfinger und Ringfinger bilden Sie eine Ebene und legen diese auf die Stelle, wo sich die Klitoris befindet. Also genau auf dem obersten Drittel, wo die Schamlippen anfangen. An der Stelle bleiben Sie noch ganz locker, denn es ist noch nicht so weit mit Stochern oder Hereinstecken.

Sie ziehen hier die Schamlippen noch nicht auseinander und versuchen auch noch nicht hineinzugelangen. Sie haben den Gipfel erreicht und genießen jetzt den Ausblick über die üppige Prairie. Wenn die Klitoris noch nicht weit hervorgetreten ist, dann ist das absolut ok. Beginnen Sie nun sanft mit großzügig kreisenden Bewegungen diese Stelle zärtlich zu massieren und dabei küssen Sie vielleicht ihre Brüste oder den Hals. Achten Sie auf einen wohl dosierten Druck, denn steigern können Sie den später immer noch. Beim Massieren bewegen Sie die Schamlippen auf gewisse Weise mit und wenn Sie nach einiger Zeit bemerken, dass Ihre

Finger immer feuchter werden, dann haben Sie alles richtig gemacht.

Methode 2: Der Selbstläufer

Diese Methode ist auch eine meiner Lieblingsmethoden und wohl auch die Praktik, die von einem Großteil der Frauen selbst zur Masturbation verwendet wird. Sie werden jetzt denken, dann ist diese sicherlich die beste Methode. Ich kann dazu sagen: „Ja und Nein."

Betrachten Sie diese Methode als das nächste Level zur ersten Methode. Diese kommt erst dann zum Einsatz, wenn Ihre Sexgespielin schon feucht ist, erregt ist und Lust auf mehr hat. Jetzt können Sie mit Zeige- und Mittelfinger die beiden Schamlippen langsam auseinander schieben, sodass ihr Klitoris komplett frei liegt. Besonders jetzt ist unglaublich wichtig, dass Ihre Finger und die Vagina immer feucht sind.

Normalerweise sollte die Vagina nun von alleine genügend Gleitmittel gebildet haben. Sollte dies aber nicht der Fall sein, können Sie auch Gleitgel, wie Massage-Öle oder den eigenen Speichel einsetzen. Hier können Sie einfach mal drauf spucken. Halten Sie weiterhin zwei oder drei Finger zusammen und massieren Sie die feuchten Lippen in einer Kreisbewegung weiter. Befeuchten Sie Ihre Finger immer wieder mit Speichel oder mit dem Sekret, das die Vagina so hergibt, dem Ende, an dem sich die Klitoris befindet, und massieren in kreisenden Bewegungen weiter. Im Vergleich zur ersten ist diese Methode deutlich intensiver.

Achten Sie darauf, wie Ihre Sexgespielin auf diese direkten Berührungen reagiert. Achten Sie auf ihre Körpersprache, auf die Atmung, ihre Mimik und durch Geschwindigkeit der Bewegung und Druckverlagerung auf Ihre Fingerkuppen, können Sie mehr und mehr eine direkte Stimulation der Klitoris erzielen. Dadurch können Sie Ihre Partnerin eine ganze Weile lang stimulieren und beobachten, wie sie richtig vor Lust ausflippt. Je nachdem, wie stark Ihre Partnerin auf Touren kommt, können Sie den Druck, sowie die Geschwindigkeit immer weiter intensivieren oder anpassen, bis die Frau meistens zu zittern anfängt und zum Höhepunkt kommt. Jetzt bloß keine Fehler machen und auch nicht die Nerven verlieren. Die Steigerung der Intensität sollte den Reaktionen der Frau angepasst werden und nicht andersrum.

Methode 3: Die G-Punkt Massage

Wenn Sie nicht wissen, was der G-Punkt ist, bzw. die G-Zone, hier eine kurze Anleitung: Dieser Punkt ist der bestversteckte Hotspot Ihrer Liebsten und auf dem Weg zum perfekten Sex angeblich auch der Hauptschalter schlechthin. Diese bestimmte Zone ist eine Fläche an der Vorderwand der Vagina, ungefähr fünf Zentimeter vom Scheideneingang entfernt. Bei dem G-Punkt (G-Zone) handelt es sich um ein Schwellgewebe der Klitoris rund um die Harnröhre.

Sie sollten in ihrer Vagina, sowohl oben wie auch unten eine etwas rauere Stelle fühlen können. Innerhalb dieser rauen Stellen befinden sich der G-Punkt und der A-Punkt. Jede Frau hat bei der G-Zone zudem unterschiedlich viel Drüsengewebe, das mit der männlichen Prostata große Ähnlichkeit hat.

Bei dieser Methode entfernen Sie sich nun von der Klitoris und bewegen sich an die vaginale Stimulation mit Ihren Fingern. Sie dürfen jetzt endlich die Tore der Lust öffnen und langsam eintreten. Hierfür nehmen Sie erst mal nur einen Finger zur Hand, am besten den Mittelfinger und schieben ihn langsam in die Harnröhre Ihrer Sexgespielin. Was an der Stelle unheimlich wichtig ist, ist, dass Sie dafür sorgen, dass ihre Vagina so richtig feucht ist und bleibt. Außerdem sollten Sie keine hektischen oder unangebrachten Bewegungen machen. Am besten, wie ich bereits erwähnt habe, ist ihr natürliches Vaginalsekret das beste Gleitmittel, denn das bedeutet gleichzeitig, dass sie auch mental erregt ist und das ist das Wichtigste überhaupt. Drehen Sie dann Ihren Finger so, dass Ihre Fingerkuppe Richtung Bauchdecke zeigt, mehr oder weniger, wie ein Haken. Beginnen Sie nun die Oberseite ihrer Vaginalwand zu massieren, indem Sie die typischen „Komm-her-Bewegungen" machen. Sie sollten dabei auch nicht zu tief eindringen, Ihr Zeigefinger ist etwa bis zur Hälfte in ihr drin.

Im gewöhnlichen Fall sollten Sie im Innern ihrer Vagina eine etwas rauere Stelle fühlen können. Innerhalb dieser rauen Stelle befindet sich der G-Punkt. Das ist der Jackpot, denn das ist der Punkt aller Punkte. Massieren Sie sanft diesen Punkt mit besagter Bewegung und angepasstem Druck. Auch hier ist jede Frau anders. Achten Sie, worauf Ihre Sexgespielin am heftigsten reagiert und passen dabei die Massage an. Am besten liegt sie dabei auf dem Rücken und Sie seitlich neben ihr. Sie halten Ihr Gesicht in Höhe ihrer Brüste, sodass Sie dabei auch ihre anderen erogenen Zonen mit Küssen mitstimulieren können.

Den Druck mit Ihren Fingern und die Geschwindigkeit können Sie mit der Zeit verstärken oder auch verringern. Außerdem ist es ratsam, nach einer kleinen Weile das Kaliber zu erhöhen, indem

Sie einen zweiten Finger oder mehr hinzunehmen. Das gibt der Frau das Gefühl, mehr von Ihnen penetriert zu werden. Manche Frauen genießen hier auch Sexspielzeug, wenn sie sehr erregt sind. Wie ich bereits erwähnt habe, stellen Sie sich auf ihr Tempo ein und erzwingen Sie nichts. Mit dieser Methode können Sie ihr durch zunehmende Steigerung der Intensität tolle Orgasmen schenken. Die erfahrenen Profis entwickeln hierbei multitaskingfähige Techniken, denn während sie mit dem Zeigefinger den G-Punkt weiter massieren, können Sie mit den Daumen oder auch mit der Zunge ihre Klitoris weiter bearbeiten und der Frau einen galaktischen Orgasmus bescheren. Hier ist etwas Feinkoordination Ihrer Finger gefragt. Das klappt wahrscheinlich nicht auf Anhieb und erfordert sehr viel Erfahrung. Aber die Übung dürfte sich lohnen, denn die meisten Frauen verlieren komplett den Verstand. Mit dieser Technik können Sie die Frauen richtig zum Schreien bringen, denn sie werden doppelt stimuliert. Hierbei handelt es sich aber um vaginale Orgasmen. Diese sind in aller Regel intensiver und breiten sich großflächiger über den gesamten Körper aus als klitorale Orgasmen, wie bei der Methode eins und zwei.

Von wegen nur vaginal oder klitorale Orgasmen. Frauen können zwölf verschiedene Typen von Orgasmen haben. Fakt ist aber, dass nur ein ganz kleiner Prozentsatz der Frauen regelmäßig beim Sex einen echten Orgasmus bekommt.

Methode 4: Die Adventure-Methode

Bei dieser Anwendungsmethode nehmen Sie genau wie bei der G-Punkt-Massage zwei Finger und führen Sie sanft bis zur Hälfte in die bereits feuchte Vagina Ihrer Sexgespielin ein. Anstatt aber ihren G-Punkt zu stimulieren, massieren Sie ihre Scheidenwände zu den Seiten, bis zum A-Punkt, der sich etwa gegenüber des G-Punktes befindet. Sie drehen praktisch den Haken, bzw. Ihre Finger um und massieren die untere Seite der Harnröhre, dabei ist es auch ratsam, mit Ihrem Daumen ihre Klitoris mitzumassieren. Achten Sie auch hier auf ihre Reaktion, bzw. auf ihre Körpersprache, während Sie vor Lust explodiert.

Sie sollten auch wissen, dass besonders im Vorhof der Vagina sich enorm viele Nervenbahnen befinden und die Chancen stehen sehr gut, dass Sie beim Erkunden ihrer Scheidenwände mehrere Stellen finden, die Ihre Partnerin verrückt machen.

Methode 5: Die Griff-Methode

Dies ist mit Abstand die „Königsdisziplin" des Fingerns, doch man sollte verantwortungsvoll und keinesfalls übermotiviert an die Sache herangehen. Diese Grifftechnik erfordert sehr viel Erfahrung und diese können Sie als Weiterentwicklung der G-Punkt-Methode betrachten. Übrigens ist diese auch meine Lieblingsmethode. Ich liebe es, ihre Vagina fest in meiner Hand zu halten und sie richtig mit kontrolliertem Druck verrückt zu machen. Dadurch kann ich regelrecht ihre Lust spüren, jeden ihrer Orgasmen wahrnehmen und die lustvolle Energie, die in diesem Moment ausgetauscht wird, fühlen. Dies ist eine der intensivsten Stimulierungsmethode der Vagina überhaupt.

Sie funktioniert im Grunde nicht anders. Sie schieben zwei, drei oder auch vier Finger in ihrer Vagina und drücken nun durch Krümmung der Finger mit den Fingerkuppen an ihren G-Punkt, als ob Sie nach etwas greifen würden. Anstatt nun nur die Finger zu bewegen, festigen Sie den Handgriff, versteifen dabei Ihren Arm und machen kraftvolle auf und ab Bewegungen mit Ihrem gesamten Arm, sodass Sie ihren G-Punkt und ihre Klitoris gleichzeitig mit der Handfläche und den Fingerkuppen richtig intensiv und druckvoll stimulieren. Dabei wird ihre ganze Vagina stimuliert, sowohl außen wie auch im Inneren. Dabei sollte Ihre Sexgespielin schon sehr stark erregt sein. Sie sollten sie außerdem langsam an die hohe Intensität heranführen. Für diese Technik ist auch ein gewisses Vertrauen von Nöten, weil hier viel Kraft im Spiel ist. Sie greifen wortwörtlich nach ihrer Muschi und schütteln diese so richtig durch.

Das mag sich eventuell etwas unangebracht und brutal anhören, aber wenn eine Frau sich auf diese starke Stimulation einlässt, dann kann sie hier unglaublich starke Orgasmen erleben, die auch dazu führen, dass sie auch spritzt (auch Squirting genannt – weibliche Ejakulation). Das bedeutet, dass sich so viel Vagina-Sekret in ihr ansammelt, dass sie dieses beim Höhepunkt (teilweise auch schon vorher) aus ihrer Scheidenöffnung spritzt. Dieser teilweise druckvoller Strahl, kann auch meterweit durch einen Raum katapultiert werden. Da dieses Ereignis ziemlich selten vorkommt, wurde bislang meist von einem Squirting oder auch einer weiblichen Ejakulation gesprochen. Tatsächlich scheint es sich hierbei um unterschiedliche Flüssigkeiten zu handeln, die aus der Harnröhre austreten. Neueste Studien haben festgestellt, dass wenn Frauen voller Erregung aus ihrer Vagina eine weißliche Flüssigkeit absondern, dies keine weibliche Ejakulation ist. Dieser Analyse zufolge beziehe sich der Ausdruck weibliche Ejakulation auf eine geringe Menge an milchiger Flüssigkeit, die aus der weiblichen Prostata stammt und während einer starken sexuellen Stimulation der Frau austreten kann. Nichtsdestotrotz wird der Begriff Squirting und weibliche Ejakulation oft in einem Atemzug genannt.

Wie Sie sicherlich bemerkt haben, ist jede der fünf Methoden eine Weiterentwicklung für die nächste. Sie fangen ganz zärtlich und harmlos mit der „Start-Up Methode“ an, dann switchen Sie ganz unauffällig zum „Selbstläufer“, statten dem versteckten „G-Punkt“ einen Besuch ab, sagen dem „A-Punkt“ auch noch Hallo, bis Sie mit der „Griff-Methode“ fast mit der ganzen Hand drin stecken. Und wenn Sie am Ende eine Frau noch zum Spritzen bringen, dann sind Sie ein Meister des Faches.

Wie befriedige ich ein Mann und bringe ihn um den Verstand?

Haben Sie sich schon mal gefragt, ob Sie Ihren Mann, Freund oder auch Lover richtig, bzw. genügend befriedigen? Wenn Sie nicht sicher sind, dann müssen Sie sich jetzt nicht mehr den Kopf zerbrechen, denn ich habe ein paar absolut heiße Tipps für Sie auf Lager. Werden Sie die verführerischste Liebhaberin aller Zeiten. Wie Sie Ihren Angebeteten beim Sex, aber auch mit der Hand und oral zum Höhepunkt oder um den Verstand bringen, das verrate ich Ihnen hier. Beim Schlendern an der Strandpromenade auf Mallorca habe ich ein jungen Mann gesehen, der ein T-Shirt trug worauf stand: „Wer bläst, wird auch geleckt!“ Ich fand den Spruch so witzig und doch passend, dass ich es fotografieren und davon berichten musste.

Nicht nur Frauen scheinen im Bett für die Herren der Schöpfung manchmal ein unlösliches Rätsel zu sein. Auch Frauen kommen an ihre Grenzen und haben schon oft genug darüber nachgedacht, wie man Männer richtig befriedigen kann. Einfach nur breitbeinig daliegen und monoton Stöhnen ist für ihn auf Dauer ja auch nicht gerade das höchste aller Gefühle. Einen Orgasmus vortäuschen, das ist nicht nur ein Fall, dass das weibliche Geschlecht betrifft, auch Männer schummeln hin und wieder, um sich elegant aus einer hoffnungslosen Situation zu befreien. Und das sogar häufiger als Frauen, wie eine kanadische Umfrage vor einigen Jahren gezeigt hat. Demzufolge haben 26 Prozent der Männer zugegeben, schon einmal oder mehrmals einen Orgasmus vorgetäuscht zu haben. Bei den Frauen waren es nur 22 Prozent, die es offen zugegeben haben. Ein Orgasmus bei einem Mann muss nicht immer eine Ejakulation zur Folge haben. Ab einem bestimmten Alter oder auch durch einen Testosteron- oder Hormonenmangel kann es zu einem sogenannten "trockenen Orgasmus" kommen. Viele Männer, die wegen einer Prostata-Behandlung verarztet werden, können beispielsweise aufgrund der verabreichten Medikamente nur noch einen "trockenen Orgasmus" bekommen oder nur wenige Tropfen ausscheiden.

Und eine stattliche Ejakulation ist auch nicht gleich ein Orgasmus. Als gute Sexgespielin sollten Sie wissen, dass eine Ejakulation beim Mann nicht unbedingt bedeutet, dass der gute Mann auch einen Orgasmus hatte. Sein Lusterlebnis hängt ganz von den Emotionen beim Liebesspiel, von der Dauer des Geschlechtsverkehrs und von der Intensität des Vorspiels ab. Wenn wir Sex haben, scheinen zwar die unteren Regionen die komplette Kontrolle zu übernehmen, doch dieser Eindruck ist nicht immer zutreffend. Erst durch ein verzwicktes Zusammenspiel von Nervenzellen und Botenstoffen wird aus der Kampfstunde ein leidenschaftliches Abenteuer. Bei den Männern spielt sich der Sex-Akt und das Lustempfängnis regelrecht in ihren Köpfen ab. Man könnte auch dazu sagen: "Schatz, mein Gehirn kommt!" Die Mechanismen, durch die das Hirn zur Schaltzentrale der Lust wird, sind noch nicht genug erforscht und halten immer noch unglaubliche Rätseln bereit. Daher fragen Sie einfach Ihren Geliebten, was ihn antörnt oder worauf er steht. Je besser Sie das Medium Kommunikation nutzen, umso genauer wissen Sie, wie Sie ihn auf die Palme der Lust bringen.

Wie kann ich also ein Mann so richtig verführen und ihn dann gekonnt zum Orgasmus bringen?

Liebe Frauen, vorab muss ich Ihnen sagen, dass Männer es lieben, oral befriedigt zu werden. Wollt Ihr richtig, dass der Typ auf Touren kommt, dann nehmen Sie das Gerät in den Mund und verwandeln Sie Ihre Zunge und Lippen in Werkzeugen der Lust. Ich garantiere Ihnen, wenn Sie zu einem hervorragenden Oral-Befriediger werden, dann wird jedermann regelrecht süchtig nach Ihnen werden und wenn Sie seine Hoden auch noch mitliebkosen, dann frisst derjenige Ihnen aus der Hand. Es sind solche kleinen Handlungen, die Großes bewirken.

Es gibt nichts schlimmeres für einen Mann, als wenn seine Sexgespielin ihn nicht oral befriedigen will oder schlecht blasen kann. Absolutes No-Go ist, wenn der Mann regelrecht bettelt oder ihr zu verstehen gibt, dass Sie ihn in den Mund nehmen sollte und sie es doch nicht tut oder sie sogar sagt: „Neee, so was mache ich nicht!“ In dem Fall muss der Mann sich viel mehr anstrengen, um zum Höhepunkt zu kommen. Und sicherlich ist es hilfreicher, wenn er es sich selber mit der Hand macht.

Sie sind gerade beim Akt und Sie wollen die Kontrolle übernehmen, jedoch wissen Sie nicht, wie Sie es anstellen sollen. Das schaffen Sie natürlich mit Leichtigkeit, wenn Sie Ihren Sexgespielen schon lange kennen, denn Sie wissen sicher, auf was er steht. Bei neuen Lovern ist es sicherlich nicht ersichtlich. Deshalb sollten Sie ergründen, wovon er träumt. Daher fragen Sie nach seinen Sex-Vorlieben und Sex-Fantasien und erfüllen Sie ihm einen Wunsch nach dem anderen. Um ihn so richtig zu verwöhnen und ihm einen unvergesslichen Orgasmus zu bescheren, können

Sie folgende Handlungen ausprobieren. Sie sollten wissen, dass bei mehreren Umfragen von Dating-Seiten herauskam, dass die heißeste Stellung für Männer ganz klar die altbekannte Hündchen-Stellung ist. Warum fragen Sie sich sicherlich? Wahrscheinlich, weil sie sich ultimativ männlich fühlen, wenn eine Frau vor ihnen auf allen Vieren kniet und sie regelrecht die Zügel in der Hand haben. Außerdem ist die Stellung an sich sehr reizvoll, schon die Betrachtung des angespannten, wohlgeformten Hinters, des nackten Rückens und der hängenden Brüste machen die Männer verrückt. Und ehrlich zugegeben, finden die Frauen diese Sexstellung auch sehr reizvoll. Wollen Sie Ihren Sexpartner so richtig befriedigen, dann legen Sie gleich am besten mit dieser sinnenraubenden Stellung los.

Auf die richtige Lingam / Glied-Massage kommt es an. Bei dieser erotischen Massage widmen Sie sich voll und ganz seinem besten Stück. Durch zärtliches Streicheln, sanfte Berührungen und Massieren seines Penis und seiner Hoden erregen Sie ihn mit Ihrer Hand so sehr, dass sein Höhepunkt sicher nicht lange auf sich warten lässt. Bei der richtigen Massagetechnik des Penis wird ein Orgasmus unglaublich intensiv. Erlaubt ist, was ihn dankbar aufstöhnen lässt und Sie alleine beim Zuschauen zum Kochen kommen. Von sanftem Reiben bis hin zu leidenschaftlichem Drücken und Kneten, eine Penis-Massage kann ganz unterschiedliche Methoden beinhalten. Sie können gleichzeitig seine Hoden in die andere Hand nehmen und sanft massieren. Diese Berührungen und gleichzeitige Fingerspiele werden ihn aus dem Häuschen bringen. Als Steigerung können Sie Ihre Brüste auch noch als weiche Massagewerkzeuge einsetzen. Sein bestes Stück zwischen den Brüsten einklemmen und langsam durchgleiten zu lassen, ist unglaublich aufregend und wird ihn wegbeamen. Außerdem können Sie das Liebkosen seines besten Stücks entweder als kleines Vorspiel oder aber als aufregenden

Endspurt setzen oder auch vorher und nachher. Er wird sich sicherlich freuen, dass Sie seinem besten Stück so viel Aufmerksamkeit schenken. Überraschen Sie zudem Ihren Sexgespielen, indem Sie ihm mit einem sanften Tuch die Augen verbinden, somit kann er nicht mehr sehen, was Sie als nächstes tun und seine anderen Sinne werden um so mehr geschärft. Dies steigert die Lust bis ins Unermessliche und macht die Sache unheimlich aufregend. Und falls Sie Ihren Liebsten nicht mit der Hand oder oral bis zum Höhepunkt auf die Folter spannen, sondern nach der Penismassage noch mit ihm geschützt schlafen möchten, dann nutzen Sie ein Gleitmittel auf Wasserbasis, denn nur das verträgt sich mit Kondomen. Ob mit oder ohne Kondom, sollten sie darauf achten, dass das Massageöl auch für den Intimbereich und die empfindliche Vaginalflora geeignet ist. In Erotik-Shops finden Sie eine sehr große Auswahl an geeigneten Ölen und Gleitmitteln.

Reden wir mal über meinen Favoriten und zwar ist es der perfekte Blowjob. Nach einer Umfrage von einer namhaften Erotisk-Zeitschrift bevorzugte der Großteil aller befragten Männer einen anständigen Bowjob, als die Penetration an sich. Die orale Befriedigung bei einem Mann ist eine Sex-Kunst für sich und der perfekte Einstieg für ein lustvolles Vorspiel. Ein Orgasmus ist dabei kein Muss, aber trotzdem eine reizvolle Handlung, die dafür sorgt, dass der Lustpegel regelrecht bis zum Anschlag steigt.

Männer vergöttern Frauen, die die Kunst des perfekten Blowjob beherrschen. Und mit der richtigen Technik können Sie ihn um den Verstand bringen. Dabei ist eine flinke Zunge, feuchte Lippen und auch viel Fingerspitzengefühl von großem Vorteil. Oralsex eignet sich super dazu, ihn beim Vorspiel schnell in die richtige Stimmung zu bringen. Ihr könnt den Blowjob aber auch als Haupt-Act zelebrieren und ihn bis zum Orgasmus bringen. Mit dieser

Vorgehensweise wird Ihr Gegenüber es jedes Mal als Highlight empfinden, wenn Sie ihm einen blasen und regelrecht verrückt danach sein. Dabei ist es wichtig, dass er es spürt, dass Sie daran auch Spaß haben, seinen Penis mit dem Mund zu verwöhnen. So wird er regelrecht süchtig nach Ihnen. Einen geblasen zu bekommen verleiht einen Mann eine gewisse Macht und ein Dominanzgefühl. Und es törnt ihn extrem an. Doch in Wahrheit haben Sie die völlige Kontrolle über ihn. Also lassen Sie sich auf das Spielchen ein und genießen Sie es, wie er vor Lust wahnsinnig wird. Blicken Sie ihm dabei immer wieder in die Augen, das steigert seine Lust noch weiter. Schließlich spüren Sie genau, dass er derjenige ist, der Ihnen bei dem Blowjob hilflos stöhnend ausgeliefert ist.

Ratsam ist es, einen Blowjob mit einem Handjob zu verbinden. Auch wenn es bei einer Oralbefriedigung hauptsächlich darum geht, seinen Penis mit Ihrem Mund und Ihrer Zunge zu verwöhnen, sind auch geschickte Hände sehr gefragt. Verbinden Sie einfach das klassische Blasen einfach mit der Handbefriedigung. Während Sie also seine Eichel mit Ihrer Zunge, Lippen und Mund liebkost, können Sie gleichzeitig den Schaft und die Gliedwurzel mit den Händen bearbeiten. Vergesst auch nicht seine Hoden, denn Männer lieben es, dort gestreichelt zu werden. Seid aber besonders behutsam und massiert mit sanftem Druck. Für die Handmassage am Schaft können Sie zusätzlich Gleitgel oder Massageöl mit ins Sex-Spiel einbauen, denn je feuchter, desto intensiver und aufregender wird es für ihn sein.

Eine orale Befriedigung kann auch als Quickie bezeichnet werden. Fast alle Männer lieben Blowjobs und auch die meisten Frauen lieben es zu machen. So gaben bei einer Umfrage eines Sex-Portals 90 Prozent der Männer und sogar 85 Prozent der Frauen an, dass die Oralbefriedigung für sie einfach zum Sex-Spiel dazu gehört.

Denn Männer genießen es nicht nur, sich mächtig zu fühlen, sie lieben und genießen es auch, dabei völlig die Kontrolle abgeben zu können. Schließlich können sie sich zurücklehnen und verwöhnen lassen und sich dabei machtvoll fühlen. Das schnelle rein und raus ist manchmal auch beim Sex kein wirklicher Genuss. Auch beim Blowjob sollten Sie sich Zeit lassen und es richtig genießen. Stellen Sie sich einfach vor, dass der Penis Ihres Sexgespielen eine Köstlichkeit wäre und Sie gar nicht genug davon kriegen. Sanfte und kreisende Berührungen mit der Zunge und mit den Lippen machen den Oralsex für ihn noch intensiver und erregender. Unter der Eichel ist vor allem das Bändchen beim Übergang zum Schaft besonders berührungsempfindlich, genauso wie die Zone zwischen Anus und Penis. Und wenn Sie merken, dass Ihr Liebster vor Lust fast abhebt, dann legen Sie eine kleine Blas-Pause ein. Der Orgasmus wird für ihn noch intensiver sein, wenn Sie ihn immer wieder hinauszögern. In den Pausen können Sie seinen Penis aber trotzdem mit sanften Küssen verwöhnen oder ihn sogar zwischen Ihre Brüste drücken und langsam rauf und runter reiben. Auch wenn Ihr Partner normalerweise auf härteren Sex steht, sind die Zähne beim Oralsex ein absolutes No-Go. Achten Sie also darauf, dass beim Blasen vor allem eure Lippen und viel Zunge zum Einsatz kommen und Sie seinen Penis immer gut anfeuchten. Ihrer Fantasie sind keine Grenzen gesetzt. Apropos die Kontrolle abgeben: Unglaublich wichtig ist, dass alle möglichen Sexstellungen mit viel Anstrengung, Konzentration und harte Arbeit für einen Orgasmus verbunden sind. Oralsex hingegen ist ein genussvoller Moment. Daliegen, sich entspannen, Augen schließen, genießen. Eine Lust-Massage für Penis und Seele, sozusagen.

Der Penis ist sicherlich eine der effektivsten erogenen Zonen des Mannes. Doch beschränken Sie sich beim Verwöhnen Ihres Sexpartners nicht nur darauf. Es gibt nämlich noch zahlreiche weitere Körperstellen, deren Stimulation zu seiner Erregung beitragen kann. Auch bei Männern sind die Brustwarzen und die Halsregion sehr erogenen Zonen. Dass Frauen empfindliche Brustwarzen, einen empfindsamen Hals und Nacken haben, ist allen bekannt. Warum sollte es dann bei den Männern anders sein? Männliche Brustwarzen werden sehr oft unterschätzt, doch sie sind bei einem Mann eine wichtige erogene Zone. Die zahlreichen Nervenenden, die in den Brustregion zusammenlaufen, sind auch bei Männern mit den Sexualorganen verbunden. Eine gekonnte Stimulierung kann auch bei ihm zu einer intensiven Erregung führen. Zwar reagieren die Herren der Schöpfung sehr unterschiedlich auf diese Methode der Anregung, doch komplett kalt lässt es keinen von ihnen. Versuchen Sie am Anfang, sehr langsam und behutsam herauszufinden, was Ihrem Sexgespielen gefällt. Starten Sie mit zarten Streicheleinheiten und leichten, kreisenden Bewegungen um die Brustwarze herum. Lange Fingernägel sind dabei sehr hilfreich, denn diese verstärken die Intensität. Nutzen Sie sowohl Ihre Finger als auch Ihre Zungenspitze. Intensives Streicheln, Küssen und Liebkosen dieser Körperregion führt bei jedem Mann fast automatisch zur Erektion. Wenn Sie merken, dass es ihm gefällt, gehen Sie einen Schritt weiter und konzentrieren Sie sich auf die Nippel. Einige Männer stehen auch auf vorsichtiges Knabbern oder Kneifen. Äußerst beliebt ist ein behutsames Saugen und Knabbern. Wenn Sie alles richtig machen, können Sie Ihren Partner allein durch diese Methode zum Höhepunkt bringen. Eine Studie fand sogar heraus, dass etwa zehn Prozent der Männer allein durch Stimulation der Brustwarzen zum Orgasmus kommen.

Zeigen Sie ihm, wie heiß Sie ihn finden. Auch hier spielen die richtigen Worte eine große Rolle. Sexuelle Erregung und Erotik entstehen erst im Kopf, denn das Gehirn ist das absolut wichtigste Sexualorgan überhaupt. Dort entscheidet sich, was uns erregt und was weniger. Alles, was mit den Sinnen wahrgenommen wird, kann antörnen. Reizvolle Worte oder auch Dirty-Talk steigern unheimlich die Lust. Sie wollen ihn sofort und fallen mit lustvollen Worten gierig über ihn her, ohne nerviges, zeitraubendes Vorgeplänkel und Werben. Bei solchen hocherotischen Vorstellungen bildet der Körper den körpereigenen Stoff Phenylethylamin, durch den ein Verlangen nach Sex entsteht. Dieses Spurenamin bewirkt einen Anstieg des Zuckerspiegels im Blut und hat wie das Dopamin eine anregende Wirkung auf das Zentrale Nervensystem und es ist auch ein Alkaloid und neben dem Theobromin einer der Hauptwirkstoffe von Schokolade. Sagen Sie ihm, wie sehr Sie ihn begehren. Sagen Sie ihm, dass Sie ihn gerne spüren würden. Sagen Sie ihm, dass Sie verrückt nach ihm sind. Überlegen Sie, wie heiß Sie es selbst finden, begehrt zu werden. Trauen Sie sich, lassen Sie keine Zurückhaltung oder Schüchternheit zu. Solche Worte, wie: „Ich habe jetzt Lust auf dich!“ oder „Ich will dich jetzt!“ bringen noch jeden Mann zum Kochen. Wenn Ihr Liebster sich so begehrt und umschwärmt fühlt, wird er Sie mit noch größerer Leidenschaft verwöhnen.

Haben Sie schon mal einen unechten Orgasmus vorgespielt?

Die Aufrichtigkeit ist eine edle Angelegenheit und dies ist sicherlich keine Frage. Trotzdem weiß jeder, dass die Lüge manchmal eine ethische Notwendigkeit ist. Etwa, um das Gegenüber nicht in Verlegenheit zu bringen oder gar zu verletzen. Zudem auch um sich sinnlosen Ärger und fruchtlose Diskussionen zu ersparen. Es ist daher etwas kompliziert mit der Wahrheit.

Angenommen, Sie hämmern schon gefühlte 20 Minuten auf Ihre Partnerin ein und geben sich weit über 15 Minuten aller Mühe,

Ihre Sexgespielin mit den Fingern zum Höhepunkt zu pushen und trotzdem kommt sie nicht zum Orgasmus. Stattdessen sagt sie die ganze Zeit: „Ja, ja, ich bin gleich so weit. Schatz, ich komm gleich. Gleich! Gleich! Ja, jetzt! Jetzt!" Und Sie denken sich, da wird doch der Hund in die Pfanne verrückt, wann kommt sie denn endlich? Sicherlich weiß sie den energieaufreibenden Einsatz von Ihnen zu schätzen. Und sicher ist auch, dass sie weiß, dass Sie nur darauf warten, dass sie dabei vor Lust regelrecht in die Luft geht. Dieser Gedanke sorgt allerdings dafür, dass sich ein gewisser Druck aufstaut und sie sich daher nicht komplett fallenlassen kann.

Frauen tun sich ohnehin schwer damit, alle Blockaden über Bord zu werfen und die völlige Hingabe des Partners selbstlos zu genießen. Natürlich hängt es auch stark davon ab, wie Sie Ihre Liebste verwöhnen, doch das spielt eine eher untergeordnete Funktion.

Lustvolles Stöhnen, lautes Schreien, Augen verdrehen, die Brust zur Decke recken, sich krümmen und zittern, das Gesicht verzerren und die Fingernägel tief in seinen Rücken des Partners krallen. Spielt sich so die perfekte Dramaturgie des vorgetäuschten Orgasmus ab? Sie glauben Ihre Partnerin würde so einen schauspielreifen Auftritt nie durchziehen? Sie werden jetzt sicherlich sagen: „Niemals! Ich hätte es auf jeden Fall gemerkt." Von wegen gemerkt. Die meisten Männer können sich kaum vorstellen, welche Schauspielkünste ihre Liebste draufhat.

Sicherlich hat es schon jede Frau mindestens einmal oder mehrmals getan, und zwar einen Orgasmus vorgetäuscht. Ich gebe zu, dass heutzutage auch Männer es gelegentlich tun und sie beenden einen Akt mit den Worten:

„Oh...Schatz! Ich bin irgendwie gerade gekommen."

Ganz besonders, wenn die Person nicht mit dem Kopf dabei ist oder sie es während des Akts bereits bereut. Das zeigte sich einmal mehr, als eine prominente Frauenzeitschrift Frauen über ihren Orgasmus befragte. Über 90 Prozent der Befragten sagten, sie hätten schon öfter als einmal einen Orgasmus vorgetäuscht. Über 90 Prozent, ist das nicht unfassbar? Es ist auch wahr, dass alles nicht immer zur Zufriedenheit klappt, oft spielt die Stimmung und das derzeitige Befinden eine große Rolle beim Sex. Dennoch sollte es nicht zur Gewohnheit werden, Ihrem Sexpartner etwas vorzuspielen. Nicht selten steckt hinter dem Fake auch ein ernstes Problem. Es handelt sich also weniger um eine schlimme Lebenslüge als um einen kleinen Kavaliersdelikt, eigentlich einen liebevollen Delikt für den Gentleman. Oder vielleicht andersherum? Oder vielleicht sogar für sich selbst? Als gute Liebhaberin oder auch liebenswerte Partnerin sprechen Sie mit Ihrem Liebsten über die Handlungen oder auch Sexspiele, die Sie anmachen. Sie wollen zum Beispiel mal einen Dreier, einen Vierer ausprobieren oder vielleicht mit einem Dildo befriedigt werden, dann bringen Sie es zur Aussprache. Ihr Partner wird es Ihnen danken und Sie werden dadurch profitieren, indem Sie den größeren Lustgewinn haben.

Es ist ein heikles Thema, das Frauen schon seit Anbeginn der Menschheitsgeschichte immer wieder beschäftigt. Steht nur die Wahrheit für Aufrichtigkeit in einer Beziehung? Oder zeugt es vielmehr von purem Egoismus, sich ein gelegentliches Fake zu erlauben, um eine Situation kontrollieren zu können? Ohne Zweifel möglich, dass die wirkliche Freiheit darin liegt, dass jede von uns selbst entscheiden kann, wie sie damit umgeht. Um die Wahrheit zu sagen, wissen auch viele nicht, wieso sie es überhaupt tun.

Stress und Routine sind Lustkiller. Erkenne Sie sie und verbannen Sie diese aus Ihrem Leben.

Es gibt unzählige Gründe, warum in der Bettabteilung nichts oder zu wenig passiert. Doch zum Glück kann man in den meisten Fällen ganz leicht etwas ändern. Es gibt ein paar Dinge, die die Lust auf Sex von Anbeginn an regelrecht zum Nullpunkt bringen. Stress, Routine und Lustlosigkeit in der Beziehung sind die häufigsten Lustbremsen im Bett. Wer ständig unter Stress steht, tausend Dinge gleichzeitig tut und denkt, hat selten Lust auf Sex. Und wenn derjenige mehr oder weniger zum Sex gezwungen wird, ist er eine Niete im Bett. Eigentlich ist ja bekannt, dass eine heiße Nummer zwischen den Laken die beste Behandlung gegen den Stress ist. Daher ist es wichtig, dass Sie sich aufraffen, nichts ist so wichtig, dass es auch nicht später erledigt werden könnte. Also gönnen Sie sich eine Auszeit, um Spaß mit Ihrem Partner zu haben. Ihre Aufgabenliste wird sicherlich nicht weglaufen.

Haben sich in Ihrem Sexleben Gewohnheit und Eintönigkeit eingeschlichen? Kennen Sie Ihren Partner schon zu gut, sodass der gemeinsame Sex einfach langweilig ist? Sie haben daher auch mehrere Wochen, wenn nicht Monate keinen Sex mehr? Kicken Sie die Routine einfach weg, mit neuen Orten für Sexspiele, neuen Stellungen, neuen Praktiken und einfach mit viel mehr Energie und Lust auf einander. Lassen Sie Ihre Fantasie spielen und verwandeln Sie Ihr Liebesleben wieder in etwas Aufregendes, voller Spannung und Würze. Überraschen Sie Ihren Partner mit einem Dinner bei Kerzenlicht im Wohnzimmer, einem Wellnesswochenende in einem Luxushotel, erwarten Sie ihn in einem durchsichtigem Negligée, in aufregenden Sexy-Dessous oder mit High-Heels und einer sexy Perücke. Ich versichere Ihnen, dass Sie sich wundern werden, wie Ihr sonst so lustloser Partner auf einmal wie eine Rakete abgehen wird und welch feuriger Liebhaber immer noch in ihm steckt.

Schon nach ein paar Jahren Beziehung, speziell wenn man eine gemeinsame Wohnung teilt, schleicht sich unbemerkt die Routine ein, wie eine alte Szene, die sich in einer Dauerschleife sich immer wieder abspielt. Das ist auch ganz normal und passiert in den liebevollsten Beziehungen. Aber wenn sich Ihr Sexleben irgendwann darauf reduziert, dass Sie mit Ihrem Partner am Sonntagabend oder nach dem gemeinsamen Dinner eine schnelle Nummer schieben, in der immer gleichen, langweiligen Missionarstellung und ohne viel aufregende Fantasie oder liebevollem Vorspiel, dann ist das auch nicht gerade antörnend, ehrlich gesagt.

Intersexualität: Wie steht es eigentlich mit der dritten Option? „Divers“

Angesichts der Vielzahl an unterschiedlichen Merkmalen und die Tatsache, dass diese Menschen sich nicht in das binäre Geschlechtssystem „männlich“ oder „weiblich“ einordnen lassen (können), ist die Frage nicht leicht zu beantworten. Ich sage mal einfach, es kommt darauf an, was Sie in der unteren Abteilung vorfinden. Vielleicht finden Sie beim Ausziehen eine Wurst? Eine Sackgasse? Vielleicht beides? Oder vielleicht was ganz anderes und Sie haben die erste Begegnung der dritten Art. Spaß beiseite, schon immer gibt es bestimmten Personen, die man von ihren biologischen Geschlechtsmerkmalen her nicht eindeutig als Frau oder Mann identifizieren werden können. Bis Oktober 2017 gab es diese Art von Bezeichnung offiziell noch gar nicht. Erst nach langer Überlegung hat das Bundesverfassungsgericht eine revolutionäre Entscheidung getroffen und zwar, dass eine dritte Geschlechtsbezeichnung amtlich werden muss. In Zukunft soll es auch der Eintrag „Divers“ im Geburtenregister eingetragen werden können. Bei Diversen, auch intersexuellen Menschen genannt, sind die Geschlechtsmerkmale, also zum Beispiel Chromosomen, Gonosomen, Hormone, Keimdrüsen (Hoden, Eierstöcke, Mischgewebe) sowie innere und äußere Genitalien nicht eindeutig ausgeprägt. Die Genitalien sind meistens in einer Mischform zwischen männlich und weiblich ausgeprägt. Sie verfügen also über männliche und weibliche Merkmale, etwa weibliche Geschlechtsteile und männliche Chromosomen oder auch andersherum. Nicht selten bezeichnen sich diese Menschen selbst als „Zwitter“ oder „Hermaphroditen“. Die meisten der intersexuellen Menschen stellen auch erst während der Pubertät fest oder auch schon vorher, dass ihr Körper nicht dem Geschlecht entspricht, das sie eigentlich leben oder fühlen. Auch nach der Geburt und während der Wachstumsphase können noch körperliche Transformationen auftreten, die aus einem vermeintlich normalen Kind einen intersexuellen Menschen machen können. In der Praxis kann sich Intersexualität so herauskristallisieren, dass zum Beispiel sowohl Eierstöcke als auch Hoden vorhanden sind, dies allerding sind sehr seltene Fälle.

Nur in Deutschland gibt es nach Schätzungen des (VIM) Vereins Intersexueller Menschen etwa 100 000 bis 150 000 Intersexuelle Personen, andere Statistiken gehen von einer viel höheren Zahl aus. Transsexuelle hingegen haben eindeutige Geschlechtsmerkmale, fühlen sich aber dem anderen Geschlecht zugehörig oder beiden.

In solchen Fällen spielt die Kommunikation eine unheimlich wichtige, wichtige Rolle für guten Sex. Dass die Verständigung noch wesentlich zentraler ist als bisher bekannt war, zeigen verschiedene Studien medizinischer Universitäten zu den Auswirkungen des Hormons Oxytocin, das im Hypothalamus produziert wird. Oxytocin ist ein Neurotransmitter und ein Hormon zugleich und hat damit eine Vielzahl an Wirkungen im ganzen Körper. Dieser Wirkstoff besteht aus einer Vielzahl von Aminosäuren und wird von der Hirnanhangdrüse ins Blut abgegeben. Es ist auch bekannt als das Kuschelhormon oder Bindungshormon und spielt eine entscheidende Rolle, wenn es um Ihr Wohlbefinden geht.

Transsexuelle bis bisexuelle oder auch binär ausgerichtete Personen erleben Sex unterschiedlich. Doch egal welche sexuelle Orientierung die Person hat, die Kommunikation ist immer das zentrale Bindeglied. Und egal, wie divers auch ein Diverser sein mag, dieser besitzt auch einen Hypothalamus, der alle möglichen Neurotransmitter und Hormone produziert. Umso mehr sehnen sich diese Personen nach Liebe, Kuscheleinheiten, Zuneigung und sexuellen Erlebnissen.

Verstärkt in den letzten Jahren kam es zu einer intensiveren Forschung, die sich mit dem Thema Lust beschäftigt. Mit verschiedenen Techniken wird versucht zu definieren, was denn Lust oder Begierde überhaupt sind und welche Neuerungen oder auch Störungen auftreten können. Verantwortlich dafür ist die Libido, demzufolge ist auch die Bezeichnung von Einschränkungen der Libido im Fachchinesisch auch unter Libidoverlust bekannt. Dabei können sich die Symptome der Störung sowie körperlich als auch psychisch auswirken, dahinter können sowohl organische als auch psychisch-soziale Ursachen stecken, von sexueller Inappetenz, Hyposexualität oder auch Frigidität. Darunter versteht man eine Störung des sexuellen Verlangens und des Geschlechtstriebes. Die Betroffenen haben einfach keine Lust mehr auf Sex und bauen einen undurchdringlichen Panzer um sich. Daher ist Umdenken unheimlich wichtig. Und leidenschaftlicher Sex kann aus so einer Krise der Lustlosigkeit helfen und zwischenmenschliche Beziehungen festigen, aber nicht nur das. Denn schließlich ist Sex nichts anderes als eine der schönsten, intimsten Formen der Kommunikation. Dabei spiegelt die Qualität der partnerschaftlichen und körperlichen Anziehung eine große Rolle. Denn wenn sich eine Person in sexueller Hinsicht angenommen und begehrt fühlt, dann spürt sie dies auch als Partner oder Partnerin so. Wenn aber auf der körperlichen Ebene diese Gefühle des Verlangens ausbleiben, wirkt sich das meist auch auf der partnerschaftlichen Ebene aus.

Die besten Sexstellungen

Beim Sex zum Orgasmus kommen und am besten auch noch gemeinsam? Das wäre natürlich das Non-Plus-Ultra. Leider haben Männer eine bessere Chance, zum Orgasmus zu kommen als Frauen. Auch wenn es von vielen verschiedenen Faktoren abhängt, ob Frauen beim Sex Spiel kommen. Frauen lieben es, sich beim Sex-Spiel einfach fallen lassen und vom stressigen Arbeitstag abschalten zu können. Es ist somit Ihre Aufgabe, die Führung zu übernehmen und Ihre Partnerin in eine andere Dimension der Lust zu bringen. Und wenn Sie sich unsicher sind, auf was Ihre Partnerin überhaupt steht, dann versuchen Sie einfach, mit ihr offen darüber zu reden. Wenn Sie schon einige Male miteinander Sex hatten und ein Grundvertrauen bereits vorhanden ist, dann ist es viel leichter und Sie probieren es einfach aus. Sollte sie auf etwas nicht stehen oder die eine oder andere Stellung nicht mögen, wird sie es Ihnen schon mittteilen.

Alles beginnt natürlich mit der richtigen Sexstellung. Das müssen auch keine knochenverdrehenden Stellungen sowie aus den Pornofilmen sein, für die Sie super gelenkig sein müssen. Meistens ist es hilfreich, sich einfach zu fragen, wie kann der Mann mit dem Penis tief in die Vagina eindringen? Ist das Becken gut positioniert? Liegt der ganze Körper in einer angenehmen Position? Können die Stöße die Klitoris, den G- oder A-Punkt stimulieren?

Im Kamasutra zum Beispiel finden Sie eine unglaublich große Auswahl an Sexstellungen und Sexpraktiken. Es gibt jedoch einige Sexstellungen, bei denen die Frau gleichzeitig vaginal und auch klitoral stimuliert werden kann. Mit solchen Stellungen können Frauen viel leichter zum Orgasmus kommen. Die Konfessionsstellung (Missionarsstellung) ist einer der sexstimulierende Sexstellung überhaupt und auch eine der beliebtesten. Bei dieser Stellung sollten Sie sich weit zu ihr nach vorne positionieren, damit sie auch an der Klitoris stimuliert wird. Bei der Pferdstellung (Reiterstellung) hingegen, die auch eine der begehrtesten Stellung ist, muss die Frau sich weit zu Ihnen mit ihrem Becken nach vorne lehnen, damit sie den Druck auf den Kitzler erhöhen und auch selbst den Winkel bestimmen kann. Diejenige, die reitet, bestimmt weiterhin das Tempo und die Intensität selbst, aber vor allem wird durch die Reibung und auch durch die umgedrehte Ausrichtung der G-Punkt stärker oder schwächer stimuliert. Und das lohnt sich für alle Frauen, die dort besonders erregbar sind. Außerdem wird durch die Pferdestellung der vordere Teil der Vagina stärker berührt und das ist vor allem für die Frauen interessant, die einen klitoralen Orgasmus bevorzugen.

Eine weitere Sexstellung ist eine Abänderung der Konfessionsstellung. Ich nenne diese Stellung die Sünderstellung.

Hierbei muss sie ihre Beine auf Ihren Schultern ablegen und das Becken etwas anheben, während der obere Stellungsnehmer vaginal oder auch anal in sie eindringt. Der Anus präsentiert sich in dieser Position offen und entspannt, während der Penis kontrolliert eindringen kann. Zudem kann sich die Sexgespielin mit der Hand selbst verwöhnen. So steht gemeinsamen Orgasmen nichts im Weg. Der Vorteil bei dieser Stellung liegt darin, dass Sie sehr tief in sie eindringen können. Der Penis kann mit einer anderen Ausrichtung in die Vagina eindringen und so viele andere Lustpunkte stimulieren.

Wenn Sie gezielt ihren G-Punkt stimulieren möchten, dann ist hierfür die Gabelstellung (Löffel-Stellung) am besten geeignet. Bei dieser Stellung ist der Eindringswinkel ideal, um den G-Punkt am intensivsten stimulieren zu können. Die Sexgespielin liegt seitlich auf dem Bett. Auf den Unterarmen ruhend und die Beine leicht angezogen, sodass die Vagina und der Anus zugänglich ist. Der Mann dringt nun von hinten, über sie gebeugt, ein. Eine Sexstellung, zwei unterschiedliche Empfindungsmöglichkeiten, da sie sowohl anal als auch vaginal funktioniert. Durch die Position präsentiert sie sich entspannt offen ihrem Partner, der so sanften Einstieg zum Vaginal- oder auch Analsex findet. Zusätzlich kann er ihren Nacken, Rücken und Hintern liebkosen oder auch stimulieren. Das schafft nicht nur Intimität, sondern steigert auch die Intensität des Sexspiels.

Es gibt natürlich hunderte von aufregenden Sexstellungen. Ich habe meiner Meinung nach die heißesten für Sie aufgelistet, die unter die Haut gehen und die garantiert für einen Höhepunkt sorgen werden.

Fangen wir mal mit der heißgeliebten Wolfsstellung (Hündchen-Stellung) an. Wie funktioniert dieses Kunstwerk von Stellung? Die Frau kniet auf allen Vieren vor dem Mann und er dringt von hinten in sie ein. Dabei fühlt er sich mächtig und kann die Stärke der Stöße regulieren. Weiterhin kann er auch seine Hände an ihr Becken legen, um die Bewegungen führen zu können oder auch mit den Fingern ihre Klitoris sanft massieren. Auch eine sehr beliebte Stellung für Anal-Verkehr.

Die Vorteile bei dieser Stellung sind, dass beim Sex in der Wolfsstellung der G-Punkt und sowohl auch der A-Punkt der Frau besonders stark stimuliert werden können, deswegen lieben viele Frauen diese Position beim Sex. Wenn die Sexgespielin ihren Oberkörper noch zusätzlich nach unten beugt, bzw. wenn sie ihren Kopf auf die Matte legte, dann verstärkt sich die Reibung auf den G-Punkt und zugleich Klitoris um so mehr. Ab und zu während den Stößen kann ihr ein sanften Klapps auf den nackten Hintern nicht schaden. Und nicht vergessen, mit den freien Händen können Sie sowohl ihre Klitoris stimulieren oder auch ihre Brüste massieren. Der Orgasmus ist garantiert.

Machen wir weiter mit der Elefanten Stellung. Wie funktioniert diese, fragen Sie sich sicherlich. Und so funktioniert diese aufregende Stellung. Die Frau legt sich hierfür auf den Bauch und auf ihre Ellenbogen stemmt sie ihren Oberkörper. Der Mann legt sich zunächst mit dem Bauch auf den Rücken der Frau und gleitet mit seinem Penis von hinten sie ein. Anschließend stützt er seinen Oberkörper mit durchgedrückten Armen nach oben und liebkost dabei ihren Nacken. In dieser Stellung kann er ganz besonders tief in sie eindringen.

Der Vorteil bei dieser Stellung ist, dass er sehr tief in sie eindringen kann und die Partnerin selbst gar nicht viel dabei tun muss. Auch für Anal-Verkehr sehr geeignet. Super beliebt für kleine Faulpelze, die nur genießen wollen und einen intensive G-Punkt-Stimulation lieben. Die sogenannte Elefanten-Stellung sorgt sowohl beim Mann als auch bei der Frau für intensive

Höhepunkte. Diese Position aus dem indischen Kamasutra ist dabei sogar ohne komplizierte Verrenkungen möglich.

Wie finden Sie die offene Kerze? Und wie funktioniert diese Stellung? Diese aufregende Stellung verspricht unglaubliche Emotionen und zugleich tiefe Einblicke über die üppige Prärie. Bei dieser Sexstellung liegt die Frau auf dem Rücken, auf dem Bett oder auf einer erhöhten Ebene, wie dem Küchentisch oder Waschmaschine. Sie streckt offenherzig die Beine, wie bei einer Kerze in die Höhe und spreizt sie auf. Schon der aufregende Hingucker bietet dem Mann unglaubliche Emotionen. Der Mann steht vor ihr oder kniet im Bett und dringt von vorne in sie ein. Sie hat dabei die Hände frei, um sich zusätzlich an Brustwarzen oder Klitoris zu verwöhnen, während er ihre Beine mal enger zusammenpressen, mal auf Seite schiebt oder weit auf spreizten kann, je nachdem wie intensiv die Lust gerade ist.

Der Vorteil bei dieser Stellung ist, dass die Frau variieren kann und das Becken höher nach oben schieben oder relaxt unten lassen kann. Der Mann kann dabei die Intensität der Stöße regulieren und wie tief er in ihre Vagina eindringt. Zudem kann er mit den Oberkörper weiter nach vorne kippen oder wieder zurück und den Eintrittswinkel zu verändern. Am besten gibt man dem Sexpartner während den Spiel einen Feedback, wie es beim Verkehr am angenehmsten ist.

Oder stehen Sie auf einen kräftigen Cappuccino? Und wie funktioniert diese Stellung? Schau mir in die Augen, Amore. Sie stehen ihr direkt gegenüber, mit einem Arm umarmen Sie sie fest an sich und drücken ihre Brüste an Ihren Oberkörper. Mit der anderen Hand drücken Sie ihr Becken zu Ihrem. Am besten macht sich diese Sexstellung, wenn sie High-Heels trägt oder auf Zehenspitzen steht, um so ihren Sexgespielen leichter in sich eindringen lassen zu können. Eng umschlungen, wie zwei

Schlangen die sich paaren, kann er nun mit seinem Penis in ihr eintauchen.

Die Vorteile bei dieser Stellung sind viel Intimität, Nähe und intensive Emotionen, bei der neben vaginalen Genüssen auch die Klitoris durch viel Körperreibung nicht zu kurz kommt. Und da beide Becken eng beieinander sind, können sich mit kreisenden Bewegungen auch intensiv ineinander bewegen für eine tiefe vaginale und bzw. klitorale Stimulation. Sie haben außerdem die Hände frei und können zusätzlich ihren Rücken und Hintern streicheln, zudem auch ihren Busen und die Nippel streicheln oder auch ihren Anus massieren. Egal ob Sie Ihren Sexpartner mit Ihren Lippen liebkosen oder sie mit den Fingern überall streicheln, sorgt diese intime Stellung für berührende Zweisamkeit.

Was Sie über Analverkehr wissen sollten

Schon bei den alten Griechen und Römern war Analsex eine der beliebtesten Sexpraktiken. Da es zu der Zeit keinerlei Verhütungsmitteln gab, war der andere Eingang die sichere und lustvollere Variante. Die Sexpraktik Analsex wird oft von vielen gefürchtet, aber häufig und sehr gerne praktiziert. Doch vielleicht hätten auch Angsthasen Lust darauf, wenn Sie mehr über das Thema und seine unglaublichen Emotionen wüssten. Viele sind der Meinung, dass Analsex schmutzig und schmerzhaft ist. Doch das ist nicht so, vorausgesetzt, Sie gehen es richtig an. Dann kann diese Sexpraktik für beide zu einer ganz speziellen Lusterfahrung in der Beziehung führen, die Ihr Sexleben auf ein neues Lustlevel hebt. In den nächsten Anhaltspunkten verrate ich Ihnen die Wahrheit über Analsex.

Doch bevor Sie sich Gedanken über eine konkrete Planung machen oder möglicherweise sogar Hilfsmittel besorgen, sollten Sie mit Ihre Sexgespielin über Ihre Experimentierlust sprechen. Wenn Sie schon länger mit der Person liiert sind, wird sie wahrscheinlich zunächst staunen und Ihren Wunsch mit Skepsis annehmen. Doch Sie brauchen erst ihre Zugangserlaubnis, also erbitten Sie eine Eintrittskarte. Vielleicht ahnt Ihre Liebste überhaupt nicht, wie diese neue Sexpraktik das Sexleben für beide Seiten bereichern kann. Sprechen Sie das Thema mit Ihrer Partnerin in einer Situation an, in der Sie beide entspannt sind, zum Beispiel nachdem Sie Sex gehabt haben. Gehen Sie das Gespräch allerdings gut überlegt an. Ihre Partnerin soll nicht annehmen, dass Sie unzufrieden oder nicht genug befriedigt mit Ihrem Sexleben sind. Sogar im Gegenteil. Geben Sie ihr zu verstehen, dass Sie, so viel Spaß mit ihr haben, gern gemeinsam neue Praktiken ausprobieren würden. Auch wenn Sie bereits mit ihr darüber gesprochen haben, dass Sie die anale Stimulation mit in die Handlungen einbringen wollen, sollten Sie Ihre Partnerin nochmals fragen, bevor Sie loslegen. Sie sollte wirklich bereit sein, damit es für beide ein schönes Erlebnis wird und beide es genießen können.

Ihre Sexgespielin wird es Ihnen danken, wenn Sie sie zuvorkommend und mit großer Einfühlsamkeit behandeln. Und nicht nur das, Sie brauchen für das erste Mal Analverkehr eine richtige und individuelle Vorbereitung. Fingerspitzengefühl, Gespür und Geduld sind beim Analverkehr gefragt. Bereiten Sie den Anus Ihrer Partnerin sanft mit Ihrem Daumen auf die Penetration vor. Zur Stimulation und zugleich auch Befeuchtung können Sie die Zunge oder andere Finger verwenden. Mit Gleitgel oder auch eigener Spucke können Sie den Anus durch sanftes massieren erweitern. Lassen Sie sich bei der Vorbereitung richtig viel Zeit. Machen Sie zuerst kreisende Bewegungen um den Anus, das entspannt den Schließmuskel. Die Lust Ihrer Partnerin steigt dabei, weil sie die vielen empfindlichen Nervenenden stimulieren. Im nächsten Schritt können Sie den befeuchteten Finger vorsichtig einige Millimeter in ihren Anus einführen. Ganz langsam dringen Sie hinein und wieder raus und dies wiederholen Sie es einige Male. Wenn sich Ihre Liebste an den Eindringling gewöhnt hat, dürfen Sie behutsam mit den Daumen oder zwei Fingern in sie gleiten. Sie sollten darauf achten, dass Ihre Fingernägel richtig kurz geschnitten sind und auch nicht scharfkantig, denn dies könnte Sie verletzten und schmerzhafte Infektionen verursachen. Hier einige hilfreiche Fragen, die Sie vielleicht schon immer beschäftigen.

Wieso ist Analsex so Aufregend?

Analsex an sich ist für die meisten Männer unheimlich verlockend, da der Schließmuskel am Ausgang des Darmes enger und fester als der vaginale Eingang ist. Somit kann beim Akt eine intensivere Reibung zu höheren Emotionen und noch mehr Erregung führen. Frauen finden Analsex aber auch sehr verlockend und praktizieren ihn mit großer Freude. Da unzählige Nervenenden sich im und um den Anus befinden, können diese bei ausreichender und gekonnten Stimulation zu unglaublichen Orgasmen führen. Viele Paare, die ein langweiliges Sexleben haben, probieren Analverkehr zum ersten Mal aus, um Abwechslung ins Liebesspiel zu bringen.

Tut Analverkehr weh?

Um Spaß am Analsex haben zu können, sollten Sie einige grundlegende Dinge beachten. Analsex ist kein Quickie. Analsex benötigt viel Zeit und ist betont langsam und gefühlvoll. Denn wenn Sie zu schnell oder unvorbereitet in sie eindringen, riskieren Sie nicht nur, dass beide Seiten Schmerzen beim Sex haben. Und dies führt nur dazu, dass Ihre Liebste sicherlich keine Lust mehr hat und Sie haben sich die Chance auf ein nächstes Mal verspielt. Damit so eine unangenehme Situation nicht passiert, sollten Sie unbedingt Gleitgel oder viel Spucke beim Akt benutzen, da der Darm anders als die Vagina ist und kein natürlich gleitendes Sekret produziert. Daher sollten Sie ein Gleitgel auf Wasser- oder Silikonbasis verwenden, damit der Penis sanft den Muskel erweitert und die Party stattfinden kann. Besonders sanft und sehr geduldig sollten Geschlechtspartner miteinander umgehen, wenn Sie Analsex ausprobieren möchten, sodass die Angst schwindet und Verkrampfungen vermieden werden können. Sie sind die häufigsten Gründe für Furcht und Schmerzen. Wie ich bereits erwähnt habe, ist es wichtig, dass Sie zunächst mit den Fingern den Anus erweitern und sanft massieren, um ihn an den Penis anzupassen. Sobald Sie mit Ihrem Daumen problemlos eindringen können, ist der Lustladen offen. Also bei richtiger Vorbereitung tut Analverkehr nicht weh.

Planen Sie im Voraus den perfekten Moment, denn für schmerzfreien und genussvollen Analverkehr ist vor allem sehr wichtig, dass Ihre Partnerin sich entspannen kann. Sie sollte Ihnen blind vertrauen können. Die meisten Frauen können sich in der Regel besser in gewohnter Umgebung fallenlassen und dies sollten Sie berücksichtigen. Daher sollten Sie dafür sorgen, dass Raum und Zeit ihren Wünschen entspricht. Wenn Sie Analverkehr das erste Mal gemeinsam ausprobieren, sollten Sie einen klaren Kopf und volle Aufmerksamkeit für die Partnerin haben. Doch wer so mutig ist und beim Sex überraschend den Hintereingang wählt, obwohl es vorher nicht abgesprochen war, handelt sich großen Ärger ein. Desweiterem bleibt sicherlich die Hintertür für das Abenteuer Analtraum garantiert für immer verschlossen. Ein Eindringen sollte also auf jeden Fall erst dann praktiziert werden, wenn der Sexpartner Ihnen deutlich zu verstehen gibt, dass sie oder er bereit ist. Nehmen Sie Rücksicht auf die Wünsche und Vorlieben Ihres Sexpartners. Sollte sie oder er Analverkehr kategorisch ablehnen, akzeptieren Sie es und versuchen Sie nicht, die Person hartnäckig umzustimmen.

Ist Analverkehr unhygienisch oder sogar Gefährlich?

Die meisten Unwissenden halten Analsex für unhygienisch und schmutzig. Sie bezeichnen diesen Verkehr gar als eklig und sogar riskant. Jedoch ist Analverkehrs sauberer und lustvoller als vermutet. Jedoch sollten Sie auf jeden Fall auf die Hygiene achten. Und wenn Sie auch Ihre Zunge mit ins Spiel einbringen möchten, sollten Sie um so mehr Wert auf die Sauberkeit des Sexpartners legen. Vor dem Akt sollten Sie vielleicht eine gemeinsame Dusche oder ein Bad nehmen. Machen Sie es zum Teil des Vorspiels, bei dem sich die Frau entspannen und zugleich fallenlassen kann darf. Spezielle Darmspülung oder gar der Einsatz von einer Klistierpumpe müssen Sie nicht durchführen, weil der Anus in der Regel nach dem Bad sauber genug ist. Eine gründlich durchgeführte Analdusche schadet sicherlich auch nicht. Wenn Sie trotzdem Zweifel haben und sich noch Sorgen um die Hygiene machen, sollten Sie ein Kondom verwenden.

Sie sollten wissen, dass Sie beim Analsex nur mit dem Darmausgang in Berührung kommen, die künftigen Ausscheidungen befinden sich jedoch in der Regel weiter hinten, im bis zu zwanzig Meter langen Darm.

Wenn Sie sich aber trotzdem vor dem Kot im Darm ekeln, ist ein Toilettengang vor dem Sex empfehlenswert. Was Sie auch beachten sollten, ist, dass vor dem Akt Ihr Penis gründlich gereinigt werden sollte, um mögliche Infektionen zu vermeiden. Ratsam ist es immer, sich mit einem Kondom zu schützen, denn auch durch Analverkehr können Krankheitserreger wie H.I.V. und andere übertragen werden. Zudem ist der Anus und die Darmwand empfindlicher als die Scheidenwand und Keime können Infektionen verursachen.

Kann der Schließmuskel ausleiern und nicht mehr richtig schließen?

Sie brauchen sich da keine Sorgen zu machen, der kräftige, dehnbare Schließmuskel kann auch durch häufigen Analsex nicht ausleiern oder die Intensität verlieren. Sie können sogar Ihren Schließmuskel durch effektive Beckenbodenübungen kräftigen und so noch mehr Spaß beim Verkehr empfinden. Solche Übungen funktionieren übrigens auch für den klassischen Geschlechtsverkehr.

Kann Analsex Inkontinenz oder Darmprobleme verursachen?

Wenn Sie den Analsex mit der nötigen Hygiene, äußerster Vorsicht, entspannt und mit ausreichend Gleitgel durchführen, ist es höchst unwahrscheinlich, dadurch inkontinent zu werden. Größere Verletzungen hingegen können die Gefahr durchaus bergen. Wenn Sie jedoch die Signale Ihres Körpers wahrnehmen und bei Schmerzen rechtzeitig aufhören oder zu mehr Gleitgel greifen, kann eine Inkontinenz oder andere Unannehmlichkeiten ausgeschlossen werden.

Erektionsprobleme? Potenzstörung?

Wenn ein Mann plötzlich nicht kann oder die nötige Steifheit des Penis erreicht wird, kann das zum Beispiel an Stress, falscher Ernährung, Drogen oder Beziehungsproblemen liegen. Aber auch organische oder psychische Ursachen können Schuld daran sein. Natürlich auch Durchblutungsstörungen, Diabetes oder eine Unterfunktion der Schilddrüse. Bestimmte Medikamente haben ebenfalls einen negativen Einfluss auf die Standhaftigkeit. Gelegentliche Erektionsstörungen sind normal, auch sehr junge Männer können welche haben, doch treten diese regelmäßig auf, sollte man sich untersuchen lassen.

Mit einfachen Maßnahmen und individuellen Anwendungen können Erektionsprobleme rechtzeitig vorbeugt werden. Vermeiden Sie daher zu hohen Konsum von Alkohol, denn alkoholische Getränke steigern zwar vorerst die Sex-Lust, dämpfen aber gleichzeitig den Organismus und verzögern somit die sexuellen Reflexe. Außerdem können zu hohe Cholesterinwerte und zu viel Rauchen die Gefäße verengen. Je durchgängiger und besser erweitert die vielen Blutgefäße im Penis sind, desto schneller findet die Erektion statt. Alles, was die Arterien und Gefäße verengt oder verstopft, kann gravierende Probleme verursachen und ich rede nicht nur von

Erektionsproblemen. Zudem schädigt Nikotin die glatte Muskulatur des erektilen Gewebes und erschwert eine Erektion. Daher frage ich Sie: Stängel oder Latte? Sie sollten sich entscheiden. Wenn Latte, dann stellen Sie jetzt bitte das Konsumieren von Tabak ein.

Diejenigen, die aber jede freie Minute Sport treiben, täglich übertreiben und es einfach nicht seinlassen können, sollten sich auch im Klaren sein, dass es überhaupt nicht gesund ist. Wer sich im Training total verausgabt und dies ständig tut, drosselt die Produktion der Sexualhormone und schädigt damit dem ganzen Organismus. Bekannt ist, dass bei exzessivem Sport verstärkt körpereigene Endorphine ausgeschüttet werden. Jedoch können diese zwar ein rauschartiges Gefühl und sogar Glücksgefühle erzeugen, hemmen aber drastisch die sexuelle Erregung.

Viel schlimmer sind aber Stress, Angst und Ärger, denn dann schaltet unser Organismus reflexartig auf Alarm-Bereitschaft und fällt automatisch in ein Notlaufprogramm. Vom Gehirn wird Adrenalin produziert und macht uns flucht- oder kampfbereit. Dazu müssen die Muskeln optimal mit Sauerstoff versorgt werden, für eine Erektion bleibt kein Blut übrig. In kurzen Worten: Der Pipi bleibt schlaff.

Eine stattliche Erektion braucht Blut, unheimlich viel Blut. Sagen wir um die Rakete zu starten, brauchen Sie Blut. Also geben Sie es ihr. Nehmen Sie genügend Vitamine A, C und E zu sich, die reinigen Ihre Blutgefäße, sorgen für Energie und steten Durchfluss. Verstauen Sie daher Ihren Penis so, dass er Richtung Bauchnabel zeigt. Das entlastet die Bänder und sorgt für Auftrieb. Oder wird vielleicht Ihr Prachtstück nicht mehr so richtig hart? Dann trainieren Sie den Erektionswinkel indem Sie Ihre Pobacken immer wieder zusammenkneifen. Morgens, mittags und abends jeweils 25 Mal, kontinuierlich steigern bis auf 50 Mal.

Stress oder Erfolgsdruck und zwar nicht nur in der Beziehung, sondern etwa im Beruf oder auch in der Familie, beschäftigt Menschen oft so stark, dass sie sich nicht fallen lassen können. Finden Sie also heraus, ob solche Auswirkungen, die außerhalb der Beziehung liegen, Ihr Liebesspiel beeinträchtigen könnten. Und wenn sich bei Ihrer Recherche herausstellt, dass es doch um Probleme zwischen Ihnen geht, dann wäre es einen Versuch wert, bei einer Partnerschaftsberatung einen Termin auszumachen.

Und wenn Sie zwar schnell eine Erektion herzaubern können, aber Ihr Penis kurz vor dem Sex immer schlaff wird, dann ist es nicht unbedingt der beste Weg, es immer wieder zu versuchen. Denn dadurch geraten Sie mehr und mehr unter Erfolgsdruck. Und Ihre Sexgespielin wird sich dabei alle möglichen Gedanken machen, wie: „Oh, er kriegt kein Steifen bei mir." oder „Er findet mich nicht attraktiv genug." Daher Switchen Sie zu Plan B und bleiben Sie also erstmal bei dem, was Sex außer Geschlechtsverkehr noch sein kann, wie ich in diesem Kapitel beschreiben habe, setzten Sie Ihre Fingerfertigkeit und Ihre Zunge ein. Und machen Sie sich erst in zweiter Linie Gedanken über Lösungsansätze. Ein wichtiger Tipp noch vorweg: Ein vorschneller Griff zu Medikamenten wäre sicher die falsche Entscheidung.

Sie sollten wissen, dass wenn es hin und wieder im Bett nicht klappt, ist das kein Weltuntergang und auch nicht schlimm. Wir sind nämlich keine Maschinen. Wir sind Menschen aus Fleisch und Blut. Vieles hängt im Allgemeinen von unseren Empfindungen, unserem Gemüt und von unserer Tagesform ab. Die häufigsten Ursachen für Erektionsprobleme sind meist Stress in der Arbeit, Erfolgsdruck oder Beziehungsprobleme. Das bedeutet die Unfähigkeit, eine ausreichende Steife des männlichen Glieds für einen befriedigenden Geschlechtsverkehr erlangen zu können. Bei den meisten Männern ab 45 tretet der Ursprung für

Erektionsstörungen kombiniert auf. Beispielsweise gehen Durchblutungsstörungen häufig gleichzeitig mit dem Verlust von glatten Muskelzellen im Schwellkörper und auch einer Beckenbodenschwäche einher. Sollten Sie gar nicht mehr in der Lage sein, eine Erektion zu bekommen beziehungsweise diese aufrecht zu erhalten, könnten Sie auch an einer Erektionsstörung, auch als erektile Dysfunktion bekannt, leiden. Sprechen Sie mit einem Facharzt, er kann Ihnen geeignete Therapien oder auch Medikamente empfehlen.

Mentaler Orgasmus

Einen Orgasmus alleine durch die Kraft der Gedanken? Ist so etwas überhaupt möglich? Der mentale Orgasmus klingt wie ein Mythos, zu aufregend um wahr zu sein. Es gibt Frauen und sogar Männer, die davon berichtet haben, dass sie während einer Meditation, einer Selbsthypnose oder sogar beim Schlafen einen mentalen Orgasmus erlebt haben. Tatsache ist der männliche Orgasmus ziemlich einfach, doch der weibliche Orgasmus ist wahnsinnig kompliziert. Es gibt unzählige Arten von Höhepunkten und das ist nicht nur beim Sex oder Selbstbefriedigung, sondern auch von Partner, Empfindung und Situation.

Waren Sie schon mal so geil, dass nur die kleinste Berührung wie eine Explosion durch Ihren ganzen Körper zog? Das ist vermutlich die richtige Ausganglage für einen mentalen Orgasmus. Forscher der kanadischen Vancouver-University haben jetzt sogar wissenschaftlich belegt, dass Frauen und vereinzelt auch Männer auch ohne jegliche Berührungen zum Höhepunkt kommen. Dabei haben die Forscher Gehirnströme verschiedener Individuen gemessen. Alle Personen befanden sich in unterschiedlichen Situationen. Eine Frau lag neben ihrem Mann im Bett und der Mann masturbierte. Eine andere duschte und befriedigte sich selbst mit dem Wasserstahl des Duschkopfs und weiteren aufregenden Praktiken. Die gemessenen Gehirnströme wiesen eindeutig nach, dass die Personen auch ohne direkte Berührung so zum Höhepunkt kamen. Diese hatten regelrecht einen richtigen Orgasmus.

Jetzt sind Sie sicherlich neugierig und fragen sich sicher, was Sie tun müssen, um einen mentalen Orgasmus zu erleben? Das absolut wichtigste ist, dass Sie komplett abschalten und im Hier und Jetzt sind. Sie müssen sich konzentrieren, um eine gewisse Erregung zu verspüren. Sie sollten darauf achten, dass Sie nicht abgelenkt werden. Stellen Sie sich wunderschöne Schenkel vor. Pralle Busen und angespitzte Nippel. Einen wunderschönen Hintern oder was auch immer. Visualisieren Sie jede Einzelheit. Benutzen Sie Ihre Sinne. Kreieren Sie in Ihren Gedanken den perfekten Moment. Alles ist möglich. Sie sind der Schöpfer.

Mentale Orgasmen können Sie alleine, aber auch mit Ihrem Partner erleben. Wenn Sie es mit Ihrem Sexgespielen gemeinsam erleben wollen, kann es auch für Sie unglaublich aufregend sein. Denn wenn Ihr Partner Ihnen die Fantasien erzählt und Sie sich dabei die Bilder in Ihrem Kopf vorstellen, können diese Ihre Lust ins unermessliche steigern. Es gibt ja unzählige Orgasmus-Hypnosen oder mentales Training für eine bessere Orgasmus-Fähigkeit. Dies hört sich doch wie Hokuspokus an und die meisten zweifeln an solche Praktiken. Doch nicht nur Frauen, sondern auch Männer setzen ja häufig ihre Fantasie ein, um besser zu kommen. Ein aufregender Dreier in Gedanken, am besten mit Fremden, und schon geht es auch im Ehebett wieder rund. Wir sind es also gewohnt uns zum Höhepunkt zu denken. Warum also mal nicht die eigene Hand oder den Partner weglassen und den Gedanken freien Lauf lassen. Viele Personen haben einen mentalen Orgasmus bereits erlebt, beim Autofahren, beim Friseur und sogar im Restaurant, ohne sich darüber bewusst zu sein. Gehören Sie zu den Personen, die mitten in der Nacht aus einem ihrer sinnlich, leidenschaftlichen Träume mit einem Höhepunkt geweckt wurden? Wenn ja, dann herzlichen Glückwünsch, diesen nächtlichen Orgasmus haben Sie alleine mit Ihren Gedanken herbeigeführt.

Daher bin ich überzeugt, dass ein Orgasmus erst im Kopf entsteht. Unterschätzen Sie die Kraft Ihrer Gedanken nicht, ein mentaler Orgasmus kann genau so stark sein wie ein gewöhnlicher. Vor allem verrät er viel über eine Person und über die tiefsten Bedürfnisse und Sexwünsche. Hören Sie in sich hinein und genießen Sie Ihre Fantasien ohne Reue, ohne Ängste denn es sind erstmal nur Fantasien.

Fazit

Mit all den Tipps aus diesem Kapitel werden Sie im Bett für Ihren Sexpartner unwiderstehlich werden. Einen letzten und zudem sehr wichtigen Rat möchte ich Ihnen noch mit auf dem Weg geben. Egal, was Sie ausprobieren, Sie sollten auch stets ausstrahlen, dass es Ihnen ebenfalls Spaß macht und genießen, während Sie sie verwöhnen. So kann Ihre Sexgespielin sich voll auf Sie einlassen und vor allem sich völlig fallenlassen. Zeigen Sie ihr einfach, dass Sie sie gerne verwöhnen und nicht nur auf Ihre eigene Befriedigung interessiert sind.

In einer Partnerschaft treffen meist zwei Persönlichkeiten, zwei Welten, zwei verschiedene sexuelle Kulturen aufeinander. Viele Persönlichkeiten ähneln sich, dann fällt oft die sexuelle Kommunikation und das Verständnis leichter und es entsteht das Gefühl einer Einheit. Dadurch kann es sehr harmonisch und leidenschaftlich werden. Unterschiedliche Sexpraktiken können zwar herausfordernd sein, bringen aber auch den großen Vorteil mit sich, voneinander zu lernen und immer neue Lustspannungen zu erzeugen.

Obwohl es unzählige neue und sehr aufregende Stellungen gibt, ist jedoch die Missionarsstellung weltweit eine der am meisten praktizierten Sexstellungen überhaupt. Nur die Wolfstellung (Hundestellung) oder die Reiterstellungen können ihr geradeso das Wasser reichen. Und nach unzähligen Befragungen hätten viele Frauen sogar gern mehr vom Klassiker. Denn nach einer Umfrage von Men's Health wünschten sich 35 % der Frauen öfter Sex in der Missionarsstellung. Klingt irgendwie langweilig, doch die Fakten sprechen für sich.

Wichtige Punkte zu Schritt 6

Reden wir mal offen über Sex

1. Denken Sie daran, Frauen sind ganz verrückt nach Sex mit Männern.
2. Beim Flirten sollten Sie sexuelle Anziehung erzeugen.
3. Flirten Sie mit Ihren Augen, Haaren, Blickkontakt und mit allem, was Sie haben.
4. Nutzen Sie die Macht der Worte, indem Sie mit Ihrem Partner-/in Dirty-Talk betreiben.
5. Frauen benötigen ein sehr langes Vorspiel und viel Aufmerksamkeit, damit sie leichter einen Orgasmus bekommen können.
6. Die Kunst des Fingerns zu beherrschen ist unheimlich wichtig. Garantiert zuverlässige Orgasmen.
7. Achten Sie auf die 5 Befriedigungsmethoden für euphorische Orgasmen.
8. Eine Ejakulation ist auch nicht gleich ein Orgasmus.
9. Auf die richtige Lingam/Glied-Massage kommt es an.
10. Kommunikation ist eine unheimlich wichtige Rolle für guten Sex.
11. Planen Sie im Voraus den perfekten Moment.
12. Seien Sie kreativ und seien Sie offen für verschiedene Sexstellungen.

Schritt 7

Moralische Werte, Aufrichtigkeit, Gewissen

Eine persönliche Beziehung sollte einen bestimmten Platz in der Moral haben. Worauf kommt es tatsächlich an in einer Beziehung? In diesem Kapitel spreche ich über die Bedeutung von gemeinsamen Werten und von Toleranz und Selbstlosigkeit in der Liebe. Wie es um die Ehrlichkeit der verschiedenen Individuen wirklich steht und warum eine Lüge manchmal besser ist als eine aufrichtige Antwort, können Sie in diesem Kapitel lesen.

Was macht also eine funktionierende Beziehung aus? Was festigt und definiert sie? Ist es die Verliebtheit? Die Zuneigung? Lustvoller Sex? Abhängigkeit oder sogar finanzielle Hintergründe? Sicherlich kann ein bisschen von allem zutreffen, aber dies kann doch nicht alles sein, oder? Eine Beziehung sollte auch auf gemeinsamen Werten und Interessen basieren, auf gemeinsamen Zielen und Träumen. Nur die sind von Mensch zu Mensch anders und zudem werden diese von jeder Person anders interpretiert. Was also ist es? Gemeinsame Betrachtungsweisen über die Welt, ähnliche politische oder religiöse Sichtweisen? Das kann doch aber auch nicht alles sein? Sicherlich nicht.

Wenn Sie mich persönlich fragen würden, dann würde ich meine vergangene Beziehungen, Liebeleien und Affären rekapitulieren und in erster Linie würden sicherlich Begriffe wie Treue, Ehrlichkeit, Respekt, Vertrauen und Toleranz fallen. Grundbegriffe, die vermutlich jeder für sich selbst anders definieren würde. Ohne Zweifel sind diese Eigenschaften überaus wichtig, aber sind dies wirklich die Basiswerte einer harmonischen Beziehung? Mittlerweile denke ich, ja und nein, diese Werte sind wichtig. Aber es gibt noch einen weiteren Wert, der für mich noch eine größere Rolle spielt. Und dies ist Hochherzigkeit und nobles Verhalten.

Doch was ist, wenn einer dieser oben genannten Werte missachtet oder gar umgangen wird, weil der Partner eine andere Definition dafür hat? Was ist, wenn man den Partner beim Betrügen oder Lügen ertappt, wenn man zufällig erfährt, dass der Partner auch andere Personen anziehend findet. Sich sogar sexuelle Fantasien in seinem Kopf abspielen und derjenige diese auch durchlebt? Alles dies sind menschliche Handlungen, die jeden Tag geschehen können. Ist damit eine Beziehung automatisch gescheitert? In einigen Fällen sicherlich schon. Doch was ist, wenn Sie Ihre Beziehung nicht aufgeben möchten? Wenn Sie einen Fehler gemacht haben, Reue zeigen und die Beziehung doch noch retten wollen? Doch dann braucht es viel mehr als leere Worte, es braucht eine echte Verbindung und individuelle Werte. Einige einzigartige Werte, mit denen Sie Ehrlichkeit, Verlangen, Treue, Respekt und Toleranz im Schatten stellen können. Ich bin der Meinung, dass diese Werte nobles Verhalten, Altruismus oder auch Hochherzigkeit sind.

Sie werden jetzt sich sicherlich fragen, was ich mit Hochherzigkeit und noblem Verhalten meine. Die Hochherzigkeit berücksichtigt Größe in einem selbst und in der zu erhoffenden Situation. Die Ruhe, die Stärke und den Mut in dem zu fürchtenden Übel zu bewahren. Die Güte und die Gerechtigkeit stehen aber an bevorzugterer Stelle, wie das Leid an sich. Daher wird die Güte beziehungsweise die Hochherzigkeit im Vordergrund stehen und nicht die Sturheit oder das eigen Ego.

Die meisten Menschen verspüren erst mit zunehmendem Alter, dass moralische Werte unheimlich wichtig in einer Beziehung sind und sehr schwer zu ersetzen. In jungen Jahren sind wir oft zu beschäftigt uns die Hörner abzustoßen, mit Karriere und Geldverdienen, um uns nach solchen Dinge wie menschliche Werte zu beschäftigen. Und wie so oft lehrt uns das Leben auf schmerzhafte Weise, was für jeden einzelnen wichtig ist. Indem es uns vielleicht krank werden lässt oder uns einen lieben Menschen nimmt und so alles infrage stellt. Diese Erlebnisse können sicherlich der Grund sein, mehr nach den eigenen Empfindungen zu leben und den Mut zur eigenen Werteschätzung zu finden.

Meine Oma hat immer zu mir gesagt, dass das Leben eine riesengroße Schulklasse ist und nur wenige lernen tüchtig und bestehen alle Prüfungen. Doch die Mehrheit ist zu faul und nicht bereit zu lernen. Demzufolge werden sie durchfallen.

Werte an sich sind jedoch situationsübergreifend und hängen nicht von materiellen Dingen ab. Die Werte eines Menschen sind nicht angeboren und diese sind auch schwer änderbar. Daher ist eine Änderung der eigenen Werte bei jedem Menschen in einem neuen Umfeld oder in einer fremden Gesellschaft nur langsam und langfristig möglich. Eine entsprechende Werteschätzung prägt die Empfindung der Umwelt, die Handlungsalternativen und folgen und somit das Entscheidungsverhalten. Werte zeichnen ein Individuum aus, sie sind immer individuell erlernt durch Tradition, Erziehung, Herkunft und die Vielzahl menschlicher Kontakte.

Die Frage von Schuld und Vergebung sind stets wichtige Komponenten in einer Beziehung. Die moralischen Werte in einer Partnerschaft lassen sich nicht auf Gleichberechtigung oder Unterdrückungsfreiheit reduzieren. Partnerschaft funktioniert nur, wenn man die Fähigkeit entwickelt, den Partner ohne einen Ego-Blick anzuschauen und die Person so anzunehmen, wie sie in

Wirklichkeit ist. Und auch wenn es Ihnen manchmal schwer fällt, sollten Sie lernen, die Welt mit den Augen der geliebten Person zu sehen und die richtigen Schlüsse heraus zu ziehen. Wir leben im dritten Jahrtausend und zugleich auch in einer unglaublich schnelllebigen Zeit. Welche moralischen Werte entsprechen in einer Partnerschaft in unserem heutigen Bewusstseinsstand? Vielleicht gilt eines der zehn berühmten Gebote „Du sollst nicht begehren" für das Zusammenleben?

Wir können unsere verrücktesten Fantasie ausleben und die Zukunft nach unseren Wünschen und Verlangen gestalten, anstatt uns zum Gefangenen unserer Ängste und unsere Vergangenheit zu machen. Und je mehr wir diesen positiven Aspekt ausleben, desto größer wird unser Gestaltungsspielraum. Ob ganz bewusste Visualisierungen am Tag oder unbewusste Träume in der Nacht, über 95 % aller Erwachsenen haben sexuelle Fantasien, haben viele Institute für Sexualpsychologie nach unzähligen Recherchen hervorgebracht. Und zwar in ganz unterschiedlicher Vorstellung, eben von ganz dezenten harmonischen Illusionen bis hin zu hemmungslosen Unterwerfungsfantasien mit verschiedenen Sexgespielen gleichzeitig.

Ist das völlig normal? Sind solche Fantasien beziehungsweise Gedanken normal? Nach wissenschaftlichen Erkenntnissen kann man dies bestätigen. Der US-amerikanische Psychologe Maslow fand heraus, dass einige Motive einen höheren Stellenwert haben als andere und in seiner Bedürfnis-Pyramide sind Essen, Trinken, Schlafen und körperliches Wohlbefinden essenzielle Grundbedürfnisse des Menschen.

Und ich würde auch „Ja" dazu sagen, solange natürlich bestimmte Grenzen nicht überschritten werden, es etwa um Pädophilie, inzestuöse oder Missbrauchsvorstellungen jeglicher Art geht. Die verrücktesten Fantasien und nicht nur in sexueller Form, sind einfach in unserem Unterbewusstsein verankert, denn diese definieren uns auch, weil hormonell bedingt eine starke Triebenergie in uns besteht. Die Auslöser für solche Gedankenmuster können ganz unterschiedlich sein. Der Anblick einer Fremden mit einer unglaublichen Figur oder auch der gutgebaute Oberkörper eines jungen Mannes kann Sie genauso dazu anregen, wie die morgendliche Intimität mit Ihrem Partner. Nicht einmal unzähliger eigener sexueller Erfahrungen bedarf es für die Kopffantasien, denn das Thema Sexualität begegnet uns ohnehin dauernd und überall.

Ohne verurteilt oder großartig denunziert zu werden können wir unzählige Male heiraten und uns immer wieder scheiden lassen, alleinstehend sein, in einer offenen Beziehung oder auch nur zusammenleben. Wir können mit Männern schlafen, mit Frauen oder mit beiden gleichzeitig. Wenn wir in eine Theateraufführung gehen, können wir es in einem eleganten Smoking oder in Sakko und Jeans tun. In der heutigen Zeit ist fast alles erlaubt. Sind wir deshalb im Vorteil oder sogar freier? Leben wir deshalb in einer besseren Ära? Sicherlich gibt es diese Maßregeln aus der früherem gesellschaftlichen Mehrheit, zu denen sich auch die eigene Familie beteiligten, mit ihrem angeblich gutgemeinten Ratschlag: „So etwas tut man nicht!" nicht mehr.

Heutzutage gibt es nicht mehr viel, zu dem wir nein sagen müssen. Das ist sicherlich gut und von Vorteil. Doch es zwingt uns auch, herauszufinden, was für uns in Frage kommt und wozu wir „Ja" sagen wollen. Wir leben in einer rasanten und vielseitigen Welt, und wer die eigene Leistungsfähigkeit nicht schnell erkennt und genug erweitern kann, wie die Kapazitäten einer Speicherkarte, der kommt nicht mehr mit und wird schnell beiseitegeschoben.

Unser Dasein ist in ständiger Konkurrenz und zwar jeder mit jedem. Wir stehen in Rivalität mit unseren Kollegen um eine bessere Position im Job. Wir stehen auch im Wettbewerb mit der Welt und mit vielen Millionen, die uns auf den Fersen oder schon an uns vorbei sind. Wegen unserer Liebsten oder auch Arbeitsplätze müssen wir Städte wechseln und Länder. Ich weiß nur, dass die meisten nicht bereit sind, Zeit zu verschwenden und auch nicht bereit sind, jegliche Energie in eine Angelegenheit zu investieren. Freundschaften, Beziehungen oder Affären sollten schnell funktionieren oder eben nicht. Und zum Thema Werte. Wertvoll scheint nur, was sich in Geld ausdrücken lässt. In Euro, Dollar oder Luxusgütern.

Auf der anderen Seite schaffen es Erfolgs-Ratgeber und Motivationsbücher auf Bestseller-Listen, und jede dritte Hochzeit wird in den ersten drei Jahren wieder geschieden. Jedoch wird ständig geheiratet, mit viel Trara, pompös und am liebsten in weiß. Sind wir vielleicht wieder auf dem Weg zurück in die 60er? In eine Zeit, als die höchsten menschlichen Werte geschätzt und berücksichtigt wurden. Oder ist das die Sichtweise einer Sehnsucht nach Halt und zwischenmenschlicher Beziehung in einer Gesellschaft, deren moralischen Werte keinen Wert haben? In einer Gesellschaft, in der Unternehmen ihre Mitarbeiter entlassen, obwohl sie weltweit expandieren und Milliardengewinne einfahren. Diese Sehnsucht nach Freundschaft, Zuneigung und Liebe, nach echten Gefühlen und Menschen, die anständig und liebevoll miteinander umgehen. Sehnsucht nach Freiheit, Hemmungslosigkeit und danach Dinge zu tun, auch wenn sie keinen Profit oder Vorteil bringen. Und dieses Begehren, darauf vertrauen zu können, dass Ihr Gegenüber es gut mit Ihnen meint.

Vertrauen ist gut, aber Kontrolle ist besser. Ist unsere Waschmaschine wirklich so kaputt, wie der Fachmann von der Elektrofirma es behauptet. Oder ist das Pflegeheim, in das wir unsere Großmutter schweren Herzens einweisen, wirklich so gut, wie die Beschreibung im Netz es uns verspricht. Wir wollen vertrauen, doch für viele ist fast unmöglich. Denn sie können schwer loslassen und daher strengt es unendlich an, immer und überall Angst davor zu haben, enttäuscht oder verletzt zu werden.

Wenn ich jetzt zehn Paare auf der Straße fragen würde, was das Wichtigste in deren Beziehung ist, würden sicherlich neun davon mit dem Begriff „Vertrauen" kommen. Vertrauen, sagen die meisten Partnerberater, sei das Wichtigste in eine zwischenmenschlichen Beziehung. Doch was ist, wenn man einfach nicht fähig dazu ist? Was wenn man nicht vertrauen kann? Wenn man ständig unter krankhafter Eifersucht leidet und Angst hat, den Partner zu verlieren?

Die meisten kennen diese verzweifelte oder ähnliche Situation, man ist eigentlich gerade total verliebt und glücklich mit einem liebevollen Partner. Alles läuft prima, man schwebt regelrecht durch die Gegend, sieht sich regelmäßig, hat endlose Gespräche, unglaublichen Sex und sollte eigentlich rundum erfüllt sein. Wäre da nicht dieses eine Gefühl, wie ein lästiger, stechender Schmerz, das früher oder später sich immer wieder bemerkbar macht. Diese Empfindung, dass der Partner fremd geht, einen zu wenig liebt oder in irgendeiner anderen Form hintergeht. Vielleicht haben Sie das ständige Gefühl, dass Ihr Partner andauernd mit den Augen flirtet, oder derjenige findet andere attraktiver als sie selbst. Irgendwann treiben diese Gedanken einen dann in den Wahnsinn. Man kontrolliert die Person, stichelt nach und beobachtet aufmerksam jeden Augenblick. Bis nur noch Spannung untereinander herrscht, man nur noch streitet und den Partner dazu treibt, einen wirklich zu verlassen oder man selbst zu dem Entschluss kommt, weil man am Ende seiner Kräfte ist und die Beziehung nur noch eine Qual ist. Nichts gegen eine gesunde Skepsis, aber Zweifel und Misstrauen können auch destruktiv und negativ sein. Daher sehr hässliche aber häufigste Trennungsgründe.

Wieso lassen wir solche Gefühle von Misstrauen und Zweifel in unserer Beziehung zu? Wieso erkennen wir diese nicht rechtzeitig und verbannen Sie aus unserem Leben? Misstrauen, Zweifel, Eifersucht sind nicht nur negative Gefühle und Energiefresser, diese werden auch von Verlustängsten und possessivem Denken gefüttert. Wie ein zerstörerisches Virus infizieren Sie unseren Verstand und beeinträchtigen die Rationalität so sehr, dass die Emotionalität darunter leidet. Daher lassen Sie solche Gefühle nicht zu, erkennen Sie diese rechtzeitig und löschen Sie sie aus Ihrem Verstand. Wer ständig von Eifersuchtsgefühlen geplagt wird, lebt in fortdauernder innerlicher Unruhe und gibt oft dem Partner die Schuld dafür. Weil der Partner vielleicht zu spät vom Shoppen gekommen ist, weil er oder sie anderen Personen hinterherschaut oder weil die Person gerne von seinen Ex-Partnern redet. Dabei hat Misstrauen und krankhafte Eifersucht meist nichts mit dem Partner, sondern mit einem selbst zu tun.

Außerdem sollten Sie sich IMMER zuerst selbst die Fragen stellen, bevor Sie damit anfangen, Ihren Partner mit Vorwürfen und wagen Beschuldigungen zu bombardieren. Sie sollten sich Fragen stellen, wie: Wieso habe ich solche Gedanken? Woher kommen meine Zweifel? Gibt es wirklich einen Anlass dafür? Versuchen Sie immer zuerst die Tatsachen rational zu betrachten, ehe Sie sich auf die emotionale Ebene einlassen. Werfen Sie Ihrem Partner zum Beispiel vor, dass er oder sie fremd geht, so betrachten Sie vorerst die Tatsachen: Sind Sie wirklich sicher, dass Ihr Partner Sie betrügt? Verbringt Ihr Partner zu wenig Zeit mit Ihnen? Ist Ihr Partner abweisend und kalt zu Ihnen? Was veranlasst Sie, dass Sie sich ungeliebt fühlen? Haben Sie unwiderrufliche Bewiese? Die Antwort liegt meistens klar auf der Hand und diese finden Sie oft bei sich selbst. Daher je stärker Ihre Selbstsicherheit und Ihr Selbstvertrauen ist, desto geringer wird natürlich Ihre Skepsis und zugleich auch Ihre Eifersüchteleien.

Oft liegt die Lösung eines solchen Problems in einem der Perspektivwechsel. Es geht darum, den festaufgesetzten Ego-Blick abzulegen und offen für Neues zu sein. Was heißt das? Entscheidend in einer Liebesbeziehung ist nicht nur der Humphrey Bogart Blick: „Schau mir tief in die Augen, Kleines“ abzuspielen. Wichtig ist nicht nur, einander anzugucken und vielleicht auch guter Sex, sondern vielmehr, die Welt mit den Augen des anderen zu betrachten. Um daraus Schlüsse ziehen zu können. Und genau wissen, wann ich meinem Partner mit einer kleinen Aufmerksamkeit überraschen kann oder wie und wo ich ihn abends im Bett vor dem Einschlafen zärtlich berühren kann.

Eine alte chinesische Weisheit lautet, dass man immer mal wieder „in die Schuhen des anderen schlüpfen sollte“, um die Person richtig einschätzen zu können. Dies wäre auch die beste Möglichkeit, um mit einem Partner zusammenleben zu können und seinen Bedürfnissen gerecht zu werden. Denn wie es so schön heißt: "Alles würde vielleicht gehen, aber nicht alles würde funktionieren.“

Die meisten Menschen sind enttäuscht von ihrem Partner, weil sie beim Sex nicht richtig befriedigt werden und das Intimleben mit der Person nicht aufregend genug ist. Der Partner ist vielleicht zu egoistisch und bemüht sich einfach nur um seine eigene Lust und Empfindungen. Wenn Ihr Partner wüsste, was Ihnen so richtig gut gefällt oder welche neue Stellung Sie ausprobieren würden, und er es mit Ihnen auch machen würde, wäre das erotische Erleben für beide ungleich höher und befriedigend. Wenn Ihr Liebster also auch im Bett ab und zu ins Lustkostüm des Gegenübers schlüpfen würde, wäre die Beziehung viel aufregender.

Welche Devise bewährt sich also für funktionierende Liebesbeziehungen? Wer nach der heutigen Zeit leben möchte, wird die herbe Erfahrung machen, dass in dieser schnelllebigen Zeiten zwar „Alles vielleicht gehen, aber nicht alles funktionieren würde“. Hier zwei mögliche Grundprinzipien für ein glückliches Zusammenleben: Was Sie beim Sex nicht wollen, dass man Ihnen tut, das sagen Sie dem anderen liebevoll zu. Und zweitens: Was Sie wollen, dass man Ihnen tut, das holen Sie auch sich heraus und spielen Sie es dem andern zu.

Menschen, die ständig von Verlustgefühlen geplagt werden, dass sie ihr Partner hintergeht, belügt oder sogar verlässt, haben womöglich Verlusterfahrungen in ihrer Kindheit gemacht oder haben derart schreckliche Erlebnisse in früheren Beziehungen durchlebt. Es ist auch verständlich, dass es einem da schwer fällt, völlig angstfrei eine glückliche Beziehung zu führen. Die Angst, wieder verletzt zu werden, versteckt sich meistens im Unterbewusstsein und gewinnt oft die Überhand. Häufig werden solche Ängste von Selbstzweifel und Mangel an Selbstbewusstsein umso mehr verstärkt. Gedanken wie: „Ich bin nicht attraktiv genug“, „Ich bin zu fett", „Ich bin nicht klug oder erfolgreich genug“. Solche Gedankenmuster sitzen oft ganz unbewusst tief in uns drin und lösen völlig irrationale Eifersuchts- oder Misstrauensausbrüche aus. Denn wenn man von sich selbst denkt, dass man nicht attraktiv genug ist, dann glaubt man auch nicht daran, dass der Partner einen attraktiv findet. Man wird also ständig von dem Gefühl, „unattraktiv" zu sein, geplagt und wartet regelrecht darauf, hintergangen oder verlassen zu werden. Daher ist die beste Strategie gegen Misstrauen und ständige Eifersucht gegenüber dem Partner demnach, das Vertrauen zu sich selbst zu finden. Je stärker Ihr Selbstvertrauen und Ihr Selbstwertgefühl ist, desto geringer Ihr Misstrauen, Angst und Ihre Eifersucht. Nur weil Sie sich selbst nicht für attraktiv und liebenswert halten, heißt das nicht, dass es Ihr Partner nicht auch tut.

Ehrlichkeit tut nicht nur einer Liebesbeziehung gut, sondern auch einem selbst.

Das Fundament dafür, wie man seine eigene Zukunft gestaltet, startet schon im Kindesalter. Und egal, ob es dabei um Bedeutsamkeiten oder auch Kleinkram geht, wer schon als kleiner Knirps häufig Sätze hört wie „Sag der Mama aber nichts!" oder „Brauchst nicht wissen, wo Papa hingeht! Ich bring dir dafür was Tolles mit.", neigt als Erwachsener vermutlich selbst eher dazu, in der eigenen Beziehung mal etwas zu verheimlichen oder vieles zu vertuschen und so potenziellen Konflikten aus dem Weg zu gehen. Leider erkennen nur die Wenigsten und auch nur beim Älterwerden, dass jegliche Heimlichkeit für eine Liebesbeziehung schwerwiegende Konsequenzen mit sich tragen kann. Die Folgen können natürlich unnötige Alleingänge, fehlendes Zusammenhalt-Gefühl oder auch eine gewisse Entfremdung sein.

Das bedeutet natürlich nicht, dass Sie Ihrem Partner auch Verletzendes oder allzu Intimes immer direkt, knallhart und ungefiltert ins Gesicht knallen sollten. Ein gewisses Mindestmaß an Feingefühl und Takt ist natürlich unglaublich wichtig, und in vielen Situationen ein richtiges Muss. Bedingungslose Aufrichtigkeit ist in jedem Fall die beste Handlungsweise einer funktionierenden, harmonischen Beziehung. Und nicht nur die Zuneigung untereinander profitiert davon, sondern auch das eigene Selbstbewusstsein. Daher kann ich Ihnen sagen, dass ist Ehrlichkeit ein wahres Wundermittel ist.

Die meisten Menschen wünschen sich Ehrlichkeit in ihren Beziehungen zu ihrem Partner, zu der eigenen Familie und Freunden. Und viele geben sich auch richtig Mühe und versuchen es mit Leib und Seele, doch wenn es darauf ankommt ehrlich zu sein, verfallen sie wieder in die alte Schiene und lügen wieder, wie gedruckt. Ein sehr guter Freund von mir betont immer wieder dass er seine Frau und die Kinder liebt, doch sobald er ein paar Titten oder einen wohlgeformten Arsch sieht, dann verliert er sofort die Kontrolle und ohne mit der Wimper zu zucken würde er auf der Stelle die eigene Frau betrügen.

Ein altes sizilianisches Sprichwort sagt: „Ein Wolf verliert lieber sein Fell als seine Vorgehensweise." Dies will uns sagen, dass es den wenigsten gelingt, Ehrlichkeit und Aufrichtigkeit durchgängig auf eine Art und Weise zu durchleben, dass sie auch in den härtesten Situationen standhaft bleiben und nicht wieder mit einer rettenden Lüge ausweichen. Das liegt daran, dass wir oftmals so sehr verschlossen und unsicher sind, dass wir dadurch nicht einmal ehrlich zu uns selbst sind, wenn es um das Thema Aufrichtigkeit und Offenheit geht.

Geradlinigkeit, Aufrichtigkeit und auch Selbstopferung wird in unserer Gesellschaft mit bestimmten Eigenschaften verknüpft, die verhindern, dass wir nicht nur in einer Beziehung, sondern auch in der alltäglichen Handlung tatsächlich ehrlich sind. Es ist eine veraltete Sichtweise, die uns davon abhält, authentisch mit uns selbst zu sein und mitzuteilen, was wirklich in uns los ist, was wir fühlen und was unsere tiefen und verborgenen Bedürfnisse sind. Viele haben vielleicht auch unschöne Erfahrungen durchlebt und bestimmte Dinge über Aufrichtigkeit gelernt, die heute verhindern, dass sie mit anderen Personen aufrichtig sein können und in Kontakt sein und die verbindende Nähe zulassen können.

Was ist genau die gewöhnliche Sicht auf Ehrlichkeit?

Die Ehrlichkeit, dieses edle Geschenk vom Himmel, wird oftmals als unpassend, unhöflich und sogar als verletzend angesehen, denn die Aufrichtigkeit im alten Sinne bezieht sich auf das, was Sie ungefiltert sagen und denken ein. Das kann dazu führen, dass Sie einer Person mit Worten das Genick brechen, denn, wie es so schön heißt, die Zunge hat keine Knochen, sie kann aber Knochen brechen. In jedem Fall geben Sie vor, die ehrlich Meinung zu sagen, während Sie der anderen Person einen Dolch ins Herz jagen.

Das eigene Ego in Ihnen agiert dann unbewusst und dient unbedacht nach Gerechtigkeitsprinzipien, wie z. B. persönliche Rache, Neid, Manipulation oder Rechthaberei. Oft wird diese edle Vorgehensweise eingesetzt um Nähe, Vertrautheit und Beziehung zu zerstören und der Deckmantel der Wahrheit bietet sich da geradezu an. Doch da, wo keine Lüge ist, da kann die Wahrheit auch keinen Schaden anrichten. Und wenn es keinen Richter gibt, da kann es auch natürlich keinen Henker geben. Dadurch bekommt die Aufrichtigkeit eine unangenehme Note von Unberechenbarkeit und scheint herzlos und hart auszuhalten zu sein. Ehrlichkeit kommt zudem meist aus dem rationalen Denken und basiert auf Phrasen, Glaubenssätzen, Meinungen und einem selbstglaubenden Wertesystem. Denn die Lüge und die Täuschung sind für viele die Dunkelheit und Wahrheit ist das enthüllende Licht, das alles unsichtbar sichtbar und offenlegt.

Doch gibt es überhaupt so etwas wie die absolute Wahrheit? Wir leben ja alle in unserer eigenen Wahrheit und in der eigenen Welt. So wie Sie die Welt sehen, sieht sie kein anderer an. Wahrheit ist ein zentraler Begriff der Denkweise. Das Streben des eigenen Willen und der Gedanken gilt in der Regel der Wahrheit. Was das allerdings ist, „Wahrheit", wann und wie sie erlangt werden kann, an was sie zu messen ist, darauf werden in der Philosophie ganz unterschiedliche Richtlinien angeboten. Alltagssprachlich bedeutet Wahrheit die Übereinstimmung von einer Meinung oder einer Behauptung mit dem, was tatsächlich vorhanden oder wiederfahren ist. Wahrheit repräsentiert in unserem Bewusstsein einen objektiven gegenwärtigen Tatbestand, und zwar so, dass jede Täuschung beziehungsweise eine Verdrehung der Tatsache ausgeschlossen ist. Es geht doch letztendlich nur um die Frage nach dem Ursprung, dem Sinn des Lebens und was nach dem Tod passiert. Themen, die jeden Menschen früher oder später beschäftigen. Also, was ist Wahrheit? Ist es eine Einstellung? Ist es eine Überzeugung? Muss es eine absolute objektive Wahrheit geben oder gibt es nur viele verschiedene Wahrheiten? Wenn wir darüber nachdenken, dass es viele verschiedene Wahrheiten geben kann, dann brauchen wir uns keine Gedanken mehr zu machen, wie wir in den verschiedensten Situationen handeln. Wenn die Wahrheit eine persönliche Einstellung ist, lebt jeder für sich und wie derjenige es für richtig hält. Dann ist alles in Ordnung und nur die mentalen und stattlichen Gesetze beschränken uns. Doch ein Leben, wo moralische und ethische Werte nicht respektiert werden. Wo vielleicht Kinderschänder, Gewalttäter und Mörder frei herumlaufen dürfen. Allein der Gedanke daran ist unglaublich erschreckend.

Bei der Aufrichtigkeit geht es eigentlich darum, was Ihr Gegenüber gut oder schlecht bzw. richtig oder falsch macht bzw. was ihr Verhalten positiv oder negativ beeinflusst wird. Diese persönliche Einschätzung an sich ist bereits ein zwielichtiges Prinzip und ebnet damit schnell den Weg für sogenannte anfängliche Tragödien, in dem es um das eigene Ego geht, um Rechthabereinen, Besserwisserei und Streitereien geht. Oftmals ist die Person, die mit der Ehrlichkeit konfrontiert wird, das Opfer und macht die Person, die angeblich die wahren Tatsachen ausspricht, zum Richter und Henker gleichzeitig. Aufrichtigkeit versucht zu enthüllen, bloßzustellen, zu analysieren und wird vom Gegenüber oftmals als persönlicher Angriff, Missbilligung, Anschuldigung oder Verurteilung empfunden. Oft liegt es daran, dass in angeblich ehrlichen Aussagen in der Regel „Du-Verkündigungen“ angewendet werden, die von dem Gegenüber häufig als persönlicher Angriff aufgenommen werden können.

Der Fokus liegt natürlich auf der beschuldigte Person, die sich in diesem Moment in einer Art Zwickmühle fühlt („Gib es zu, DU hast mit der Person geschlafen!“ oder „DU hast mich angelogen!“) und nicht an den Schuldzuweiser, der oftmals das ständige Opfer spielt. Ehrlichkeit wird dadurch nicht selten als beeinflussend und zugleich störend empfunden und als Versuch, die Ereignisse bzw. einen anderen Menschen zu kontrollieren, zu ändern, zu demütigen oder auch gewollt in einer bestimmten Bahn zu lenken.

In bestimmten Situationen wird Ehrlichkeit von manchen Individuen sogar als unangebracht und blauäugig angesehen. Denken Sie beispielsweise an die Situation in der Umkleide im

Fitness-Center, wenn Sie in einem bereits verlassenen Spint eine Geldbörse vorfinden mit richtig vielen Scheinen. Geben Sie die Geldbörse am Empfang, wie es sich auch gehört, ab, dauert es meist nicht lange, bis Sie von Freunden oder auch Familienmitglieder den Spruch hören „Wieso hast du das Geld nicht herausgenommen? So blöd kannst nur du sein."

Daher sollte Ehrlichkeit als eine persönliche Angelegenheit angesehen werden, denn sie wird allzu oft limitiert und hat den Stellenwert: „es ist schon gut, ehrlich zu sein, aber nicht zu ehrlich". Wenn Sie zum Beispiel zu ehrlich in Bezug auf sich selbst sind und private Angelegenheiten von sich mitteilen, sind Sie schnell angreifbar und verwundbar. Denken Sie darüber nach, wie oft Sie auf die Frage: „Wie geht es Dir?" wie aus der Pistole geschossen mit „Gut" oder „Alles bestens" antworten, obwohl es in Ihnen ganz anders aussieht. Dann lieber geschickt der Frage ausweichen, als unverfälscht preiszugeben, was gerade in Ihnen los ist, so lautet die Parole in dieser neuen, modernen Gemeinschaft. Auf jeden Fall spielt auch die zeitliche Koordinierung hier eine große Rolle und die Absichten darüber, in welchen Situationen es Ihnen angemessen erscheint, ehrlich preiszugeben, wie es Ihnen tatsächlich geht. Doch gerade in privaten Angelegenheiten, wo wir so oft die Möglichkeit hätten, uns zu öffnen, aufrichtig und authentisch uns mitzuteilen, tun wir es trotzdem nicht. Dafür können verschiedene Faktoren die Ursache sein. Schließlich können Sie nicht wissen, wie der andere reagieren wird oder was diejenige Person über Sie denkt, wenn Sie ehrlich sagen, wie es Ihnen geht. Denn wie ich bereits erwähnt habe, sobald Sie ehrlich und aufrichtig über Ihr Inneres sind, dann sind Sie angreifbar und verwundbar. Schließlich könnten Sie ja der anderen Person womöglich zur Last fallen oder werden als „labile Person" abgestempelt, obwohl ein offenes Ohr für Ihr

Gemüht von unschätzbarem Wert wäre.

Ich gehe regelmäßig mit einem Freund Kaffee trinken und bei der Frage: „Wie geht's dir?" antwortet er immer gleich und zwar: „mir geht es bestens!" Allein wie er auf die Frage antwortet und an seinem Tonfall der Stimme, merke ich sofort, dass es ihm überhaupt nicht gut geht. Während wir dann Kaffee trinken und er sich dann langsam öffnet und sich so langsam fallen lässt, offenbart er mir, dass es ihm eigentlich schrecklich geht und er sich am liebsten das Leben nehmen würde. Ehrlichkeit ist eine Tugend, aber wie so oft auch eine schwere Bürde.

In unserer heutigen Gesellschaft sind die Menschen darin trainiert, mit einer aufgesetzten Miene herumzulaufen, um nicht zu menschlich zu wirken. Denn Menschlichkeit wird als Schwäche angesehen. Wer echte Gefühle, echte Empfindungen zeigt und nicht mit einem aufgesetzten, falschen Lächeln herumläuft, wird gleich als nicht sozial abgestempelt. Dieses Verhalten können Sie heutzutage fast überall mitansehen. Sie brauchen doch nur in einem Café zu sitzen und sobald dort jemand zu laut lacht, redet oder vielleicht auch nur mehrmals niest, wird derjenige wie ein Alien von allen angestarrt. Kopfschüttelnd laufen die anderen Gäste an der Person vorbei und würden diese am liebsten rausschmeißen lassen.

Ein Freund von mir hat mir mal gesagt, dass es nicht mehr schön ist, ein Mensch zu sein. Die meisten Menschen gehen respektlos miteinander um und sogar Tiere sind liebevoller zueinander. Überzeugte Philanthropen verwandeln sich schlagartig zu verbitterten Misanthropen und würden am liebsten Amoklaufen. Als Misanthrop wird eine Person bezeichnet, die die Menschheit als solches hasst, ablehnt und die Nähe zu Menschen möglichst meidet. Und natürlich ist ein Philanthrop das komplette Gegenteil.

Tatsache ist jedoch, dass unser Umgang mit diesen alten Betrachtungsweisen in Verbindung auf Aufrichtigkeit leiden und der innere Teil in uns, der sich nach Verbindung und unverfälschter Menschlichkeit sehnt, leidet unheimlich darunter. Doch wie können wir mehr Harmonie, mehr Menschlichkeit und Zusammenangehörigkeit in unseren Beziehungen zulassen? Es kann natürlich gelingen, indem jeder eine neue Sichtweise in Bezug auf Wahrheit einnimmt. Eine Alternative wäre, die Sache mit der Ehrlichkeit auf eine neue Ebene zu bringen und sich der Gegenseite öffnet ohne Angst verletzt zu werden.

Sie sollten wissen, dass in einer Beziehung es einen großen Unterschied gibt, ob Sie aufrichtig oder ehrlich sind. Hierbei ist es ganz egal, ob sie sich mit Herz und Seele entschieden haben oder nur Spiele spielen. Aufrichtigkeit ermöglicht es Ihnen, eine absolut glaubwürdige Person zu sein und gleichzeitig respektvoll. Eine Person, die mit ihrem Gegenüber interagiert und in neue Bereiche Ihrer Beziehung vordringt. Wahre Aufrichtigkeit bereichert Sie und sie lässt Sie stark fühlen. Sie bereichert Ihre Gegenüber und Ihre gemeinsame Liebesbeziehung. Wahre Aufrichtigkeit beinhaltet keine Einschätzung sondern ist stattdessen unparteiisch. Es geht darum, sich authentisch mitzuteilen und Differenzierungen zu erkennen und diese anzupassen. Während Ehrlichkeit überwiegend aus dem Kognitiven kommt, entspringt Aufrichtigkeit dem Bewusstsein und bezieht sich auf verschiedene Ebenen, wie die physische, die intellektuelle, die emotionale, die spirituelle und zuletzt auch die energetische.

Die positiven Auswirkungen der Ehrlichkeit

Ehrlich währt am längsten, so behauptet es zumindest der Volksmund. Ehrlichkeit ist eine Besonderheit und Moral, die wir an anderen bewundern und nach der wir häufig selbst streben, um uns mit ihr zu prahlen. Lügner, Betrüger und Schwindler auf der anderen Seite werden verachtet und falls möglich ausgestoßen.

Wer will schon gerne angelogen werden? Oder, wie es so schön heißt: „Hinters Licht geführt werden". Eigentlich sollte man selbst immer aufrichtig und ehrlich sein, das ist schließlich auch Bestandteil der Formel für einen guten Charakter. Ganz so einfach ist es mit der Aufrichtigkeit aber doch nicht, denn wir kennen bereits die vielen Schattenseiten, die diese Tugend mit sich trägt. Doch Moral hin oder her, dauerhafte Offenheit kann auch ihre Nachteile haben. Anschließend habe ich noch ein paar Punkte aufgelistet, die für die Ehrlichkeit sprechen.

- Ehrlichkeit macht selbstbewusst und stark

Die Offenlegung von Empfindungen wie Gedanken, Sichtweisen, Bedürfnissen, Träume und Ziele hilft der Persönlichkeit sich selbst weiterzuentwickeln und für ein gemeinsames Wachstum in einer Partnerschaft. Denn wer seine Gefühle und Sichtweisen mit seinem Gegenüber teilen möchte, sollte zunächst mal ausgiebig in sich hineinfühlen und sich im Klaren sein, in welche Richtung derjenige gehen will. Diese intensive Auseinandersetzung mit sich selbst kann sehr hilfreich und zugleich auch sehr anstrengend sein, doch dadurch kann die Person die eigenen Gedanken und Emotionen zukünftig auch außerhalb einer Liebesbeziehung selbstbewusster durchleben. Nur wer keine Angst hat, seine Wünsche offenzulegen, dem können sie auch erfüllt werden. Madonna hat auch mal gesagt, dass die meisten Menschen Angst davor haben, die eigenen Träume frei auszusprechen. Und dies ist auch der Grund, warum sie nicht in Erfüllung gehen. In einer Partnerschaft entscheiden zwei Menschen im besten Fall immer noch gleichberechtigt. Daher ist es auch völlig legitim, auf seine inneren Empfindungen zu hören, diesen zu vertrauen, sie als wertvoll zu erachten und ohne Ehrfurcht herauszulassen.

- Ehrlichkeit gibt ein Gefühl von Sicherheit

Sicherlich offenbart das immer geradeaus zu sagen, was man denkt und fühlt, die wahre Betrachtungsweise über alle möglichen Dinge. Dies bedeutet, sich der Ehrlichkeit zu verpflichten und bei der Wahrheit zu bleiben, egal, was es kostet. Wo bleibt aber dann der Spielraum für Toleranz und Einfühlungsvermögen? Wo bleibt da der Raum für die Menschlichkeit?

Die meisten Menschen haben die, sagen wir, schlechte Angewohnheit, Dinge, die andere machen, sagen oder auch nur in Erwägung ziehen, zu verheimlichen, weil sie glauben, somit schmerzliche Situationen zu umgehen oder gar zu vermeiden. Aber genau das Gegenteil passiert in den meisten Fällen. Wenn bestimmte Menschen Schmerz verspüren, werden sie wach und erst dann erkennen sie den Ernst der Lage. Erst dann schreiten sie zur Aktion, sie lernen sich selbst besser kennen und begreifen, dass kein Schmerz im Leben für immer anhält. Auf diese Art und Weise gelingt es diesen Menschen, mit ihren Emotionen umzugehen, oder besser gesagt, sie verlassen ihre Komfort-Zone und beginnen zugleich, sich auch aus ihrem dunklen Abgrund der

Gefühle zu befreien.

Gutgemeinte Ehrlichkeit tut niemals weh, was wirklich schmerzt ist die bittere Wahrheit. Doch wenn eine Person ehrlich ist, sollte dies immer als eine großangesehene Geste angenommen werden, so hart sie auch sein mag. Trotzdem kommt es sehr oft vor, dass ein Individuum es vorzieht, in seiner imaginären Fantasiewelt zu leben und die Augen vor der Realität zu verschließen. In diesem Fall sollte man dies respektieren und die Person in seinem Loch lassen.

In Wahrheit gibt es nichts enttäuschenderes als eine Unwahrheit, eine gutgemeinte Maskerade oder auch die gespielte Scheinheiligkeit. Dadurch fühlen wir uns allein gelassen und verletzlich und es entsteht gleichzeitig Unsicherheit und Misstrauen der ganzen Welt gegenüber. Auch wenn viele Menschen die Furcht vor Missbilligung, Verurteilung und Zurückweisung in sich tragen, sollte man sich in einer guten Partnerschaft ganz fallenlassen und alle Aspekte der Seele auch offenlegen, seine Erfahrungen teilen, die eigene Sichtweise preisgeben und jede Eigenschaft ausleben können. Sich selbst und das Gegenüber mit seiner Schwäche und Unvollkommenheit zu konfrontieren hilft so mitunter sogar, die Verbindung untereinander zu kräftigen. Und wenn der Partner mit dem Rundherum-Paket nicht umgehen kann, sollte er dies auch offenlegen und dazu stehen, denn Ehrlichkeit gilt schließlich für beide, sie ist eine nach beiden Seiten schwingende Küchentür.

- Ehrlichkeit sorgt für Verständnis und Klarheit

Wir sollten diese Gesamtsituation durchschauen und mit Bedacht und Erkenntnis reagieren. Wenn wir es in unserem Dasein schaffen, echte Glücksumstände für uns selbst zu erlangen und gleichzeitig anderen Menschen zu helfen, dass auch sie Freude und Glücksmomente erlangen, können wir wirklich sagen, dass unser Leben als Individuum einen tiefen Sinn hat. Dann haben wir die Bedeutung unseres Lebens erkannt und verwirklicht. Doch wenn unser Dasein schmerzvoll ist, voller Reue und von Trübheit geleitet wird, sollte man dies schleunigst ändern oder dazu stehen und nicht andere Menschen mit in den Sog des Verderbens ziehen.

Angenommen, Ihrem Gegenüber gefällt nicht, dass Sie ihn ständig anlügen oder dass Sie ständig schlecht gelaunt sind oder sich auch ständig mit anderen Kollegen oder Kolleginnen treffen und ihn vernachlässigen. Anstatt es zu verheimlichen und den Partner ständig zu belügen, sollte man den anderen darüber aufklären, welche Sichtweisen oder sozialen Bedürfnisse dahinter stecken. Nur so kann eine Einigung oder sogar eine Lösung gefunden werden, die für beide Seiten akzeptabel ist. Sagt man hingegen nichts und frisst alles in sich hinein, um Ärger von vornherein zu vermeiden, fügt man der Handlung mehr Bedeutung bei als eigentlich nötig und Streitereien sind sicherlich unvermeidbar.

Meine Oma hat oft zu mir gesagt, bevor sie mir mit dem Kochlöffel Prügel angedroht hat: „Tu nichts schlechtes, dann wird auch niemand etwas davon erfahren."

Also so lange man sicher ist, nichts Falsches zu tun, kann man ebenso gut dazu stehen und somit den Partner auch miteinbeziehen und teilhaben lassen. Geheimniskrämerei und Heimlichtuerei betreibt ja im Normalfall nur, wer wirklich etwas zu verbergen hat.

In vielen Fällen handeln und reagieren wir sehr unangebracht und andere missverstehen unsere Handlung und tun das gleiche. Die zahllosen Probleme, die in unserem Leben im Kontakt mit anderen Menschen entstehen, basieren zum großen Teil auf Missverständnissen, auf Unkenntnis unserer eigenen Gegebenheit und des Sachverhalts der anderen. Warum ist das so? Warum erkennen wir dies nicht gleich und klären es? Es liegt oft daran, dass wir sehr selbstbezogen und egozentrisch denken, dass wir in unseren Gedanken und Handlungen sehr auf unser eigenes „Ich", auf uns selbst fokussiert sind. Unsere Auffassung kreist darum, wie wir unseren eigenen Vorteil erzielen und uns selbst Hindernisse vom Halse halten können. Darüber hinaus hat unser „ich-bezogenes" Denken zur Folge, dass wir nicht nur unseren Partner, sondern auch die anderen Menschen nicht richtig einschätzen, ihre Gefühle und Gedanken nicht kennen und nicht genügend mitberücksichtigen. Aus dieser mangelnden Interpretation unserer eigenen Auffassung und des Sachverhalts der anderen Person kommt es dann zu unangebrachten Handlungsweisen, Inkorrektheiten, Erbitterung, Empörung und vielen anderen ablehnenden Handlungsweisen. Doch sobald Sie sich von Ihrem Ego nicht mehr lenken lassen, verliert Ihr Ego immer mehr an Macht und Sie verspüren eine seelische Freiheit. Lassen Sie sich also nicht von Ihrem Ego leiten, denn diese drei Buchstaben können manchmal Ihr größter Feind sein.

- Mehr Zufriedenheit durch Ehrlichkeit

Die meisten Menschen wagen es nicht einmal, daran zu denken sich zu öffnen, weil sie die Sorge haben, als schwach zu gelten und dadurch von anderen verletzt oder gar aufgezogen zu werden. Doch das ist für mich wahre Größe, wenn jemand seinen schützenden Panzer aufgibt und sein Innerliches öffnet. Keine

Schauspielerei. Kein so tun als ob. Kein „Mir geht es bestens!“ in der Hoffnung, dass es jemand merk, dass es einem wirklich schrecklich geht.

Man muss sich nicht länger damit abstrampeln und sich das Leben schwer machen, um einer anderen Person eine Haltung vorzuspielen oder in den verschiedensten Situationen des Alltags immer wieder herumzuflunkern. Die meisten bezeichnen Menschen, die aufrichtig und ehrlich sind, als radikal oder wenig einfühlsam. Doch ganz ehrlich, jemand der immer geradeheraus sagt, was er denkt und fühlt, wird am Ende die meiste Hochachtung ernten.

In vielen Fällen zeigt sich doch am Ende ohnehin, dass das Verheimlichen manchmal völlig überflüssig ist und Ihr Gegenüber hätte gegen einen transparenten Umgang mit diesem oder jenem Thema überhaupt nichts einzuwenden gehabt. Durch ehrlichen Informationsaustausch kann man zusätzlich in der Lage sein, eine andere Person aktiv in den eigenen Wünschen und Bedürfnissen zu unterstützen. Egal, wie desaströs die daraus resultierende Auseinandersetzung ist, die Menschen verarbeiten unbarmherzige Ehrlichkeit grundsätzlich besser als Täuschungen und gewohnheitsmäßiges Verheimlichen. Und sei die Lüge noch so verrückt und abgegriffen.

- Ehrlichkeit ist die bessere Treue

In der Tat muss es nämlich nicht immer der körperliche Betrug sein, auch flüchtige Flirts oder kleine Alltagsgeheimnisse können dazu führen, dass der Partner sich hintergangen und allein gelassen fühlt. Und, wie ich schon ganz am Anfang angesprochen habe, das, was man selbst nicht erfahren möchte, sollte man auch dem anderen nicht antun. Das Leben ist wie ein Karussell, es dreht sich mal langsam, dann wieder schneller und es hört niemals auf sich zu drehen. Doch klar ist, dass es ein Kreis ist und alles immer wieder zurückkommt.

Wenn man hingegen lernt, ganz selbstverständlich aufrichtig zu sein, die Wahrheit zu sagen, wie teuer das neue Outfit wirklich war oder mit wem man sich gelegentlich nach der Arbeit auf einen Drink trifft, gibt das auch einem selbst in der Beziehung eine harmonischere Empfindung. Von echter Verbindung, wahrer Freundschaft und offenherziger Liebe.

Ehrlichkeit im Bett

Wo fängt eine Unwahrheit überhaupt an? Wann ist eine noch so kleine Lüge eine Flunkerei? Eine Lüge fängt schon da an, wo jemand etwas zurückhält, was unser Gegenüber betrifft. Unsere Geheimnisse machen uns manchmal krank und fressen uns von innen auf. Sie hindern uns daran, authentische und aufrichtige Beziehungen zu führen. Weil wir uns eben nicht als diejenigen zeigen, die wir wirklich sind. Und bei direkter Ansprache fühlen wir uns sofort ertappt und bloßgestellt.

Es gibt kaum einen anderen Ort, bei dem wir manchmal wie gedruckt lügen, wie im Bett. Warum machen wir so etwas? Zweifeln wir allenfalls an unseren Fähigkeiten? Oder vielleicht haben wir nur Angst davor, unseren Partner zu verletzen oder gar andere Tatsachen offenzulegen. Hier gehen wir der Frage nach, warum Männer und Frauen ohne mit der Wimper zu zucken über oder auch während des Sex gnadenlos lügen. Ehrlichkeit funktioniert wie eine Art Gründungsbaustein für die Liebe.

Ehrlichkeit gehört zum Liebesspiel wie die Schmetterlinge zum Verliebtsein. Aber es scheint, als hätten viele schon vergessen, welche Auswirkungen diese Ehrlichkeit auf einen hat. Und deswegen fühlt sie sich am Anfang einer Beziehung auch so guttuend an. Da kann die gegenseitige Aufrichtigkeit und Ehrlichkeit nämlich eine Partnerschaft wahnsinnig glücklich machen. Man plaudert sich gegenseitig die tiefsten Geheimnisse, intime Dinge, von denen man nie dachte, man würde sie jemandem anvertrauen, aus. Wir fühlen uns geborgener, denn nun ist jemand da, jemand der uns zuhört, bei dem man sich mit seiner Vergangenheit und Erlebnissen gut aufgehoben fühlt. Man legt ein kostbares Geheimnis bei jemandem ab, der es behütet, damit umgehen kann und sich gut drum kümmern wird. Das schafft tiefes Vertrauen, Festigkeit in der Beziehung und fühlt sich unglaublich gut an. Aber es gibt auch natürlich genügend Menschen, die behaupten, dass Geheimnisse in einer Beziehung sein müssen.

Stellen Sie sich vor, Sie stünden am Anfang einer neuen Beziehung und Sie schweben regelrecht auf Wolke sieben. Alles ist so neu und jede Berührung ist ein aufregendes Erlebnis. Wie würden Sie sich verhalten? Was würden Sie Ihrem Sexgespielen sagen? Würden Sie fragen, mit wie vielen Menschen die Person schon im Bett war? Und was macht Sie besonders an? Um es zu verdeutlichen, wenn es um das Thema Sex geht, lügen Frauen und Männer mit voller Überzeugung, dass sich die Balken biegen. Wobei Wissenschaftler an einer Universität in Kanada herausgefunden haben, dass die Männer gerne übertreiben und die Frauen zum Untertreiben tendieren. Das will heißen, dass die Herren sich zur Not immer was zusammen lügen und die Frauen hingegen mogeln ein paar weg. Zum Beispiel, wenn ein Mann gerade bei der Sache ist, während er plötzlich merkt, wie sein gutes Stück immer schlaffer wird, aus welchem Grund auch immer, dann wird er wahrscheinlich einen Wadenkrampf simulieren und sagen: „Oh Schatz, sorry ich hab einen Krampf. Du bist unglaublich, aber ich muss leider aufhören!" Eine Frau hingegen wird sich die Sachen nicht lange anschauen, wenn sie merkt, dass der Mann eine volle Niete im Bett ist und einfach wild herumstochert wie ein Rammler. Sie wird sicherlich zu ihm sagen: „Wow! Schatz, du bist echt der Wahnsinn. So wie du hat es noch keiner gemacht."

Oft wegen solcher Verleugnungen und Verheimlichungen kommt es auch regelmäßig vor, dass angebliche Jungfrauen auf einmal schwanger werden und sich überzeugte abstinente Männer Geschlechtskrankheiten einfangen.

Sicherlich sind die Amerikaner vielleicht in allem etwas extremer, als die Menschen in Asien oder auch Europa. Aber egal wo auf dieser Welt, wenn es ums Thema Sex geht, sind die meisten Menschen mit Sicherheit auch nicht ehrlich. In der Gegenmeinung wissen nur noch diejenigen selbst, was der Wahrheit entspricht und was nicht. Daher macht es oft keinen Sinn, zahlreiche Statistiken herauszuholen oder Umfrageergebnisse wiederzugeben, wenn die Menschen nicht ehrlich sind, denn dort wird auch nur noch gelogen. Sobald wir offen legen müssen, um anderen von unserem Sexleben zu erzählen, kommen zum größten Teil Halbwahrheiten heraus. Jedoch weiß jeder, dass eine gesunde, harmonische und liebevolle Beziehung auf Vertrauen, Zuneigung und Respekt basiert, also zeigen Sie Ihrem Partner die nötige Aufrichtigkeit und angemessenen Respekt.

Hier einige ehrliche Sex-Geständnisse, die ich in verschiedenen Betreuungen behandelt habe und die Ihnen auch zeigen, dass Sie nicht alleine sind.

1. „Seit fast 7 Jahren bin ich glücklich mit einer wundervollen Frau verheiratet. Dazu muss ich auch noch sagen, dass ich hetero bin und ich meine Frau auch sehr liebe. Doch seit einiger Zeit würde ich wirklich gerne von ihr anal befriedigt werden. Ich finde es schade, dass anale Befriedigung bei Männern so ein Tabu ist und man sofort als „schwuler Mann“ abgestempelt wird. Der Anus eines Mannes verfügt ebenso über zahlreiche Nervenenden, ganz abgesehen von der Nähe zur Prostata und die unglaubliche Empfindlichkeit. Ich würde gerne von meiner Frau geleckt und gefingert oder sogar penetriert werden, aber ich weiß nicht, wie ich es ihr sagen soll. Ich kann mir auch nicht vorstellen, wie sie auf die Anfrage reagieren würde. Das Sexleben mit meiner Frau ist ziemlich offen und prickelnd, aber über neue Befriedigungsmöglichkeiten wie Analsex haben wir noch nie miteinander gesprochen. Gibt es andere Hetero-Männer, die auch solche Bedürfnisse haben?“ Männlicher Hetero-Mann aus Paris / 33

2. „Erst einmal will ich klarstellen, dass ich in sexueller Hinsicht lieber empfange als gebe, aber ich wäre auch gerne mal der aktive Part. Im Klartext gesagt würde ich mal gerne der Ficker sein. Es ist so, dass ich noch nicht viel sexuelle Erfahrung gesammelt habe. Ich hatte bis jetzt nur einen Freund und beim Sex habe ich bisher immer die passive Rolle eingenommen. Ich kriege es mit der Angst und mit unglaublichen Zweifeln zu tun, wenn ich aktiv sein soll. Ich habe es noch nie gemacht und ich traue mich nicht, es auszuprobieren. Ehrlich gesagt habe ich nicht einmal den Mut, mein Freund danach zu fragen. Ich stelle mir vor, dass ich ihm wehtue und unzählige Fragen quälen mich. Fragen wie: Muss ich einfach nur schnell stoßen? Wird es sich lustvoll für ihn anfühlen? Wird es mir gefallen? Soll ich es einfach tun, ohne ihn großartig zu fragen? Manchmal denke ich mir, dass ich einfach ins kalte Wasser springen sollte, aber ich mache mir so viel Kopf-Kino, das mich davon abhält. Und noch zum Thema passiver Part habe ich noch eine Sache, die mich wurmt. Soll es sich während dem Sex wirklich so anfühlen, als müsste man jedes Mal auf die Toilette? Es fühlt sich zwar total aufregend an, aber immer, wenn er ganz tief in mich eindringt, habe ich Angst, dass ich das ganze Bett vollkacke. Egal, ob ich mich vorher eine Spülung gemacht habe oder zusätzliche Ballaststoffe einnehme, es riecht manchmal nach Kacke. Ich kann mich nicht richtig fallen lassen, bin daher immer nervös und voll angespannt." Schwuler Mann aus Berlin / 22

3. „Oft betrachte ich mich nackt im Spiegel und finde mich überhaupt nicht attraktiv. Außerdem habe ich das Gefühl, eine absolute Niete im Bett zu sein. Was Sex betrifft, bin ich eigentlich für alles offen. Ich stehe auf Analsex, liebe oral und alle möglichen Sex-Stellungen, doch wenn es dann wirklich zur Sache geht, bin ich plötzlich zu verkrampft und mache einen Rückzieher. Und da ich einen Hänge-Po, auch sichtbare Zellulitis am Hintern und an den Beinen habe, bin zu sehr damit beschäftigt, mich regelrecht zu verstecken. Ich bedecke mein Körper ständig mit der Decke, schalte das Licht aus oder sorge dafür, dass es im Raum komplett dunkel ist. Erst wenn es Stockdunkel ist, kann ich mich fallen lassen.

Ich hasse meinen nackten Körper und setze daher alles daran, dass mein Partner mich nicht in einer unvorteilhaften Position sieht. Daher liege ich meistens im Bett und gebe mich zufrieden mit der üblichen Missionar-Stellung, obwohl ich so gerne alle möglichen Stellungen ausprobieren würde. So macht der Sex weniger Spaß und ich fürchte, dass es meinem Partner ebenso ergeht. Ich werde bald mit meinem Partner zusammenziehen und ich freue mich so sehr darüber. Jedoch möchte ich diese verkrampfte Einstellung nicht in das gemeinsame Schlafzimmer mitnehmen. Ich mache mir große Sorgen, aber ich weiß einfach nicht, wie ich damit aufhören und loslassen kann." Weibliche Bisexuelle aus Prag / 24

4. „Der Anlass, warum ich mich als asexuell identifiziere, ist, dass ich mich einfach ekle, dass eine andere Person mit welchem Körperteil auch immer meine Genitalien berührt. Auch nur die Vorstellung ist ekelerregend für mich. Außerdem bin ich auch nicht hochgestimmt von der Überlegung, die Geschlechtsorgane einer fremden Person zu berühren oder gar in den Mund zu nehmen. Die meisten meiner Freunde glauben daher, dass ich irgendwie traumatisiert bin, dass ich vielleicht misshandelt, angegriffen oder gar vergewaltigt wurde. Doch das ist nicht so. Ich wurde nie misshandelt, vergewaltigt oder dergleichen. Ich habe noch nie einen sexuellen Kontakt gehabt, einvernehmlich oder nicht. Für mich ist Sex eine irritierende Sache, an der ich sicherlich keinen Spaß haben würde.

Ich sehne mich schon nach Liebe, nach dem Schmetterlinge im Bauch-Gefühl und möchte körperliche Intimität mit einer Frau erleben. Bin offen für vieles, das andere wahrscheinlich als sexuelle Aktivität einstufen würden, aber ich glaube, dass meine Gedankenmuster absolut einzigartig auf dieser Welt sind. Ich möchte meine Mitmenschen weder belügen, noch in die Irre führen, aber ich denke, wenn ich gleich alles offen legen würde, dann würden die meisten es erst gar nicht mit mir versuchen wollen, ohne mich überhaupt näher kennengelernt zu haben.

Die meisten Menschen würden vielleicht verstehen, dass es nicht nur darum geht, was die Leute mit ihren Genitalien machen, aber für eine lesbische Frau, die zwar an Frauen interessiert ist, jedoch keine sexuelle Anziehung empfindet, kann für viele sehr verwirrend sein.“ Weibliche Asexuelle, Lesbische aus Berlin / 31

5. „Seit über zehn Jahren hatte ich keinen richtigen Sex mehr und ich traue mich nicht, mit meinen engen Freunden darüber zu reden. Meine Freundinnen erzählen immer in allen Einzelheiten von ihren Sex-Erfahrungen und prahlen regerecht damit. Ich hör mir alles an und kommentiere auch das meiste, habe Angst vor dem, was sie denken würden, sollten sie erfahren, dass ich schon seit einer Ewigkeit mit niemandem mehr zusammen war. Eigentlich gibt es keinen besonderen Grund für die Durststrecke. Ich empfinde mich als sehr attraktiv und durch meine regelmäßigen Fitnessstudiobesuche habe ich auch eine tolle Figur. Zudem glaube ich, dass ich süchtig nach Sex bin, daher mache ich es mir einfach selbst. Immer und immer wieder. Mit allen möglichen Gegenständen habe ich mich bereits befriedigt, von Bananen, Flaschen, bis Gurken und Vibratoren jeglicher Größe und Farben. Manchmal auch mehrmals am Tag und selbstverständlich auch vor dem Schlafengehen. Unglaublich ist, dass in solchen Momenten mein Gehirn einfach komplett abschaltet und ich verwandle mich in ein sexhungriges Etwas.

Ich würde auch niemanden verurteilen für sein Sexleben. Aber ich bin überzeugt, dass wenn ich jemandem erzählen würde, dass ich seit fast 11 Jahren keinen richtigen Sex mit einem Menschen mehr hatte, dann würden mich die meisten mit einer fassungslosen Miene anschauen. Sie würden erst Kichern, mit den Augen rollen und anschließend mich mit sinnlosen Fragen löchern. Bestimmt würden Fragen kommen, wie: „Wieso denn nicht?“ oder „ Ach du Arme, hast du vielleicht ein Problem? oder „Oder willst du nicht?“ Außerdem würde das Geläster hinter meinem Rücken losgehen, wie ein Lauffeuer und die Neuigkeit würde sich rasant unter all meine Freunde ausbreiten.“ Weibliche Bisexuelle aus Rom / 35

6. „Ich bin schon seit fast 12 Jahren mit meinem Freund liiert. Ich liebe ihn sehr, aber unsere Beziehung ist todlangweilig. Ich wünschte, mehrere hätten den Mut darüber zu reden, wie sehr einer darunter leidet, wenn der eigene Partner einem nicht zeigt, dass er einen begehrt. Mein Freund ist für mich was ganz besonderes und ich möchte den Rest meines Lebens mit ihm verbringen. Er ist charmant, liebenswert und gütig. Doch im Bett ist er die völlige Niete und total langweilig.

Ich hab schon so oft mit ihm darüber gesprochen, aber er will davon nichts wissen. Hab ihm schon einige Sexzeitschriften gezeigt und verschiedene Ideen zur Sprache gebracht. Aber wenn es zur Sache geht, dann wird immer der gleiche Ablauf gemacht und auch in der gleichen Reinfolge. Absolut keine Abwechslung, keine Fantasie, nichts Neues von seiner Seite. Und wenn ich mal voll Lust habe, ihm einen zu blasen, dann lässt er mich gar nicht an sein Ding ran und will gleich Sex haben. Und dreimal dürft Ihr raten was danach passiert, denn nach nur 3 Minuten spritzt er ab und alles ist vorbei. Es gibt doch diese Blockbuster in Hollywood, der heißt: „The Italian Job" und bei mir im Schlafzimmer heißt es: „Der drei Minuten Job". Ich frag mich schon die ganze Zeit, ob es an mir liegt, vielleicht kann ich erbärmlich blasen oder ich bin nicht sexy genug. Ich möchte mich wieder begehrt fühlen. Ich will mal richtig hart rangenommen werden und mal die ganze Nacht Sex haben. Mit 30 bin ich noch zu jung, um nur einmal im Monat Sex zu haben, dies auch für 3 Minuten und immer in der gleichen Stellung." Weibliche Hetero aus Salzburg / 30

7. „Vor Kurzem habe ich in einem weißem Traumkleid geheiratet. Erzogen wurde ich daheim nach dem muslimischem Glauben, was bedeutet, dass es absolut tabu war, vor der Ehe Sex zu haben, und mein armer Mann, der die ganze Zeit wollte, hat es akzeptiert und genauso gehandhabt. Also könnt Ihr Euch vorstellen, wie unglaublich aufgeregt ich in unserer Hochzeitsnacht war, als wir versucht haben, miteinander zu schlafen, aber es überhaupt nicht möglich und viel zu schmerzhaft war. Vorerst muss ich dazu sagen, dass ich noch nie einen Tampon getragen habe, zwar habe ich es mehrmals versucht, aber irgendwie nie reingekriegt. Ich dachte natürlich, dass beim ersten Mal, wenn das Jungfernhäutchen mal durchbrochen ist, alles viel einfacher und mit Leichtigkeit funktionieren wird.

Das war aber nicht so. Seit meiner Hochzeit sind jetzt schon acht Monate vergangen und ich hatte immer noch keinen Sex. Ich war bei drei verschiedenen Ärzten und habe Dilatoren bekommen, die die Vagina erweitern sollen, weil ich an Vaginismus leide. Wer sich gerade fragt, was Vaginismus ist, das ist auch ein sogenannter Scheidenkrampf, eine unwillkürliche Verkrampfung oder Verspannung des Beckenbodens und des äußeren Drittels der Vaginalmuskulatur, wodurch der Scheideneingang sehr eng oder wie fast verschlossen erscheint.

Ich schäme mich, wenn meine weniger konservativen Freunde Witze über meine Hochzeitsnacht reißen, weil sie annehmen, dass ich endlich Sex hatte, aber in Wirklichkeit habe ich mit meinem Mann in über acht Monaten kein einziges Mal miteinander Sex gehabt. Mein Mann hat schon so gut wie alles getan, was man in sexueller Hinsicht tun kann, aber es klappt einfach nicht. Er kommt einfach nicht rein, denn außer ein Finger kommt da nichts rein. Wir haben schon alle möglichen Gleitmittel ausprobiert, aber ohne Erfolg. Meinem Mann zuliebe machen wir es die ganze Zeit anal, aber wir möchten mal Kinder haben. Ich bin verzweifelt und weine nur noch. Ich weiß nicht, wie lange mein Mann es mit mir aushält. Was soll ich tun, um meine Vagina etwas erweitern zu können?." Weibliche Hetero aus Stuttgart / 20

8. „Ich leide an Dysmorphophobie. Wer mit diesem Begriff nichts anfangen, erkläre ich euch kurz, was dieses Leiden mit sich bringt. Dysmorphophobie ist eine erhebliche psychische Störung. Betroffene Personen fühlen sich unattraktiv, abstoßend oder sogar entstellt, obwohl sie optisch gar keine auffälligen Schönheitsmakel haben. Ich muss leider auch dazu sagen, dass die betroffenen Personen auch nicht simulieren, sondern sind ernsthaft krank. Die Symptome sind, dass ich mich immer als ekelhaft, abscheulich und nicht liebenswürdig empfinde. Ich hasse auch mein Spiegelbild, denn ich finde mich unglaublich ekelig. Daher gehe ich fast mit jedem im Bett, denn ich nutze Sex häufig dazu, um mich schön zu fühlen, wodurch ich mich schon das ein oder andere Mal in eine missliche und sehr gefährliche Situation gebracht habe. Ich frage oft auch wildfremde Männer auf der Straße, ob sie mich attraktiv finden und, ob sie mit mir Sex haben würden. Oft treiben wir es dann im Auto, in der Wohnung von der Person oder in einem Hotelzimmer in der Nähe. Ja, ich weiß das ist total dämlich und verrückt. Aber in solchen Momenten fühle ich mich begehrt, wenn ich merke, dass die Person mich mit den Augen regelrecht auffrisst und mich sofort will.

Ich wünschte, es würde mehr darüber gesprochen, wie unsere Psyche uns beeinflusst und Sex eine Art Ventil sein kann. Wenn ich mit einer unbekannten Person Sex habe und diese zu mir sagt, wie unglaublich sexy ich bin und wie wundervoll mein Körper ist, dann fühlt es sich einfach gut an. Ich bin schon soweit, dass ich täglich mehrere Männer anspreche. Ich glaube, dass ich die Kontrolle über mich selbst verloren haben. Ich brauche Hilfe!" Weibliche Hetero aus München / 24

9. „Sorry, Leute, meine Story ist etwas dreist und könnte von einem Scary Movie-Film herstammen. Ich habe dieses Erlebnis auch einigen Freunde erzählt und die haben sich vor Lachen fast in die Hosen gepisst. Meine Kumpels haben mich schon als der neue Jack the Ripper getauft. Alles fing eigentlich an einem wunderschönen Nachmittag auf einer Parkbank an, total harmlos. Das war übrigens mein erstes Mal. Die Vögel haben um die Wette gezwitschert und der Duft der Blüten um die Sitzbänke sorgte für ein wohltuendes Gefühl. Plötzlich und auch ganz zufällig lief eine Freundin von mir auch durch den Park, mit der ich schon ein paar Mal ausgegangen war. Eigentlich kam sie mir sehr schüchtern und total anständig vor, doch aus heiterem Himmel sagte sie zu mir, ob ich Lust auf Sex hätte. Und da es hier völlig anonym ist, erlaube ich mir offen preiszugeben, dass ich sehr gut bestückt bin.

Erstaunlicherweise waren für einen Frühlingstag am späten Nachmittag überraschend wenig Leute im Park, also ging es sehr schnell zur Sache. Ich setzte mich hin, öffnete meinen Hosenstall und zog meine Schlage aus dem Käfig und sie zauberte aus dem Nichts ein Kondom und zog es über. Nachdem wir eine Weile wild herumgeknutscht hatten und ich auch ihre Titten in den Händen hatte, hielt ich es nicht mehr aus. Plötzlich stand sie auf, sie hob ihr mit farbigen Blumen bemaltes, kniehohes Kleid hoch, zog mit paar Handbewegungen ihren Slip aus und lächelte mich an. Ich brachte meinen total erregten Penis in Stellung und rasch hockte sie sich drauf. Ich wollte schon zu ihr sagen, dass sie langsam machen soll, schon fühlte ich, wie ein Riss durch sie hindurch. Sie schrie plötzlich laut auf und dann war es ganz still, sogar die Vögel hatten aufgehört zu zwitschern. Ich wusste überhaupt nicht, was los war. Ihr Gesicht war irgendwie verzogen und Schmerzverzerrt. Ich hielt ein paar Sekunden still und dann, als sie wieder aufstand, war meine helle Jeanshose voller Blutflecken. Und nicht nur ein paar Flecken, sondern die ganze vordere Seite um den

Reißverschluss, bis zu den Hosentaschen, war voller Blut. Auf einmal stand diese blöde Schlampe auf und rannte, wie von Hunden verfolgt, weg. Ich saß da auf der Parkbank, völlig schockiert, total mit Blut verschmiert und mit einem riesigen Ständer. Ihr könnt euch vorstellen, wie die Heimfahrt mit der U-Bahn war. Bis zu den Knien hatte ich Blutflecken. Ich war erst 17 und es war ein wirklich schreckliches Erlebnis. Zu Hause guckten mich meine Eltern mit kugelrunden Augen an, keiner von beiden machte sich aber die Mühe zu fragen. Ich kann mich nur dran erinnern, wie mein Vater mit einem leichten Grinsen zu mir sagte, ob ich meine Tage bekommen hätte. Nach diesem Erlebnis wollte ich nichts mehr von Frauen wissen und natürlich bin ich heute schwul. Ehrlich gesagt würde ich es gerne noch mal versuchen, aber ich habe Angst." Schwuler Mann aus Nürnberg / 21

10. „Während der Sommerferien war ich zu Hause bei meinen Eltern und in der Dorfkneipe traf ich zufällig meinen alte Flamme bei einem Klassenzusammentreffen. Zwischen uns funkte es unglaublich stark. Nachdem wir fast den ganzen Abend herumgemacht hatten, gingen wir zu ihr nach Hause und wie sich herausstellte, waren ihr Zimmer und das ihrer Eltern sehr nah beieinander. Die Eltern waren zu dem Zeitpunkt nicht zu Hause, doch sie sagte zu mir, dass wir sehr leise sein mussten. Die Frau hatte so unglaubliche Titten, dass ich zu allem ja gesagt hätte, nur um die zwei Babys in den Händen halten zu können. Wir haben es stundenlang getrieben und immer, wenn sie zu laut wurde hab ich mit meiner Hand ihren Mund zugehalten.

Irgendwann mitten in der Nacht musste ich dringend pinkeln gehen. Daher verließ ich in meinen Boxershorts mit sichtbarem Ständer das flache Bett und dackelte durch den Gang, um das Badezimmer zu finden. Nachdem ich fertig war, machte ich das

Licht aus und fing an, herumzutasten, um im Dunkeln den Weg zurück zu finden. Ich sah absolut nichts, denn es war stockdunkel. Ich tastete und tastete mich weiter durch den Raum, bis ich plötzlich einen Körper berührte, beziehungsweise einen Hintern. Ich war endlich beruhigt, dass ich endlich angekommen war. Doch es war nicht der Hintern von meiner Freundin, den ich angegrapscht hatte, und ich war auch nicht im richtigen Zimmer. Ich war im Zimmer ihrer Eltern gelandet und im Dunkeln hatte ich nach dem Hinter der Mutter gegriffen. Plötzlich schrie die Mutter laut auf und der Vater machte sofort das Licht an und wollte mich gleich killen. Er schrie, wie ein Teufel: „Wer bist du überhaupt?". Was eigentlich total angemessen war, immerhin irrte da irgendein halb nackter Typ, zudem mit einem Ständer in der Hose, in seinem Schlafzimmer herum. Aus meiner Anakonda in der Hose wurde ein Würmchen. Es grenzte an einem Wunder, dass der Vater mich nicht umgebracht hatte. Ich schrie nur herum, dass ich ein Freund ihrer Tochter sei, genau als sie schreiend ins Zimmer geeilt kam und mir mehr oder weniger das Leben rettete. Ich habe am ganzen Körper gezittert. Sofort habe ich meine Klamotten geholt und bin rennend aus dem Haus gelaufen. Ich habe sie nie wieder gesehen, aber ihre Titten sind immer noch in meinen Gedanken. Solche verrückten Erlebnisse passieren mir andauernd. Sorry, wenn ich es so offenherzig sage, aber wenn es ums Ficken geht, bringe ich mich in brenzlige, wenn nicht sogar in gefährliche Situationen. Ist das normal? Bin ich sexsüchtig?" Männlicher Hetero aus Berlin / 22

11. „Seit Tagen bin ich sehr traurig, denn meine Freundin hat am Wochenende mit mir Schluss gemacht. Ihr werdet euch sicherlich fragen, warum sie das getan hat? Ehrlich gesagt, weil ich sie nicht lecken wollte. Unsere Beziehung ist ziemlich frisch, wir haben uns erst vor knapp ein paar Monaten kennengelernt und zudem sehen wir uns meistens nur am Wochenende. Sie ist die volle Granate, meine Traumfrau. Sie sieht nicht nur toll aus, sie ist intelligent und eine Wucht im Bett. Schon beim Sex habe ich diesen schrecklichen Fischgeruch im ganzen Raum gerochen und es wurde immer schlimmer. Manchmal roch es so stark, dass ich dachte, ich wäre auf einem Fischkutter. Daher habe ich es schon von Anfang an nie gewagt, ihre Muschi zu lecken. Oft hat sie mich nach unten gedrückt, doch bislang habe ich mich dem elegant entziehen können. Jedoch von Mal zu Mal wurden ihre Andeutungen immer klarer. So wurde mein Kopf immer wieder nach unten gedrückt. Sie brauchte nur ihre Beine zu öffnen und schon stieg der Fischgestank, wie eine radioaktive Wolke auf. Schon in der Hundestellung bin ich fast high geworden und habe keine Luft mehr bekommen. Es ist unglaublich, dass sie das nicht selber mitbekommen hat. Mehrmals habe ich versucht, es ihr zu sagen, aber ich wusste nicht wie. Am vergangenen Wochenende hatten wir viel Spaß miteinander, bis wir wieder im Bett landeten. Plötzlich mit einer ernsten Miene stellte sie mich vor die Wahl, entweder ich lecke sie endlich oder sie suche sich einen anderen Typen, der das tun würde. Natürlich war dies der richtige Zeitpunkt, um es ihr zu sagen. Und wie aus der Pistole geschossen, sagte ich zu ihr, dass ihre Muschi nach vergammeltem Fisch stinken würde. Sie wurde so sauer und schmiss mich sofort aus ihrer Wohnung. Seitdem sind schon mehrere Tage vergangen und es herrscht immer noch Funkstille. Ich liebe Muschis zu lecken und ich hätte gerne auch ihre gerne geleckt, aber nicht mit diesem unerträglichen Gestank. Ich hätte es ihr, vielleicht etwas schonender und vor allem auch früher sagen sollen. Doch es war mir einfach zu peinlich. Sie ist eine wunderbare Frau, aber dieser Gestank war grauenvoll. Ist dieser Gestank normal? Soll ich noch mal versuchen mit ihr zu reden?" Männlicher Hetero aus

Frankfurt / 28

12. „Ich hatte ein Date mit einem echt gutaussehenden Typen. Er war charmant, nett und sehr zuvorkommend. Wir knutschten herum und hatten den ganzen Abend Spaß, bis wir in einem Hotelzimmer in der Nähe im Bett landeten. Wir lagen im Bett und es ging langsam zur Sache. Plötzlich zog er seine Hose aus und eine Fleischpeitsche kam zum Vorschein. Sein Schwanz war einfach so riesengroß, dass es einem Baseballschläger ähnelte. Ich hatte so einen Prügel noch nie gesehen und war echt schockiert. Am liebsten wäre ich aus dem Zimmer gerannt, aber ich habe mich nicht getraut. Trotz des riesigen Penis war er sehr einfühlsam und unglaublich zärtlich. Sofort schob er das Ding in meinem Mund. Es war auch so dick, dass es nicht in meinem Mund passte. Dennoch während ich ihm einen blies, hatte ich plötzlich das Gefühl, mich übergeben zu müssen. Ich wollte den Kopf zurückziehen, aber er ließ mich nicht. Ich schob ihn weg, damit er mich loslässt, aber er deutete es als ein Zeichen, dass es mir gefällt und machte weiter. Als er kurz vor dem Abspritzen war, hielt ich es nicht mehr aus und kotzte das ganze Bett voll. Es war mir so peinlich, dass ich gleich losweinte und aus dem Zimmer gerannt bin. Seit Monaten habe ich keinen Sex mehr gehabt. Ich habe regelrecht Angst und gehe jedem Mann aus dem Weg. Doch ich will Sex haben, aber ich traue mich nicht. Sind solche großen Schwänze eigentlich normal oder lebte der Typ neben einen Kernkraftwerk." Weibliche Bisexuelle aus Rom / 19

Das Gesetzt der Resonanz

Was das Gesetz der Resonanz genau ermöglicht und in wie weit dieses unser Leben beeinflusst, erfahren Sie im folgenden Kapitel.

Durch die neuesten Erkenntnisse der Quantenphysik, der Quantentechnologie, der Quantenkorrelation, der angewandten Mathematik und der Epigenetik ist heutzutage immer verständlicher, dass es stets die Kraft unserer Überzeugung und Gedankenmuster ist, die uns zu dem werden lässt, was wir zu glauben zu sein. Von unser Wohlbefinden bis zur Krankheit, von der Immunabwehr bis zu unserem Hormonhaushalt, von unseren Selbstheilungskräften bis zu unseren Visionen, mentale Kraft und Glücksfähigkeit. Die Epigenetik ist natürlich bestimmend, denn diese ist ein Fachgebiet der Biologie und beschäftigt sich unter anderem mit einer Frage, auf die Wissenschaftler bis heute keine eindeutige Antwort haben. Wie weit sind wir Menschen und alle Lebewesen auf diese Erde durch unsere Gene vorprogrammiert, und wie stark kann die Umwelt diese lokalisierte Erbanlage verändern und sogar prägen. Die Antwort liegt in den Erbanlagen-Prozessen unserer Zellen. Diese makromolekulare Prozeduren sorgen, abhängig von äußeren Umständen, dafür, dass Gene stärker oder schwächer abgelesen werden.

Das Gesetz der Resonanz oder auch Gesetz der Anziehung genannt ist eine universelle Gesetzmäßigkeit, die tagtäglich auf unser Leben einwirkt. Einfach ausgedrückt besagt das Gesetz der Resonanz, dass Gleiches immer Gleiches anzieht. Jede Konstellation, jedes Ereignis, jegliches Handeln und jegliche Entscheidung unterliegt dieser kraftvollen Matrix. Eine Magie, die überall und ständig allgegenwärtig ist. Aktuell werden sich immer mehr Menschen dieser vertrauten Teilaspekte des Lebens bewusst und erlangen dadurch viel mehr Kontrolle über ihr eigenes Leben. Wer beispielsweise permanent zufrieden ist und davon auch ausgeht, dass alles, was passieren wird, ihn nur noch zufriedener macht, dann wird ihn auch genau das in seinem Leben widerfahren. Wenn jemand aber immer auf Ärger aus ist und selber fest davon überzeugt ist, dass alle Menschen ihm gegenüber unfreundlich gesinnt sind, dann wird derjenige auch nur mit unfreundlichen Menschen in seinem Leben konfrontiert werden. Doch wenn man sich diesem Grundgesetz bewusst wird und bewusst aus diesem machtvollen Grundsatz des Lebens handelt, dann kann man viel mehr Lebensfreude, Wohlbefinden, Liebe und weitere positive Werte in das eigene Leben ziehen. Man sollte sich dessen bewusst sein, dass negative Überlegungen wie beispielsweise Neid, Hass, Eifersucht, Gier, Wut nur Gebilde gleicher Intensität erzeugen. Auch wenn man diese oft nicht vermeiden kann, so ist es dennoch sehr wichtig, diese frühzeitig zu erkennen und zu verstehen.

Wenn wir verstehen wollen, wie unser Dasein funktioniert, ist es notwendig, dass wir einige physikalische, beziehungsweise Naturgesetze erkennen und versuchen, sie auch zu verstehen. Es gibt wahrscheinlich unzählige dieser physikalischen Gesetze, die die heutige Physik eben nicht erklären kann. Es gibt auch die sogenannten kosmischen Gesetze, die mit den Naturgesetzen zusammen agieren und zusätzlich sich mit den geistigen Gesetzen ergänzen. Doch wenn wir uns in unserem Leben gegen diese kosmischen oder sowohl auch den geistigen Gesetze wehren und nicht mit ihnen im Einklang leben, werden wir uns unwohl fühlen und regelrecht leiden. Wir können diese Grundsätze aber auch für uns arbeiten lassen, denn durch ihre Kenntnis offenbaren sich viele unerklärliche Phänomene und wer sie erkennt und sie auch bewusst nutzt, kann sie für sich und in allen Lebensbereichen positiv mit einfließen lassen. Überträgt man dieses Gebilde auf das energetische Universum, dann ist damit gemeint, dass Energie immer der gleichen Schwingung und mit der gleichen Intensität anzieht. Eine energetische Gegebenheit zieht immer eine energetische Gegebenheit der gleichen strukturellen Beschaffenheit an. Energetische Anordnungen, die ein vollkommen anderes Schwingungsniveau aufweisen, können wiederum nicht gut miteinander interagieren, bzw. harmonieren. Daher habe ich auch noch einige Prinzipien, beziehungsweise Grundsätze aufgelistet, die Sie berücksichtigen sollten.

- Die Grundgesetze des Geistes besagen zum Beispiel, dass alles Geist ist. Das heißt, dass alles miteinander verbunden ist, weil es aus Energie besteht. Wir sind sozusagen Schöpfung und Schöpfer in einem. Wir erschaffen mit unseren Gedankenmustern und Überzeugungen unser Dasein, unsere Realität. Jedem Menschen steht es offen, seine Gedanken und somit auch seine Handlungen jederzeit zu verändern. Dadurch kann ein Individuum sein eigenes Umfeld und sogar die Welt verändern. Sie sollten sich also im Klarem sein, dass Veränderung, in welcher Art auch immer, zuerst in Ihrem Geist stattfinden muss, damit sie auch in anderen Bereichen Ihres Lebens sich manifestieren kann.

- Der Grundsatz von Aktion und Reaktion besagt, dass jeder Auslöser eine Auswirkung hat und jede Auswirkung einen Auslöser hat. Denn jede Aktion in unserem Leben erzeugt eine Reaktion, die wieder zum Ausgangspunkt beziehungsweise zum Erzeuger zurückkommt. Im Klartext bedeutet dies, dass wir Energie freisetzen, die auf uns wieder aufprallt. Es gibt also laut diesem Grundgesetz keine Unrichtigkeit, keine Schuldzuweisung, keinen Zufall oder Glück, sondern immer nur Auslöser und Auswirkung. Diese beiden Prinzipien hängen zusammen, wie gut und böse, wie Licht und Dunkelheit und können Ihnen dabei helfen, wenn Sie sich oft die Verantwortung an bestimmten Ereignissen und Lebenssituationen geben. Denn dieses unausweichliche Gesetzt besagt, dass alles in Ihrem Leben nur genau sich so abspielen konnte, wie es vorgefallen ist. Weil eben alles einen Auslöser hat, der eine Auswirkung nach sich zieht. Wenn Sie Ihrem Leben so betrachten, werden Sie sich nicht mehr länger mit Fragen, wie: „Warum passiert gerade mir gerade dieses Unglück?" Oder was auch immer, beschäftigen. Und stattdessen, dass Sie ständig nach dem „Warum" suchen, können Sie sich jetzt darauf konzentrieren, wie Sie mit diesem Ergebnis umgehen und was Sie daraus lernen können.

- Der Grundsatz der Berücksichtigung oder Anklang besagt, dass laut diesem Gesetz entsprechen die Verhältnisse im Universum beziehungsweise im Makrokosmos den Verhältnissen im Mikrokosmos. Dies bedeutet, dass die äußeren Verhältnisse eines Menschen sich mit den inneren spiegeln und umgekehrt. Dies besagt auch die Theorie der Spiegelneuronen. Sie kennen das wahrscheinlich, jemand fängt an zu lachen und sofort müssen Sie unweigerlich mitlachen. Auch wenn jemand zum Beispiel sehr herzhaft gähnt, können sich die meisten zumindest ein Mitgähnen nicht verkneifen. Verantwortlich für dieses Phänomen sind besondere Gehirnzellen, sogenannten die Spiegelneuronen. Diese Impulse sind ein Resonanzsystem im Gehirn, das Gefühle und Stimmungen anderer Menschen beim Empfänger zum Nachahmen führt. Das einzigartige an den Nervenzellen ist, dass sie längst Signale aussenden, wenn jemand eine Handlung nur erblickt. Durch die bloße Nachahmung der Handlung entstehen im nächsten Schritt dann die Empfindungen, die auch entstehen würden, wenn Sie die Handlung selbst durchführten. Diese Abläufe im Gehirn sind das Fundament für eine emotionale Empathie, da Sie automatisch nachempfinden können, was Ihr Gegenüber fühlt. Spiegelneuronen werden aber nicht nur dann aktiviert, wenn Sie selbst einen Vorgang durchführen oder eine

Aktivität beobachten. Für die Aktion der Spiegelneuronen sind auch das Hören von handlungsklassischen Geräuschen, die Erwähnung einer Handlung in einem Gespräch oder sogar die bloße Imagination, dass eine Person die Handlung durchführt, ausreichend.

Doch nichts kann uns beeinflussen, was nicht irgendetwas mit uns direkt zu tun hat. So, wie Sie innerlich sind, so erleben Sie auch Ihre Außenwelt. Wenn Sie sich verändern, verändert sich auch alles um Sie herum. Denn wenn Sie Ihre Sichtweise ändern, wie Sie Dinge sehen, dann werden sich die Dinge, die Sie sehen, auch mitverändern. Wenn Sie also eine Veränderung in der Welt oder in bestimmten Bereichen sehen möchten, dann fangen Sie an, sich selbst zu verändern und die ganze Welt um Sie herum wird nachziehen.

- Der Grundsatz der Resonanz oder Anziehung besagt, dass wir nur das anziehen können, was wir aussenden. Wir können quasi nur auf der Frequenz empfangen, auf der wir senden, wie eine Radioantenne. Gleiches zieht Gleiches an und wird durch Gleiches verstärkt. Sie ziehen also all das in Ihrem Leben an, was Ihre ständigen Handlungen, Überlegungen und Empfindungen entsprechen. Versuchen Sie daher, immer positive Gedanken und Einstellung zu wählen, entscheiden Sie sich für die Liebe anstatt die Angst und die Liebe und Positivität wird auch wieder zu Ihnen zurückkehren. Daher ist es auch wichtig, Affirmationen als Werkzeug für das Gesetz der Anziehung zu nutzen. So können Sie auf ganz einfache Weise und doch sehr kraftvoll das Gesetz der Anziehung für sich individuell zu nutzen.

- Das Grundsatz der Schwingung besagt, dass im Universum immer alles in Bewegung ist. Wir sind umgeben von Magnetfeldern, Gravitationskräften, Kraftfeldern und sogar

Schwarzer Materie, gepriesen zudem ständig von unsichtbarem Sternenstaub. Schwingungen können auch unseren Gemütszustand beeinflussen. Denn im Prinzip ist unsere Lebenskraft, der Unterschied zwischen Energie aussenden oder mentaler Stille bzw. der Tod und der Grad unserer gesundheitlichen Schwingung. Die Chinesen bezeichnen diese Lebenskraft als Qi. Daher ist das sogenannte Qi-Gong eine alte chinesische Meditations- und Verhaltensform zur Verbesserung und Stärkung des Wohlbefindens. Wir sind zudem umgeben von unzähligen weiteren Kraftfeldern, die ständig auf uns einwirken, sowohl bewusst als auch unbewusst. Unerklärliche Phänomene, wie Intuition Vorahnung oder das sogenannte Bauchgefühl.

Wenn alles also im Einklang und Gleichgewicht ist, fühlen wir uns wohl und das strahlen wir auch aus. Wenn wir etwas blockieren oder unterdrücken, fühlen wir uns schlecht, da sich diese Energie im Körper staut und nicht fließen kann. Deshalb ist es so wichtig, dass Sie Ihrer Energie Raum geben und sie spüren, anstatt sie zu ignorieren oder sie gar zu unterdrücken.

- Gut zuletzt besagt das Prinzip der Polarität, dass alles im Universum seine zwei Gegensätze hat. Angebliche Divergenzen sind jedoch nur unterschiedliche Charakteristiken des gleichen Sachverhaltes. So existiert zum Beispiel kein absolutes Licht oder Dunkelheit. Die Dunkelheit ist quasi nur ein Fehlen von Licht. Das Gleiche gilt auch für allgegenwärtige Hitze oder Kälte. Die Hitze und Kälte sind einfach die zwei Empfindungszentren, die von der Schwäche des anderen profitieren. Dieser Grundsatz verdeutlicht uns, dass in allem Schlechten auch etwas Gutes steckt und in allem Guten auch etwas Schlechtes steckt. Dennoch können wir das Gute auch nicht feststellen und definieren, solange wir nicht auch sein Gegenteil, beziehungsweise das Schlechte feststellen. Unsere

Beurteilung hängt also immer von der eigenen Betrachtungsweise ab. Wenn wir die Betrachtungsweise wechseln, werden wir dieselbe Gegebenheit anders beurteilen.

Wichtige Punkte zu Schritt 7

Moralische Werte, Aufrichtigkeit, Gewissen

1. Eine Beziehung sollte auf gemeinsamen Werten und Interessen basieren, auf gemeinsamen Zielen und Träumen.
2. Oft ist eine gut gemeinte Lüge besser, als eine aufrichtige oder ehrliche Antwort.
3. Nobles Verhalten, Altruismus oder auch Hochherzigkeit sind einzigartige Werte.
4. Bedenken Sie, dass unser Dasein in ständiger Konkurrenz mit jeder und jedem ist.
5. Verbannen Sie Misstrauen, Zweifel, Eifersucht, denn Sie sind nicht nur negative Gefühle und Energiefresser, diese werden auch von Verlustängsten und possessivem Denken gefüttert.
6. Nur, weil Sie sich selbst nicht für attraktiv und liebenswert halten, heißt das nicht, dass es Ihr Partner nicht auch tut.
7. Seien Sie nicht Sklave Ihres eigenen Ego.
8. Die Offenlegung von Empfindungen, Sichtweisen, Bedürfnissen, Träumen und Zielen hilft, sich selbst weiterzuentwickeln und für ein gemeinsames Wachstum zu sorgen.
9. Unsere Geheimnisse machen uns oft krank und fressen uns von innen auf.
10. Sie sollten sich also im Klarem darüber sein, dass Veränderung, in welcher Art auch immer, zuerst in Ihrem Geist stattfinden muss.

Schritt 8

Glauben Sie und entscheiden Sie sich für die Liebe

In der Einfachheit der Dinge liegt der Erfolg und so ist es auch mit der Liebe. Dieses unglaubliche, starke Gefühl ist mit großen Empfindungen verknüpft, die sich im Laufe einer Verbindung vom verführerischen Verliebtsein hin zu tiefer Verbundenheit wandeln. Jedoch spielt unser Wille auch eine große Rolle für das Glück einer Beziehung, indem wir immer wieder den bewussten Entschluss fällen zu lieben. Unser ganzes Leben mit einem einzelnen Menschen zu verbringen. Klar, dass diese Entscheidung manchmal nicht einfach ist. Ist es die Zeit, die Endgültigkeit oder auch die große Auswahl da draußen -oder was hindert uns, öfter Ja zu sagen?

„ Jeder sagt, Liebe tut weh, doch das ist nicht wahr. Einsamkeit tut weh. Ablehnung tut weh. Jemanden zu verlieren tut weh. Eifersucht tut weh. Jeder verwechselt das mit der Liebe, doch in Wahrheit ist Liebe das einzige auf der Welt, was diesen Schmerz überwinden kann und jemandem wieder ein wundervolles Gefühl gibt. Liebe ist das einzige auf dieser Welt, was nicht weh tut."

Schauspieler: Liam Neeson

Wie es im Volksmund heißt, geht die Liebe durch den Magen, daher habe ich am Ende dieser gemeinsamen Reise mit Ihnen ein Rezept mit auf den Weg gegeben. Ich muss zugeben, dass das Gericht ziemlich zeitaufwändig ist und großes Geschick erfordert. Doch wenn Sie meine Anweisungen befolgen, wird Ihr Gegenüber beeindruckt sein, und dies wird sicherlich Früchte mit sich tragen. Ich drücke Ihnen auf jeden Fall die Daumen und bin voller Zuversicht, dass alles blendend ablaufen wird.

Die Partnerwahl ist kein Wunschkonzert, keine Wunschliste an den Osterhasen und keine Bestellung wie in einer Pizzeria. Das sollte Ihnen bewusst sein. Andererseits fordern wir ständig, dass wir unsere Partner selbst wählen dürfen, nicht gemeinsame Freunde, nicht die Religion und auf gar keinen Fall unsere Eltern, gleichzeitig hoffen wir aber darauf, dass das Schicksal oder Amors Pfeil uns treffen und uns diesen Beschluss abnehmen wird. Oder ist es anders zu erklären, warum so viele Singles darüber jammern, die große Auswahl oder Verlustängste würde sie verunsichern und davon abhalten. Und zwar so sehr, dass sie lieber alleine bleiben, bis eines Tages zufällig der oder die Richtige auftaucht und sie erobert. Doch die meisten kämpfen mit sich selbst, denn Sie wissen nicht, was sie wollen. Sie wünschen sich zwar so sehr eine feste Beziehung, möchten aber ihre Freiheit nicht aufgeben. Sie wünschen sich eine liebevolle Partnerschaft, möchten aber weiterhin ihre Sexfantasien mit mehreren Partnern ausleben. Fragt man so einen Menschen, wo ihr Partner oder ihre Partnerin ist, schauen sie in der Regel in Richtung der betreffenden Person. Wenn man aber die gleiche Person dann fragt, wo sein Herz ist, geht der Blick oft in eine kompletten anderen Richtung. Ich kann auch behaupten, dass die meisten von uns nicht mit dem Menschen zusammen sind, den sie von ganzem Herzen lieben. Warum dann so viel Quälerei, könnte man fragen und schlussfolgern, dass es in vielen Fällen besser sei, sich zu trennen und nicht in einer Selbstlüge zu leben.

Ich war schon immer der Überzeugung, dass die wahre Liebe in einem selber und eine Entscheidung ist. Eine ständige

Unentschlossenheit und innerliche Unzufriedenheit ist nervenzerreißend, führt zu nichts und kostet sehr viel Energie. Dennoch möchte ich den Versuch starten, dem Geheimnis der Liebe ein wenig auf den Grund zu gehen, obgleich ich doch weiß, dass es Objektivität in der Liebe nicht gibt, aber als Anregung verstanden und nicht als Wahrheit, kann dieser Artikel eine von mir zu erreichen versuchte Unvoreingenommenheit darstellen. Ist die Liebe vielleicht nur ein Gefühl, eine Entscheidung, beides oder nur eine Illusion? Letzteres kann sicherlich verneint werden, dafür taucht dieser Begriff zu oft auf, in jedem Individuum selbst, in der Allgemeinheit, in allen Religionen, in der Geschichte und ja sogar in der Wissenschaft. Es ist eine unglaublich magische Kraft, für die die Wissenschaft bisher noch keine Deklaration gefunden hat. Diese Kraft besteht in sich selbst und beeinflusst alles andere, sie steht über allen Phänomenen des Universum und ist stets allgegenwärtig. Sogar Albert Einstein hat mal gesagt, dass die Liebe die universelle und stärkste Kraft des Universum ist. Daher kann die Liebe keine Illusion sein, es sei denn, das menschliche Leben selbst ist nur Illusion. Doch dem widerspricht jedes Bewusstsein, jedes Gedankenmuster und jedes noch so mikroskopische Leben. Angenommen, das Leben und somit auch die dort verknüpfte Liebe sei nur eine Selbsttäuschung, gibt es doch Milliarden Individuen, die dieser Kraft empfänglich gegenüber sind und diese auch als Realität wahrnehmen. Somit ist keine Absolutheit der Liebe geklärt, aber eine Gewissheit, eine Bedeutung der Liebe für unser Leben garantiert. Sie wird meistens als atemberaubendes Gefühl beschrieben, wir alle kennen die Aussage, die besagt, Schmetterlinge im Bauch, die rosarote Brille anhaben oder durch die Luft schweben. Wer von diesem Gefühl befallen wird, schaltet regelrecht den eigentlichen Menschenverstand komplett aus. Wir tun auf einmal Dinge, die uns sonst nicht in den Sinn kommen würden, sind abwesend und scheinen nur noch aus einem Gedanken zu bestehen, der Empfindung und die Anziehungskraft an unser Gegenüber, dem unsere Liebe gilt. Denn Liebe ist Anziehungskraft und in verschiedenen älteren Kulturen wird sie sogar als ein Geschenk von Gott angesehen.

Nachdem wir davon befallen sind, fangen unsere Synapsen an, total verrückt zu spielen, unsere mentalen Aktivitäten scheinen sowohl still zu stehen als auch sich schneller zu drehen um einen Punkt, als wir es jemals für möglich gehalten hätten. Unser Bewusstsein gerät außer Kontrolle und wir sind nicht mehr Herr unserer Gedanken und unserer Handlungen. Leistungen, zu denen wir uns nie in der Lage gefühlt hätten, gelingen auf einmal mühelos, manches, sonst so gewohntes, wird zur unüberwindbaren Aufgabe. Doch ist dieses Gefühl, das jeder von uns kennt, denn schon die Liebe? Ist dieser kurzweilige Zustand der Verwirrung, der Kopflosigkeit die Liebe? Ist dieses Kribbeln im Bauch und am ganzen Körper die Liebe? Ich denke nicht, dass dieses Gefühl etwas mit der Liebe zu tun hat, ich nenne es verliebt sein, wie ein kurzzeitiger Rausch, der einem die Sinne raubt. Dieser Zustand enthält zwar die Essenz der Liebe und ist auch eine wichtige Voraussetzung für jedes Individuum, doch diese Empfindung ist nicht die Liebe.

Einmal lieben, heißt immer lieben, nicht weil ein Gewissen oder weil irgendein Naturgesetzt dies fordert, sondern weil die Liebe eine Veränderung, bzw. eine Entscheidung ist. Auch eine Entscheidung aus Liebe kann zwar revidiert werden, aber dadurch wird sie nicht richtig. Diese Empfindung kommt vom Herzen und man kann diese sicherlich auch rückgängig machen, wie jede andere Entscheidung auch, doch wenn einmal die Liebe im Spiel war, werden Sie es niemals vergessen. Damit meine ich, dass die Entscheidung, einen Menschen zu lieben, meist getroffen wird, lange nachdem das Gefühl des Verliebtseins abgeschwächt ist. Aber in einigen Fällen kann es auch beim ersten Blick passieren. Der sogenannte magische Moment. Daher auch die Liebe auf den ersten Blick. Dabei stellt sich die Frage nach richtig und falsch, wir quälen uns innerlich, ob wir diese Entscheidung treffen sollten oder auch nicht. Wir verweilen regelrecht in einer Ekstase, sind uns der Tragkraft dieser Entscheidung nicht immer bewusst und wissen um ihre Bedeutung.

Viele Jahre habe ich mich auch gefragt, ob es die Liebe auf den ersten Blick wirklich gibt. Mit voller Überzeugung kann ich Ihnen sagen, dass es diesen magischen Moment gibt. Es gibt sie. Das klingt jetzt etwas kitschig, aber das habe ich erlebt, als ich meine Liebe des Lebens getroffen habe. Es war für mich Liebe auf den ersten Blick. Diese Augen, ihr Lächeln, ihre Haare, ihr Duft, alles war so unglaublich perfekt und verlief wie in Zeitlupe. Es sind zu viele Jahre vergangen, aber ich erinnere mich immer noch an ihren Duft. Und für alle Romantiker, die sich nach so einem Moment ihr ganzes Leben sehnen, kann ich nur sagen, es gibt ihn wirklich. Bei den Männern kommt die Liebe auf den ersten Blick häufiger vor, nicht, weil sie die größeren Liebhaber wären, sondern weil sie stark auf äußere Reize reagieren. Laut einer US-Studie sehen Männer das Gesicht, die Figur, die Augen und die Stimme als Kriterien für Anziehung und auch als Auslöser. Das ist sogar wissenschaftlich bewiesen worden. Dieser Zustand unglaublichen Rauschs mit Schwitzen, Herzrasen, stockendem Atem und weichen Knien ist ein biochemischer Prozess, den unser Hypothalamus auslöst. Die Glücks- und Belohnungshormone Serotonin und Dopamin im Zusammenspiel mit gebildeten Noradrenalin und Adrenalin werden ausgeschüttet, als stünden wir unter Drogen.

Der Hormonausbruch, die Anziehung, der erste Kuss sind wichtige Komponenten um den Prozess zu komplettieren. Denn die intensive, spontane Anziehung kann der Beginn einer großen Beziehung sein, auch wenn die wirkliche Liebe sich erst später entwickeln kann. Je intensiver solche Momente sind, desto aufregender und inniger wird die Beziehung. Immerhin glauben laut einer US-Studie 70 % der Menschen daran, sie hätten die Liebe auf den ersten Blick schon erlebt. Alle hoffnungslosen Romantiker dürfen also weiterträumen. Bis dahin können wir uns noch ein paar schöne Hollywood-Schnulzen anschauen, in denen sich die Liebe auf den ersten Blick auch wirklich bilderbuchmäßig abspielt.

Das alles funktioniert über visuelle Wahrnehmung, mit darauffolgender Stimulation. Anders ist es auch nicht möglich, denn den größten Teil aller Informationen aus unserer Umgebung nehmen wir über unsere Augen wahr. Genauer gesagt ist es also am Anfang keine Liebe sondern Ausstrahlung und Attraktivität auf den ersten Blick. Und auch ohne diesen Gefühlsausbruch am Anfang entscheiden wir unbewusst oder auch sogar bewusst schon nach wenigen Sekunden, ob jemand für uns als Partner in Frage kommt oder nicht. In diesem kurzen Prozess der Entscheidung sind wir jeglichen Auswirkungen, denen ein Individuum ausgesetzt ist, hemmungslos unterworfen. Konsequenzen wie Empfindungen, Gedanken, Logik, Familie, Freunde, kurz gesagt in der Umwelt, in der wir uns befinden. Dadurch kann es durchaus zu einer übereilten Entscheidung kommen. In dem magischen Moment der Euphorie und während des Gefühlsausbruchs ist es aber eine Entscheidung zum Wahrhaftigen, so wird dieser Moment von der entscheidenden

Person wahrgenommen.

In solchen Herzangelegenheiten geht man ziemlich viel ein, was zusammen hängt mit Verantwortung, Gewissenhaftigkeit und Pflichtgefühl. Und für die meisten geht es um ihre Vergangenheit, die Gegenwart und noch wichtiger, ihre Zukunft. Auch wenn die Person in Zukunft diese Liebe leugnen könnte oder sich auch anders entscheiden würde, kann sie sie doch nicht als Entscheidung aus der Vergangenheit für die Zukunft, also die dann währende Gegenwart leugnen. In der Gegenwart kann man sie verneinen, aber nicht als Entscheidung gegen den früheren Gefühlszustand. Die Verantwortung der Entscheidung kann nie in Frage gestellt werden, wenn einmal der Beschluss getroffen wurde, denn sonst waren es nie wahre Gefühle, also auch keine Liebe. Das ist so im Leben mit der Aktion und der darauffolgenden Reaktion. Die Aussage: „Ich bin über die Beziehung hinweg oder ich liebe die Person nicht mehr“, ist also eine nicht zulässige Aussage. Denn entweder ich habe die Person geliebt und somit auch eine Entscheidung getroffen, oder auch nicht. Liebe ist eine Beschlussfassung, eine Resolution. Daher trägt eine Entscheidung Verantwortung mit sich. Liebe ist also Verantwortung und nicht nur für die Gegenwart, sondern auch in Zukunft und alle Ewigkeit.

Was ich damit sagen will ist, dass wer die wahre Liebe erfahren will, bereit sein muss alles zu geben. Derjenige muss bereit sein, in die Ungewissheit der Gefühle zu springen. Wenn Sie bereit sind, alles zu setzten, können Sie auch alles gewinnen, aber natürlich auch alles verlieren. Das Eine kann ohne das Andere nicht existieren. Doch Sie können nur gewinnen, wenn Ihr Mut zu siegen größer ist als Ihre Angst vor dem Verlieren. Wenn Sie also alles geben und Ihr ganzes „Ich“ miteinbringen, können Sie sich nichts vorwerfen und ein reines Gewissen haben.

Der fortbleibende Grundsatz

Ein Mensch ändert sich nur in den seltensten Fällen und auch nicht, weil ihn sein Partner dazu drängt. Er ändert sich höchstens selbst und aus eigener Überzeugung. Die endlose Hoffnung, dass die Partnerschaft besser sein würde, wenn sich die Person nur ein wenig ändere, schlägt meistens fehl. Eine Änderung kann nur bei sich selbst hervorrufen oder weiterhin in einer horrenden Beziehung vegetieren, wenn man den Mut nicht hat, sich zu trennen. Doch die meisten quälen sich monatelang, wenn auch nicht jahrelang mit der Frage, wie soll man feststellen, ob die Beziehung bereits gescheitert ist oder ob man ihr noch eine Chance geben sollte?

Zur Klärung dieser verzwickten Frage ist eine Richtlinie notwendig. Es geht unweigerlich um Empfindungen, Gedanken, Intimitäten und, noch gravierender, die Moral. Eine Entscheidung kann gefühlt richtig, moralisch aber falsch sein und umgekehrt. Wenn die Überlegungen die richtigen sind, folgen irgendwann auch die Empfindungen. Die Geduld oder das Durchhaltevermögen dazu haben allerdings nur die wenigsten. Andererseits sind selbst intensive Gefühle einer variierenden Wirkungszeit ausgesetzt, wenn eine Beziehung allein auf Gefühlen basiert.

Auf der einen Seite der Bewertungsgrundlage steht der Satz: „Sie können ein Bogen so stark spannen, bis das gute Stück bricht." Dies kann man mit einer Partnerschaft assoziieren. Damit meine ich, dass man in einer Beziehung so sehr leiden kann, dass man nur noch traurig ist, sich einsam, klein fühlt und mit der Zeit regelrecht innerlich zerbricht. Es gibt erschreckend viele Beziehungen, unter denen die Beteiligten insbesondere leiden. Daher fordere ich Sie auf, dass wenn Sie in Ihrer Beziehung nur noch leiden, Sie sich schleunigst trennen sollten. Ohne wenn und aber, denn das Leben ist zu kostbar, um nur eine Sekunde zu leiden. Die Frage lautet immerhin, wo das „Spannen" aufhört und das „Brechen" beginnt.

Absolut klar ist, dass niemand in einer Beziehung leiden oder gar an ihr zerbrechen sollte. Manche Beziehungen sind so marode und ruiniert, dass es für alle Leidtragenden besser wäre, wenn man sich sofort trennt. Doch wichtig ist nun die Frage, was am anderen Ende Ihres Maßstabs steht. Wie weit haben Sie sich bereits gebogen? Und wie lange halten Sie diese Spannung noch aus? Am Ende dieses Programms werden Sie ein klares Bild vor Augen haben, eine praktische Entscheidungshilfe in den Händen halten zu der Frage, wann es sich lohnt, nicht aufzugeben, wann man sich besser trennen sollte oder es doch nochmal versuchen sollte. Wie Sie auch wissen hat jede Entscheidung Folgen. Manche früher andere später, sowohl positiv als auch negativ. Jeder Mensch trifft täglich eine Unmenge von Entscheidungen. Im Geschäft ebenso wie in der Freizeit, in der Familie, bei Anschaffungen, im Umgang mit Freunden oder anderen Menschen usw.. Selbst auf der Toilette treffen wir Entscheidungen, unsere Gedankenmaschine ist ständig aktiv und ständig spielt sie uns Streiche. Doch alle Entscheidungen, die wir treffen, entstehen nicht aufgrund der objektiven Realität, sondern aufgrund unserer Interpretation der jeweiligen Situation.

Von der freien Persönlichkeit zum offenen Selbst

Heute haben wir es wesentlich leichter, Beziehungen oder sogar Ehen zu trennen, als noch vor wenigen Jahrzehnten. Die entsprechenden Konventionen wurden weitgehend eingedämmt oder ganz abgeschafft. Nur noch wenige sind derart in kollektive mentale Einstellungen, wie zum Beispiel sehr konservativen Kirchgemeinden, religiösen Sekten oder auch sehr gläubige Familien, dass eine Trennung unmöglich erscheint und man lieber eine total unglückliche Beziehung in Kauf nimmt, als sich zu trennen. Zudem sollte man auch sagen, dass der zunächst als Befreiung empfundene Abbau von Traditionen und Regeln nicht nur zu einer Befreiung geführt hat. Wenn man kollektiv verbindliche Konventionen abschafft, lösen sich die Sichtweisen und die Ausrichtungen einer Gesellschaft auf oder werden „Transsexuell" oder „Divers", wie man das heute gern bezeichnet. An die sonst gewöhnliche Einstellung eines großen Grundsatzes treten viele unterschiedliche Grundsätze auf.

Die Personalisierung ist in westlichen Kulturen, einschließlich der Zentraleuropäer, so weit fortgeschritten, dass der heutige Mensch mehr oder weniger zum Vergleichsmaßstab des Handelns geworden ist. Wir halten uns nicht mehr an gesellschaftlichen Konventionen, ob ich etwas tun darf oder auch nicht, sondern ich beschließe das aufgrund meiner eigenen Relevanz, Werte, Überzeugungen oder auch Maßstäbe. Das bringt mit sich, dass Dinge, die früher selbstverständlich waren, wie an Glaube und altertümliche Kulturen, wie man in der Öffentlichkeit nicht auftreten sollte, wie Beziehungen vorbildhaft angebahnt werden, wie man sich in einer Ehe verhält, wie man sich angemessen kleidet, heute individuell entschieden werden und nicht mehr relevant sind. Diese neue Einstellung jedes Individuums wird als Freiheit empfunden. Doch gerade durch das weitgehende Fehlen von Restriktionen und angegebenen Richtlinien und die damit verbundene Offenheit, die meisten Dinge des Lebens selbst zu entscheiden, liegt das Selbst heutiger Individuen viel offensichtlicher als das bei früheren Menschen der Fall war. Praktisch gesagt, der heutige Mensch handelt freier. Und positiv formuliert fügt man sich weniger Richtlinien im eigenen Schicksal, sondern nimmt das Wohl und die Individualität des eigenen Lebens mehr und mehr selbst in die Hand.

Die Abschaffung jener einengenden Restriktionen oder angegebenen sexuellen Orientierungen bedeutet mehr Freiheit für das Individuum. Jedoch betrachte ich heutzutage nur wenige wirklich freie Menschen, sondern paradoxerweise vor allem neue Formen der Abhängigkeit. Denn manche Individuen sind fähig, sich abhängig zu machen und sich limitieren zu lassen. Zwar tun viele Menschen so, als wären sie frei, besitzen aber eigentlich keine geeigneten Entscheidungsgrundlagen wie Zuversicht, Eigenständigkeit, Werte oder Glaubenssätze. Vielmehr orientieren sich die meisten nach wie vor an kollektiv hergestellten Bemessungsmaßstäben, nur dass die heutigen Grundsätze nicht mehr größer sind als unser Selbst, wie zum Beispiel Bildung, Ideologien, Status, sondern viele freie, selbsternannte Individuen, die gemeinsam in sozialen Netzwerken immer neue Trends aufstellen. Das bedeutet, dass wir uns selbst unseren eigene Orientierungen schaffen und das nicht mittels eines auf das Gemeinwohl gerichteten, mehr oder minder kollektiv verbindlichen Programms, sondern durch das, was man tut, wenn man eigentlich nicht weiß, was man tun soll oder will. Ganz einfach gesagt, man assoziiert vor allem das, was all die anderen auch machen. So ungefähr, wenn jetzt ein Idiot auf Instagram aus dem Fenster springt, finden es Tausende gut und wollen auch aus dem Fenster springen. Allein aber vom Gesichtspunkt, frei zu sein, heißt noch nicht, mit dieser Freiheit auch umgehen zu können. Viele Individuen können mit so viel Freiheit nichts anfangen und verkriechen sich in einer winzigen Komfortzone, um sich sicher zu fühlen. Das würde implizieren, dass man sich mit eigenen Überzeugungen, Werten, Glaubenssätzen, Maßstäben für das eigene Handeln tatsächlich auseinandersetzt. Tut man das nicht, ist man zwar scheinbar frei, wird aber weitgehend von der Masse unbeachtet, bzw. ist man unauffällig, umso mehr dann abhängiger von der Beobachtung anderer und in der Folge auch von der Bestätigung anderer für das, was man sich in seiner angeblichen Freiheit durch eben jene Beobachtung ausgesucht hat zu sein oder zu tun. Das fließt in eine neue Form der Unfreiheit ein, nämlich in das Getriebensein zur ständigen eigenen Zurschaustellung des eigenen Lebens. Die Gestalter der heute berühmtesten sozialen Netzwerke haben quasi nur die Spielfläche für diesen aus dem Drang zur freien Entfaltung eines Individuums resultierenden Zwang zur Selbstdarstellung geschaffen. Wird diese Selbstdarstellung, bzw. Entfaltung aber nicht bestätigt oder gar ganz ignoriert, geraten die Halter solcher Pseudo-Profile in ernsthafte Krisen und entwickeln Minderwertigkeitsgefühle.

Wozu wollen wir frei sein?

Wenn wir an festgelegte Orientierungen denken, dann fallen uns vor allem Beispiele für verschiedene Veränderungen ein. Weder spielen die Kirchen heute mehr eine entscheidende Rolle, noch haben heute andere Institutionen die Macht, die sie noch vor wenigen Jahrzehnten hatten. Das Vertrauen in Institutionen nimmt immer mehr ab und Regeln werden hinterfragt oder gar eliminiert, wie ich auch heute bei zahlreichen Klienten festgestellt habe. Eine der zentralen Feststellung unserer Zeit lautet deshalb, dass wir größer sein wollen, als wir es eigentlich sind. Im Grunde braucht jede Handlung eine Hoffnungsebene. In Bezug auf Beziehungen müssten sich die Beteiligten also die Frage stellen, wozu sie eine Beziehung eingehen. Es geht also darum, sich die damit verbundene Verantwortung bewusst zu machen und zu erkennen, um was es sich wirklich handelt. Was will ich wirklich? Was will mein Gegenüber? Warum bin ich mit diesem Menschen zusammen? Brauche ich diesen Menschen? Was will ich mit diesem Menschen erreichen? Sehen wir in die gleichen Richtung? Usw..

Wenn ich meine Klienten frage, was sie genau wollen, sagen die meisten, dass sie glücklich sein wollen, sie wollen Selbstverwirklichung, Liebe oder gar Erleuchtung erleben. Oft ist es eine sehnsüchtige Suche eines Individuums nach sich selbst, nach dem eigenen Höheren oder das göttlichen Selbst und ihrer Ausdruckskraft. Doch eigenartigerweise wird dabei auch von spirituell ausgerichteten Menschen das Fundament außer Acht gelassen, auf der die Selbstfindung erst möglich ist, nämlich vielfältige Beziehungen, besonders die familiären und partnerschaftlichen.

Sich völlig unabhängig und frei davon zu machen ist eine Illusion. Selbst wenn wir es geschafft haben, uns in einer verlassenen Hütte auf einer Bergspitze zu verziehen, um dort uns selbst zu finden, um Erleuchtung zu erlangen. Schon bevor wir hier auf diesem wunderschönen blauen Planeten Erde durch die Geburt in Erscheinung treten, sind wir auf der spirituellen Ebene sicherlich in Beziehung getreten.

Jedoch sind menschliche Beziehungen immer auch Seelenbeziehungen und im Idealfall auch eine Seelenverbundenheit, in denen wir unzählige Verbindungen füreinander vorfinden können. Zur sichtbaren äußeren physischen Ebene gehört komplementär unweigerlich die unsichtbare innere psychische Seelenebene. Jede Abweichung der Elternteile auf der äußeren Ebene endet deshalb in einer energetischen Verwicklung und zu einer negativen Bindung. Denn auf der spirituellen Ebene sind wir immer und für ewig verbunden. Und das bleibt so, solange wir in unserem Körper leben und darüber hinaus. Denn letztendlich ist alles in unserem Leben Beziehung ist, weil auf energetischer Ebene alles in Verbindung miteinander steht. Und dies gilt auch für menschliche Beziehungen und insbesondere für Partnerschaften oder Liebesbeziehungen. Diese Bindungen sind die Grundlage, auf der wir uns entwickeln. Nur Beziehungen zu Individuen ermöglichen es schließlich, uns im Spiegel des anderen, als selbstbewusste Individuen zu erkennen und mehr über uns erfahren zu können. Dabei ist der Fortschritt oder der Nichtfortschritt von einer Partnerschaft eng damit verbunden, inwieweit die Beziehungen der Partner zu ihren Eltern oder Familienmitgliedern wirklich harmoniert und im Einklang ist. Doch je größer die eigene Ablehnung des Gegenübers, desto tiefer bleiben wir an die negativen Eigenschaften und Erfahrungen innerlich gebunden, von denen wir uns durch die Ablehnung zu befreien versuchen. Dies gilt natürlich nicht nur für enge Freunde, Familienangehörige und Liebesbeziehungen, sondern für alle Individuen, denen wir auf unserem Lebensweg begegnen und mit denen wir durch unsere Beziehungserfahrungen psychisch oder physisch näher verbunden waren oder sind.

Partnerschaften sind meistens der Grundstock, in dem unser Leben eingewoben ist und bei positiver Entwicklung sich auch entfalten kann. Doch was ist eine Beziehung eigentlich? Fragen wir nach deren Bedeutung und Bestreben, so enthüllen sich im Allgemeinen zwei Grundfunktionen, die sich in vielen Individuen spiegeln. Sie sind zum einen Gelegenheiten, in der uns gemäßen Weise zu verkörpern und uns auszudrücken. Zum anderen dienen sie als Gegenstück, das uns hilft, uns selbst in allen Einzelheiten zu erkennen und auch so anzunehmen. Indem wir bewusst in den Beziehungsspiegel schauen, können wir in unserem Gegenüber und durch denjenigen, die fehlenden Puzzleteile erkennen, die wir vielleicht nicht gleich sehen und eigentlich ständig, gewollt oder auch nicht ignorieren. Und dieses bewusste Ignorieren steht für alles an negativen Erfahrungen, die wir irgendwann abgespalten und aus unserem Bewusstsein verdrängt haben. Umso öfter wirken diese Gedankenmuster indirekt aus dem Verborgenen weiter. Jedoch schlummert in der unbewussten Ebene, auch unser Lebensplan und noch viele unentdeckte Potenziale, innere Qualitäten und angeborene Fähigkeiten, die zur Entdeckung und Verwirklichung anstehen und auf ihre Entdeckung warten.

Hinsichtlich der grundlegenden Bedeutung unseres Partners für unsere Selbstverwirklichung ist es eine ungewöhnliche Tatsache, dass es kaum Partnerschaften gibt, in denen die Partner wirklich miteinander glücklich und zufrieden sind und bewusst an- und miteinander harmonieren. Noch absonderlicher ist, dass die meisten Beziehungen über die Monate und Jahre immer schlechter zu werden scheinen, anstatt respektvoller, achtungsvoller und liebevoller, was man eigentlich erwarten sollte. Dazu kommt auch die zunehmende Zahl derer, die keine Beziehung mehr haben wollen bzw. einen imaginären Partner wollen, den es gar nicht gibt. Dafür spielen viele soziale, kulturelle oder geschlechtsspezifische Gründe eine Rolle. Doch wenn ich nach den tieferen Ursachen frage, ist den allermeisten Individuen überhaupt nicht bewusst, wozu eine Beziehung eigentlich gut ist und auf was sie sich als Paar bzw. Familie eingelassen haben. Beurteilen wir die ganze Angelegenheit aus einer spirituellen Perspektive, besteht die Absicht von Beziehungen darin, eine Ebene der Zusammenhänge und Zusammenhalt zu etablieren, durch die Sie wählen und mitteilen, widerspiegeln und erfüllen, lernen und werden können, wer wir wirklich sind. Aus dieser Betrachtungsweise dient eine Beziehung letztendlich zur Selbstverwirklichung, indem wir den Grundsatz für die Möglichkeit einer sich alltäglich vertiefenden Selbsterkennung durch unser Gegenüber bieten. Dazu gehört natürlich die Bereitwilligkeit zu erkennen, dass unser Partner unser perfekter äußerer Spiegel ist für unsere eigenen unbewussten und für uns auch unsichtbaren Anteile. Denn wir haben diesen Menschen energetisch zu uns gezogen und uns zu ihm ziehen lassen, um in ihm und durch ihn die Gelegenheiten zu erhalten, alle unsere Seiten, auch die verschiedensten Persönlichkeitsanteile, zu offenbaren. Daher ist eine Beziehung so unheimlich wichtig und deswegen sollten wir sie auch sehr wertschätzen und lieben, denn der Mensch ist nicht geschaffen worden, um allein zu sein.

Das falsch verstandene Gefühl der Freiheit

Meiner Meinung nach liegt der Ursprung in einer weithin fehlerhaften oder mindestens unvollständigen Auffassung von Freiheit. Die meisten Menschen verstehen Freiheit als eine Befreiung von einer unangenehmen Situation oder Etwas. Wenn eine Situation einen zu sehr einschränkt, unterdrückt, leiden lässt, dann sollte man sich von diesem Ereignis distanzieren. Wenn man in einer Partnerschaft lebt, die einen unglücklich und wütend macht, dann sollte man sich von der Person schleunigst trennen. Wenn man in einem Betrieb beschäftigt ist, dessen Chef einen immer wieder unterdrückt oder ausnutzt, einem ständig sagt, dass man nur da sei, weil man nichts anderes finde, und deshalb froh sein solle, dass man da sein dürfe und dafür auch noch einen Lohn bekomme, dann sollte man sofort kündigen und diesen Unternehmer zum Teufel schicken. Solche Erlebnisse muss man nicht ertragen, und es zählt auch nicht unter persönlicher Reife oder Lebenserfahrung, solche Aspekte jahrelang zu ertragen und damit auch noch als Aushängeschild des eigenen Durchhaltevermögens oder des eigenen Erwachsenseins zu prahlen. So ein Benehmen ist nicht angebracht und sollte von keinem Menschen ertragen werden. Aber nur frei sein von einer misslichen Situation ist nicht genug. Wenn ich es aus eigener Kraft geschafft habe, erdrückende Umstände zu verlassen, weiß ich wahrscheinlich immer noch nicht, wer ich bin und was ich will.

Sie werden plötzlich mit Fragen konfrontiert, wie: „Bin ich zufrieden mit mir selber? Finde ich mich gut genug, so wie ich bin? Kann ich das Gefühl der Freiheit tatsächlich annehmen? Bin ich reif genug für den nächsten Schritt?" Frei sein von einer bestimmten Situation oder einem Umstand reicht oft nicht aus, es gehört dazu auch eine Art Selbstbindung und Selbstfindung. Hier fängt aber für viele paradoxerweise das Problem erst an, denn die meisten von uns sind sehr wohl in der Lage, die heute vorhandene Freiheit und die Vielfalt der Möglichkeiten in dem Sinne auszuleben. Man kann tun und lassen was man will. Man kann sich neu erfinden und die Weltherrschaft an sich reißen oder auch ein neues Leben beginnen, usw.. Dass dieses Privileg aber auch mit einem gänzlich anderen Maß an Verantwortung verbunden ist, leuchtet praktisch nur den Wenigsten ein. Denn frei zu sein von den bisher geltenden Orientierungen, Restriktionen oder Konventionen bedeutet letztlich eine deutlich höhere individuelle Verantwortung.

Wenn es Konventionen gibt oder bestimmte Einschränkungen, aus welchem Grund auch immer, sind die Wahlmöglichkeiten bedingt. Dann bedeutet jede noch so kleine Lockerung von der Einschränkung eine Befreiung und diese wird auch als solche empfunden. Wären Sie aber vergleichsweise frei und nur an verhältnismäßig wenige Orientierungen oder Bedingungen gebunden, könnten Sie vieles selbst entscheiden. Sie könnten entscheiden, mit wem Sie eine Beziehung eingehen, mit wem und wann Sie ins Bett gehen, ob Sie Kinder möchten, welchen beruflichen Werdegang Sie ergreifen, ob Sie wieder das Studieren anfangen wollen oder auch nicht, ob Sie viele oder wenige Freundschaften pflegen, usw.

Warum treffe ich die Entscheidungen und wie? Einfach nur so? Treffe ich für mich die richtigen Entscheidungen? Wie begründe ich jede einzelne Entscheidung? Mit meinen Interessen, Bedürfnissen, meiner momentanen Stimmung oder anhand der Frage, was mir gut tut?

Daher ist es unheimlich wichtig, die richtigen Entscheidungen zu treffen. Kopf und Bauch sind wichtig, um die richtige Entscheidung zu treffen. Und wenn Sie sich entschieden haben, bis hierhin diesen Text zu lesen, haben Sie schon mal entschieden, etwas zu ändern. Also auf was warten Sie noch? Seien Sie mutig und hören mal nicht mehr nur auf Tatsachen, Fakten oder Vermutungen, sondern auf den Bauch, auch wenn sich das nur die wenigsten trauen, sobald es über die morgendliche Jeans-

Entscheidung oder die Wahl der Schuhe geht. Die Nachahmung, dass dieses Verhalten nicht nur leichtfertig, sondern auch typisch weiblich sei, können wir uns getrost aus dem Kopf schlagen. Nicht nur eine Studie der Uni in Kansas zeigt, dass sich Männer genauso oft auf ihre Intuition verlassen wie Frauen. Immer mehr Forscher erklären sogar, dass, wer denken will, auch dabei fühlen muss. Entscheidungen sind an Empfindungen geknüpft. Über 90 Prozent aller Entscheidungen treffen wir spontan und ohne uns großartig darüber Gedanken zu machen. Wer das richtige tun will und die richtige Entscheidung treffen möchte, sollte den Bauch entscheiden lassen und positiv fühlen. Natürlich ohne den Kopf dabei komplett auszuschalten. Es ist auch eine verzwickte Sache mit den Entscheidungen, denn jede Entscheidung trägt Veränderung, bzw. Konsequenzen mit sich. Das bedeutet, dass, wer eine Entscheidung trifft, auch die Folgen berücksichtigen sollte. Der Schlüssel zu persönlicher Größe und Wachstum ist somit Entscheidungsfreudigkeit. Das Gute dabei ist, man kann das ähnlich wie eine sportliche Leistung trainieren und üben. Denn es ist unheimlich wichtig, dass man sich entscheidet. Ein alter spanischer Freund von mir, der über 80 Jahre alt ist, hat mal zu mir gesagt: „ Wenn du dir ein Omelett zubereiten willst, musst du die Eier zerschlagen.“ Damit wollte er mir sagen, dass wenn ich im Leben mich nicht entscheide, wird auch nichts passieren.

Nichts ist schlimmer als Entscheidungen, die nicht getroffen werden und das gilt auch nicht einmal für Fehlentscheidungen. Nicht getroffene Entscheidungen sind Produktivitätskiller und kosten Geld, Zeit, persönliches Wachstum und führen oft zum Versagen. Sie rauben sich selbst Ihre eigene Energie, die Sie vielleicht anderweitig hätten investieren können. Entscheidungen stehen immer am Anfang einer Handlung oder eines Ziels. Sei es eine geschäftliche Herausforderung, die Sie in nächster Zeit bewältigen möchten oder auch eine Gewohnheit, die Sie sich abgewöhnen möchten. Ohne eine bewusste Entscheidung wird es nicht funktionieren. Doch ich muss auch dazu sagen, dass wir nicht immer frei in unserem Willen und unseren Entscheidungen sind, denn eigentlich werden wir in erster Linie von unseren Gewohnheiten gesteuert. Hart formuliert leben wir nicht bewusst, sondern werden von unserem Umfeld gelebt. Und um das zu durchbrechen, braucht es jede Menge Willenskraft und Überwindung.

An was halten wir fest?

Wie legen wir die Richtlinien unseres Handelns fest, wenn wir nur uns selbst als Vergleichsmaßstab haben, wenn das eigene Verlangen oder gar der eigene Gemütszustand zum Maßstab werden? Oder wenn die Anzahl von „Herzchen" oder „Likes" in den sozialen Netzwerken zu einem bestimmenden Instrument der eigenen Persönlichkeit werden? Oft höre ich die Feststellungen, wie: „Ich will eine Beziehung, die mich bereichert." oder „Eine Beziehung soll mir gut tun." oder „Ich will den perfekten Partner." Und sicherlich klingen solche Sätze sinnvoll und als einzelne Person vielleicht geeignet, aber wo soll so ein Denken hinführen? Bedeuten diese Sätze nicht eine Überforderung einer zukünftigen Partnerin oder Partners? Bedeuten diese Feststellung nicht zugleich Selbstbezogenheit und Narzissmus? Und sichert man sich auch mit solchen Sätzen auch nicht einerseits eine Art von individueller Kontrolle über die Partnerschaft und die ganze Situation? Macht man sich andererseits auch nicht von einem Beziehungsideal abhängig, dass sicherlich nur schwer zu erreichen ist?

Denn was heißt für ein Individuum „Der perfekte Partner?“ Solange Sie diese Evidenz allein bestimmen wollen, werden Sie einsam bleiben. Und Ihr Gegenüber bleibt damit auch allein, wenn Sie nicht darüber reden, was Sie verbindet und an welchen Maßstäben Sie das Wohl Ihrer Beziehung messen wollen, wird die Beziehung scheitern. Denn ohne eine gezielte Konversation wird es nicht gehen. Keine Beziehung bleibt ohne Konflikte und über längere Zeit auch nicht ohne Verantwortung füreinander. Wie sonst sollte man den Nachkommen großziehen, den Alltag ertragen oder füreinander da denn sein und sorgen, wenn einer vielleicht krank ist oder in Schwierigkeiten gerät?

Indem aber ein Individuum zur einzigen Bemessungsgrundlage wird, rückt automatisch das Gemeinschaftliche, bzw. das Verbindende, das, was größer ist als die einzelne Person, immer mehr in den Hintergrund. Man beginnt plötzlich, Ansprüche zu stellen und Dinge von sich zu geben, wie: „Dieses oder jenes werde ich auf jeden Fall machen.“ oder „Es ist mein Recht, dieses oder jenes einzufordern.“ Wenn ich nur noch mich als Orientierungsgrundlage habe, werde ich gleichsam zum Mittelpunkt meiner Welt, und ich gerate mit meinem Partner in einen regelrechten Konkurrenzkampf der Anforderungen, ohne dass Gemeinsamkeiten mehr eine Rolle spielen.

Sich den „perfekten Partner“ zu wünschen erscheint als Maßstab sehr wohl geeignet, aber nur, wenn wir den Maßstab gemeinsam bestimmen, nicht jeder für sich. Wenn zusammen an einer perfekten Beziehung gearbeitet wird, könnte es echt funktionieren, denn die Handlungsmaßstäbe ergeben sich dann aus der Einheit und nicht aus einem einzelnen Individuum. Anders wären Sie dann in der Beziehung allein, Ihre Beziehung wäre dann eine Art Fake-Partnerschaft, in der jeder machen kann, was er will. So zu leben hieße dann, eigentlich allein zu bleiben.

Nach langjähriger Erfahrung kann ich sagen, dass es viele solcher Beziehungen gibt. Manche Beteiligte, die zum Beispiel ihren Job wechseln und für diese neue Beschäftigung in einer anderen Stadt ziehen müssen, versuchen es erst mal noch eine ganze Weile in einer Fernbeziehung, aber früher oder später begegnen sie jemandem und das war's mit der Beziehung. Viele halten diese Distanz einfach nicht lange aus und demzufolge trennen sie sich. Gesellschaftwissenschaftler und Verhaltensforscher haben diese Entwicklung seit den Siebziger Jahren beobachtet, und es war nicht zu erwarten, dass er nachlässt, sogar im Gegenteil, die vielen Singlebörsen-Apps tragen ihren Teil dazu bei, dass sich die vielen Singles trotz einer wachsenden Anzahl von Einzelhaushalten nicht allein fühlen müssen. Sicherlich ist es unzulässig, alle Beziehungen über einen Kamm zu scheren. Doch ist es nicht in den meisten Fällen so, dass jeder Beteiligter ein eigenständiges Leben führt? Während der ganzen Woche gehen die beiden ihren jeweiligen Jobs nach, schreiben sich gegenseitig Textnachrichten, holen sich hier und da ein bisschen Anerkennung oder Verständnis beim anderen ab und planen voller Freude das kommende Wochenende. So schnell es da ist, ist das Wachende auch schon weg und einer der beiden reist wieder ab und man verbringt erneut eine neue Arbeitswoche im Alleingang.

Der Fokus sollte auf gemeinsamen Interessen und Festigung der Einheit liegen. Doch so bleibt man unabhängig, tut sich gegenseitig gut, hat auch sehr guten Sex und am Allerwichtigsten man bleibt füreinander spannend und anziehend. Doch wie so oft können Probleme auftauchen oder man braucht plötzlich Unterstützung. Der Eine verändert sich etwas stärker als der Andere, Spannungen bilden sich und Interessen können schneller nachlassen. Jeder der Beteiligten überlegt sich, ob sie das für sich noch möchten. Und distanziert sich unterbewusst immer mehr von seinem Partner.

Was ich jedoch deutlich machen möchte, ist der Umstand, dass viele so lebende Individuen eigentlich allein leben, dass sie ihre Handlungen mehr oder weniger nur an sich selbst, ihren Träume, Veranlassungen und Erwartungen definieren, und dass Partnerschaften nur so lange angenommen werden, solange sie einem gut tun. Durch so eine Vorgehensweise werden wundervolle Beziehungen zu einfachen Freundschaften und verlieren den unschätzbarem Charakter bedingungslosen Vertrauens, das viele dennoch in Beziehungen suchen und das, so möchte ich meinen, auch dringend notwendig ist, wenn man sich für lange Zeit aufeinander verlassen will und gemeinsam Verantwortung aufbauen will. Dieser innerliche Wille zum gemeinsamen Wachstum, Verantwortung und das Bündnis des Vertrauens sind die Grundpfeiler, die Partner befähigen, auch Hindernisse, Zusammenhalt, längere Durststrecken, Unterstützung im Krankheitsfalle usw. zu bewältigen.

Die meisten Partnerschaften versuchen, sich im Laufe der Zeit immer ähnlicher zu werden. Die Beziehung als Einheit und als Ziel. Die Individuen versuchen sich in ihren Interessen und Vorlieben anzugleichen mit unterschiedlichem Nachdruck im täglichen Umgang. Daher beginnt Beziehung erst an den Stellen, an denen man unterschiedlich ist, eigene Grenzen hat, diese man auch genau kennt und dem Gegenüber auch spüren lässt. Partnerschaft bedeutet, dass man ein gesundes Gleichgewicht zwischen Symbiose und Autonomität findet. Daher ist die Kommunikation in einer Einheit unheimlich wichtig, dass man seine Eigenheiten leben kann und darf, vielleicht sogar manchmal dazu vom anderen ermuntert wird. Und es gibt nichts schöneres in einer Beziehung, als Gemeinsamkeiten zu erkennen und diese zu teilen. Wobei diese Gemeinsamkeiten meiner Meinung nach nicht unbedingt äußerliche Handlungen, sprich Äußerlichkeiten, sein müssen, sondern einzigartige Werte und Glaubenssätze, die einen mit dem anderen verbinden und so die Grundpfeiler der Beziehung bilden. Daher werden manche Handlungen sinnlos, wenn sie nur einem Selbstzweck dienen.

Freundschaft und Beziehung sind emotionale Bindungen

Um es klar zu machen, mit Freundschaft meine ich in diesem Beitrag keine Socials-Freunde und auch keine Bekannten, sondern echte, tiefe und gefestigte Freundschaft. Ebenso meinen wir mit Partnerschaft keine kurzzeitige Bettgeschichte, Liaison oder Affäre, sondern eine dauerhafte Liebesbeziehung mit tiefen Empfindungen und Gefühlen. Bei einer Freundschaft sind sicherlich Emotionen im Spiel und gegenseitige Zuneigung ist sicher ein Merkmal einer echten Freundschaft. Jedoch basiert echte Freundschaft auch auf Vertrauen, Ehrlichkeit, Zuverlässigkeit und füreinander Dasein. Auch so genannte Kameradschaft entsteht und entwickelt sich mit der Zeit, sie ist kein plötzliches Vorkommnis und ist lang andauernd. Sie ist aber unverbindlich und jede Partei lebt dennoch ihr eigenes Leben. Beschlüsse und Entscheidungen trifft jede Seite für sich und doch kann die Bindung durch Zeit und Raum gehen. Schließlich ist es keine Paarliebe, aber auch eine Art von Liebe. Und natürlich ist ein Freund eine Person, der man vertraut und dieser ist da, wenn man ihn braucht. Wie es im Volksmund heißt: „Freunde gehen durch dick und dünn."

Eine Beziehung wiederum ist eine Partnerschaft, eine Liebesbeziehung, einen Herzensangelegenheit, es hat mit Schmetterlingen im Bauch und sexueller Anziehung zu tun. Bei der zwei Individuen einen gemeinsamen Weg gehen und Entscheidungen zusammen fällen, da sie meist auch beide betreffen und beide beeinflussen. Beide entscheiden sich auch bewusst, eine Beziehung miteinander einzugehen. Sie sind eine Einheit und das ist bei der Freundschaft nicht der Fall. Jedoch basiert auch eine Beziehung auf Zusammenhalt, Vertrauen, Aufrichtigkeit, Zuverlässigkeit und natürlich auch für einander Dasein. Die Zuneigung gehört natürlich ebenfalls dazu, ist aber tiefer. Es ist diese Magie, die zwei Herzen, bzw. zwei Seelen verbindet. Es handelt sich um eine starke Empfindung, beide fühlen sich zueinander hingezogen, mental, wie auch emotional und körperlich. Sie wird gefestigt durch mehr Intimität als bei einer Freundschaft, wobei Intimität sich nicht nur auf Körperlichkeit bezieht. Die erotische Anziehung zwischen zwei Individuen ist ein weiterer Gesichtspunkt, der Beziehungen von Freundschaften unterscheidet. Auch gute Freunde können sich körperlich näher kommen, sei es in Form einer Umarmung oder einem Streicheln über den Rücken. Hierbei fehlt jedoch die erotische Erregung, der sexuelle Bestandteil, die in einer Beziehung zwischen zwei Personen unterbewusst entsteht.

Die Verbindlichkeit und die Einheit zwischen zwei Menschen spielt in einer Liebesbeziehung eine ausschlaggebende Rolle. Echte Freunde sind zwar selten, man kann jedoch mit mehreren Menschen gleichzeitig eine Freundschaft pflegen, wenn man denn das Glück hat, gute Freunde zu finden. Eine freundschaftliche Verbindung ist also in der Grundeinstellung unverbindlich, weil

Sie nicht auf einzelne Individuen beschränkt ist. Schließlich kann es Freundschaften auch unter Kindern geben, sogar mit Tieren. Doch Liebesbeziehungen nur unter Erwachsenen.

In einer Beziehung hingegen entscheiden sich zwei Menschen füreinander und für ein gemeinsames Leben. Ob so eine Bindung viele Jahre oder auch ein Leben lang hält, ist eine andere Sache. Sie ist auf jeden Fall das gemeinsame Ziel einer echten Beziehung.

Und was jetzt auch ganz neu und in aller Munde ist, ist die sogenannte Friends with Benefits oder auch bekannt unter Freundschaft-Plus. Diese ist eine allgemeine, unverbindliche Partnerschaft. Sie ist ein moderner Ausdruck für eine freundschaftliche sexuelle Beziehung. Eine Freundschaft beruht nicht auf gegenseitiger sexueller Anziehung, sondern ist eher eine platonische Verbindung zwischen zwei Menschen. Also ist diese sogenannte Freundschaft-Plus eigentlich die falsche Bezeichnung. Es handelt sich um ein Beziehungsmodell, das auf Unverbindlichkeit beruht. Vereinfacht gesagt heißt es, dass wir Freunde sind und dabei auch noch Ficken können. Es besteht zwar eine Zuneigung, aber keine tiefen Empfindungen zwischen den Beteiligten, denn es ist nur eine oberflächliche Bindung. Die Bezeichnung Freundschaft-Plus beschreibt eher eine Affäre, die zwei Individuen haben, die sich schon länger kennen und sexuell angezogen werden. Beide Personen haben jedoch keinerlei tiefe Bindung wie in einer gewöhnlichen Liebesbeziehung. Es geht um körperliche Befriedigung, um sexuelle Bedürfnisse, ohne jegliche Verbindlichkeit, Verpflichtung oder Gefühle.

Die Sprache der Liebe

Sich zu verlieben ist einfach und es passiert blitzschnell. Es braucht nur eine bestimmte Handlung, einen Blick, ein Lächeln oder gar eine Berührung. Wenn es aber um die Erhaltung einer gesunden Liebesbeziehung geht, sieht es bei den meisten ganz schön kompliziert aus. Manche sind mit dieser Aufgabe regelrecht überfordert und würden lieber in Kauf nehmen, mit einem ausgewachsenen Gorilla in einem Käfig eingesperrt zu werden. Die Sprache der Liebe beherrschen nur wenige und sie erfordert große Überwindung, diese zu verkörpern.

Die meisten Menschen auf diesem Planeten haben das Bedürfnis zu lieben und geliebt zu werden. Sie wollen ihren Platz in der Welt finden und dieser Platz liegt immer in Relation zu anderen Menschen. Fühlen wir uns von unseren Mitmenschen geliebt, dann fühlen wir uns glücklich und alles ist viel leichter. Wir entwickeln regelrecht unglaubliche Energie für die großen Herausforderungen des Lebens und erleben die größten Freuden. Fühlen wir uns hingegen von den Menschen um uns herum ungeliebt, fühlen wir uns unmotiviert, lustlos, bekommen Depressionen und die leichtesten Aufgaben verwandeln sich in unüberwindbare Hürden. Jede noch so kleine Handlung empfinden wir als sinnlos und wir erleben die größten körperlichen und seelischen Schmerzen. Wie es eine Person liebt, geliebt zu werden, trifft nicht unbedingt auch auf andere Individuen zu. Denn es ist tatsächlich so als spräche man eine komplette andere Sprache. Daher haben Verhaltenswissenschaftler das Konzept der fünf Sprachen der Liebe geprägt und diese einer Fremdsprache gleichgestellt. Wenn zwei Menschen unterschiedliche Sprache sprechen, ist eine vernünftige Kommunikation schwierig bis unmöglich. Lernt man jedoch die Sprache des anderen, so kann man die andere Person verstehen und sich auch selbst mitteilen. Die Vorgehensweise der Sprachen der Liebe geht davon aus, dass Individuen auf fünf unterschiedlichen Wegen Liebe ausdrücken und empfangen können. Wichtig ist, das Feingefühl zu haben herauszufinden, zu welcher Klasse Ihr Partner gehört. Daher fragen Sie ruhig ihren Partner, welche Liebessprache er bevorzugt.

1. Anerkennung / Lob / Wertschätzung

Anerkennung ist der Überbegriff und beinhaltet Loben sowie Wertschätzen. Mit ehrlich gemeinten Worten der Anerkennung zeigt diese Klasse ihren Respekt und ihre Liebe. Und im Gegenzug fühlen sich diese Personen auch sehr geliebt, wenn sie anerkennende Worte von ihren Lieben bekommen. Liebe Worte, wie: „Ich liebe dich, Schatz." oder „Du bist das wichtigste für mich." lässt ihr Herz höher schlagen und sie schmilzt wie Butter in Ihren Händen. Anerkennung wiederum wird für den gezeigten Aufwand und die damit verbundene Anstrengung vermittelt. Diese kann von Erfolg gekrönt sein, muss es aber nicht. Auch eine fleißige Handlung Ihres Partners kann eine Anerkennung wert sein, selbst wenn die erbrachte Leistung nicht das gewünschte Resultat brachte.

Und Lob sprechen wir aus, wenn wir eine liebevolle Handlung anerkennen wollen und diese ein entsprechend positives Resultat erbrachte. Ihr Gegenüber kann Ihr Partner sein, ein Freund sein, aber auch ein Kind oder ein Tier. Das zu lobende Verhalten ist beobachtbar und kann zeitlich und räumlich abgegrenzt werden. Meist wird Lob zeitnah ausgesprochen. Hierbei handelt es sich vielmehr um die Besonderheiten einer Person. Wertschätzung bezieht sich also nicht auf ein konkretes Verhalten und kann nicht immer zeitnah ausgedrückt werden. Wertschätzen bezieht sich demnach auf die Seins Ebene.

2. Zweisamkeit / Bund

Menschen dieser Sprache fühlen sich geliebt und respektiert und zeigen ihre Liebe, indem sie Zeit mit ihren geliebten Menschen verbringen. Zweisamkeit bedeutet in erster Linie, dass man gemeinsam mit einer besonderen Person Zeit verbringt. Alle Geräte wie Smartphone, Tablets und Fernseher werden am besten ausgeschaltet und man schenkt dem Partner die volle Aufmerksamkeit. Durch die vielen hightech Geräte und Unterhaltungsmedien, die uns ständig umgeben, lassen sich viele Menschen ablenken und schenken eher Ihrem Tablet oder der neuesten Serie bei Netflix die komplette Aufmerksamkeit. Deshalb ist es gerade in der heutigen Zeit schwierig, mit seinem Gegenüber in Ruhe zu reden oder etwas zu unternehmen. Daher ist jede Art von Ablenkung für die perfekte Zweisamkeit unangebracht.

Und nicht nur Ihre gegenseitigen Berührungen sind wichtig für eine Zweisamkeit, auch alles, was Sie beide sonst noch körperlich berühren, fühlen, riechen hat Einfluss auf eine besonderen Moment bei Ihnen daheim und kann auch für einen unvergessliche Atmosphäre sorgen. Zudem kann auch ein gemeinsames Abendessen, eine besondere Aufführung besuchen oder ein Ausflug ins Grüne eine ideale Initiative sein.

3. Geschenke / Überraschungen

Kleine Geschenke, Überraschungen oder Aufmerksamkeiten, die in bestimmten Momenten präsentiert werden, können Großes bewirken. Diese werden genutzt, um Wertschätzung zu vermitteln oder zu erleben. Dabei spielt der materielle Kostenaufwand keine Rolle, sondern die Tatsache, dass sich derjenige die Mühe gemacht hat, einer lieben Person eine Freude zu bereiten. Durch das Schenken werden nicht nur Partnerschaften gefestigt, sondern auch soziale Beziehungen.

Die Leidenschaft für das Schenken ist keine Sache des Vermögens. Wer nicht viel hat, schenkt wahrscheinlich mit größerer Begeisterung als jemand, der unermesslichen Reichtum hat. Geld macht doch glücklich, sofern man es ausgibt, um Geschenke zu kaufen. Frauen zum Beispiel empfinden das Schenken allerdings viel deutlicher als Männer, fanden verschiedene Verhaltensstudien heraus, denn sie sind es eher, die die Überraschungen lieben. Die Forscher kamen zu dem Ergebnis, dass Individuen, die Geld für andere ausgaben, glücklicher waren als solche, die es nur für sich verwendeten. Bereits kleine Geschenke machten die Schenkenden strahlend glücklich. Denn der Wert eines Geschenkes liegt nicht in den Kosten oder dem Aufwand, sondern in der Liebe, mit der es geschenkt wird.

4. Hilfsbereitschaft / Entgegenkommen

Auch in diesem Punkt geht es nicht um das Ausmaß der Leistung. Hilfsbereitschaft sollte man anderen immer wieder zeigen. Wenn man den ersten Schritt macht, kommen die anderen einem meistens auch entgegen.

Wer den Wert des Entgegenkommens ausleben will, braucht Augenmerk und Empathie. Derjenige sollte in der Lage sein, zu erkennen, wenn er gebraucht wird. Außerdem sollte er einen Instinkt dafür haben, welche Form der Unterstützung zu einer Verbesserung der Situation geeignet ist. Jede Begegnung mit einem anderen Menschen hat einen tiefen Sinn. Eine Liebesbeziehung sollte eine Freundschaft ohne Erwartung sein, in der man sich gegenseitig unterstützt, heilt, hilft und füreinander da ist. Bereitschaft zur Hilfe zeigt sich in jeder noch so kleinen Aufmerksamkeit und Zuwendung zu anderen Menschen.

Gefälligkeiten können scheinbar unwichtige Dienstleistungen sein, wie Hilfe z.B. beim Abspülen zu helfen oder den Müll herunterzutragen und schon können Sie eine andere Welt erobern. Hierbei kann sich wundervolles entfalten und kann neue Innovationen und Kreativität schaffen. Durch ehrlich gemeintes Entgegenkommen kann noch viel wertvolleres entstehen. Tugenden wie Freundlichkeit, Höflichkeit, Aufgeschlossenheit, Vertrauen, Entgegenkommen können sich im wahrsten Sinne des Wortes viel stärker entwickeln.

5. Zärtlichkeit / Zuneigung

Berührungen sind die passende Handlung, um Zuneigung, Liebe und Respekt auszudrücken. Die Hand des Gegenübers zu Halten, ein Kuss oder auch die freundschaftliche Umarmung eines Freundes drücken Zuneigung und körperliche Anziehung aus und gleichzeitig wird in dieser Sprache auch Liebe empfangen. Alles im Leben ist ein Geben und Empfangen. Bewiesen ist auch, dass die Art und Weise, auf die eine Person während ihres Kindesalters Streicheleinheiten empfangen hat, die Art und Weise bestimmt, auf die die Person später von anderen erwartet oder von sich auch so weiter gibt. Wenn eine Person niemals Zuneigung erhalten hat, ist es sehr wahrscheinlich, dass derjenige nicht weiß, wie man Zuneigung weiter gibt. Jedoch ist der Wunsch, sie zu bekommen, ohne Zweifel sehr intensiv, obwohl diese Personen dieses Bedürfnis möglicherweise gar nicht erkennt. Es kann sehr vielseitig sein, denn unsere Schwächen in der Kindeszeit bestimmen viele unserer Verhaltens- und Gedankenmuster unseres erwachsenen Daseins.

Da Zuneigung und Anhänglichkeit zu der Basis menschlicher Grundbedürfnisse gehört, ist sie ein unverzichtbarer Bestandteil einer Beziehung. Doch gerade in einer Patenschaft, die schon über mehrere Jahre dauert, werden oftmals Zärtlichkeiten vernachlässigt und nicht mehr regelmäßig ausgetauscht, was sich natürlich negativ auf die Harmonie in der Bindung auswirkt. Manchmal ist Zärtlichkeit und körperliche Nähe alles, was eine Person braucht. Niemand will immer dieselben alten Worte und Sätze hören, die wieder und wieder gefühllos gesagt werden. Ein Mensch möchte beliebt, willkommen geheißen werden und sich von seinem Gegenüber wertgeschätzt fühlen. Er sehnt sich nach Umarmungen und sanften Streicheleinheiten.

Es sind kleine Dinge, die solch einen starken Beruhigungseffekt haben, wie die liebevolle Handlung, jemanden aufrichtig zu streicheln. Im Bereich der humanistischen Psychologie und der Transaktionsanalyse wird bestätigt, dass jedes Individuum von Mitindividuen, die ihm nahe stehen, angefasst werden will, um sich anerkannt und geliebt zu fühlen. Zuneigung und Zärtlichkeiten sind Nahrung für die Seele, die auch unser Bewusstsein und Unterbewusstsein braucht, um sich als Teil einer Einheit zu fühlen. Um sich als Teil der Dinge, die man liebt, zu fühlen.

Eine Frau möchte geführt werden

Die Männer von heute verhalten sich so, als würde es diese Bedürfnisse bei den Frauen nicht mehr geben. Das liegt daran, dass sie davon ausgehen, dass Frauen und Männer die gleichen inneren Antriebe haben. Daher denken fast alle Männer, dass alle Frauen sehr emanzipiert sind und diesen neuen Trend in vollen Zügen ausleben. Doch das ist nicht immer der Fall. Ich zum Beispiel verstehe mich mit diesen eingefleischten Feministinnen meistens nicht sonderlich gut, aber ich bin tatsächlich auch stark dafür, dass es zwischen den Geschlechtern finanziell und rechtlich keine Unterschiede geben sollte.

Die Massenmedien vermitteln den meisten Männern ein völlig falsches Erscheinungsbild, wie ein Mann zu sein hat, um unserer besseren Hälfte zu gefallen. Sicherlich sollten Männer gute Manieren haben, zuvorkommend und nett sein, ein guter Zuhörer sein, die Partnerin niemals schlecht behandeln, zärtlich und immer für sie da sein, Rücksicht nehmen, und, und, und. Wenn Sie sich Ihrer Partnerin gegenüber deutlich anders verhalten als gegenüber ihren Kumpels, dann machen Sie etwas falsch. Natürlich sollen Sie sie respektvoller und mit viel Liebe behandeln und auch nicht prahlen, was für ein toller Hengst Sie sind und mit wie viel Frauen sie schon im Bett waren, das wäre in der Tat nicht angebracht. Sie können sich die Zuneigung einer Frau weder erkaufen noch erzwingen und auch nicht erarbeiten. Wenn Sie zudem alles dafür tun, um einer Frau zu gefallen, sinkt Ihr Wert als Mann. Die Frau denkt sich natürlich, wenn dieser Typ sich so stark um mich bemüht, muss er aber wenig zu bieten haben. All das, was ich einem richtigen Mann von mir aus geben würde, muss er sich bei mir hart erarbeiten, verdienen und erkaufen. Die Frau ist sicherlich auch sehr geschmeichelt von den Bemühungen und Geschenken, die sie bekommt, aber dadurch wird ihre Anziehung auf Sie sich merkwürdigerweise immer mehr und mehr verringern.

Eins kann ich Ihnen aber verraten, wenn Sie eine Frau so behandeln, wie Sie selbst gerne behandelt werden würden, werden Sie sie nicht haben. Auf kognitiver und sexueller Ebene unterscheiden sich Männer und Frauen nämlich sehr stark. Diese Unterschiede zu ignorieren, wäre sehr leichtsinnig und würde bedeuten, dass die Frau Sie als Mann nicht mehr ernst nimmt. Sie zu kennen, bedeutet eine Frau zu verstehen. Und sie für sich auszunutzen, bedeutet erfolgreich zu verführen.

Jede Frau durchläuft verschiedene Phasen in ihrem Leben. Mit der Zeit ändern sich natürlich auch ihre Regeln und Werte, die der perfekte Mann in ihren Augen haben sollte. In der Regel lässt sich das sicherlich nicht genau pauschalisieren, aber wenn sie gerade erst 18 geworden ist, wird sie eher für unverbindliche One-Night-Stands offen sein. Je älter die Frau dann wird, desto lauter tickt ihre biologische Uhr und sie sucht eher nach einer festen Beziehung und hat kein Interesse an irgendwelchen Sexeskapaden. Doch dazu kann ich Ihnen auch sagen, dass Schwarz-Weiß-Denken Sie bei Frauen nicht sonderlich weit bringen wird. Jede Frau tickt komplett anders und ist individuell gestrickt. Aber soll das dann heißen, dass man sich gegenüber jeder Frau anders verhalten muss? Das ist die Jackpot-Frage, aber das ist nicht so. Am effektivsten ist es, die Prinzipien von Anziehung zu kennen.

Wenn Sie diese Prinzipien nicht kennen, dann werden Sie bei der Frau auf Granit beißen, denn sie wird früher oder später das Interesse an Ihnen verlieren und mit Sicherheit Sie auch verlassen. Wenn diese Frau überhaupt jemals an Ihnen interessiert ist, wohlgemerkt. Der Begriff „Prinzipien" mag jetzt vielleicht kompliziert oder mühsam klingen. Ist aber nicht der Fall. Wenn man aber sich nicht von den unterschiedlichen, oberflächlichen Besonderheiten beirren lässt und in die unendliche Tiefe der Anziehung eintaucht, stößt man auf die wichtigsten zugrundeliegenden Verlangen einer Frau. Welche sind nur diese Prinzipien und wie kann ich diese erfüllen? Sie können diese erfahren, sobald Sie sich entschieden haben und bereit sind zu springen, wie ein Vogel, der am Abgrund steht. Und wenn er nicht springt, kann er auch nicht fliegen.

Was Frauen an Männer lieben: Spaß, miteinander Lachen, Selbstironie, ungefilterte Gespräche, Führung, Männlichkeit, Selbstvertrauen, Stärke, Emotionen, Flirten, Berührungen, Verbindung, Werte, Authentizität, sexueller Ausdruck.

Die Liebe ist wichtig und lebensnotwendig

Haben Sie schon mal darüber nachgedacht, warum die Liebe so wichtig ist? In unserem Leben gibt es viele andere Gefühle, wie Zufriedenheit, Zärtlichkeit, Angst, Hass oder Wut. Jedoch ist die Liebe das Gefühl, das so viele andere Empfindungen umschließt, dass sie für uns lebensnotwendig ist. Wenn Sie wirklich darüber nachdenken, dann können die meisten Emotionen, die wir täglich empfinden, ein Teil der Liebe sein. Vielleicht spüren Sie Angst oder haben Bedenken während Sie durch eine dunkle Tiefgarage laufen, aber vielleicht auch dann, wenn Sie sich von Ihrem Partner nicht genug geliebt oder beachtet fühlen. Liebe prägt auf die eine oder andere Weise alle Sinne und Emotionen. Man könnte sagen, dass die Liebe alles umschließt. Sie ist die Quintessenz der allgegenwärtigen Matrix. Es ist eine einzigartige Empfindung, mit großen Ausgewogenheiten, dass uns alle möglichen Gefühle spüren lässt, uns in einem Karussell der Gefühle fahren lässt, und das unserem Leben ein Bewusstsein gibt. Auf der anderen Seite kann ich Ihnen sagen, dass diese unglaubliche Kraft eine große Anzahl an Empfindungen umschließt, denn aufgrund der Liebe fühlen wir uns lebendig, selbstbewusst und können so verschiedene Verknüpfungen wahrnehmen. Sie empfinden zum Beispiel Erbitterung oder auch zugleich Erleichterung, wenn Ihr Gegenüber Ihre Gefühle nicht erwidert und stattdessen jemand anderen bevorzugt. Sie empfinden Zärtlichkeit wegen der Anhänglichkeit, die Sie vielleicht für Ihr Kind, Ihren Partner oder sogar für Ihre Familie hegen. Oder auch Frustration, weil der Mensch, den Sie lieben, diese Gefühle nicht erwidert. Solidarität, weil Sie einem anderen Menschen geholfen haben, der herzensgütig und voller Liebe ist.

Wie Sie sehen können, umschließt diese unendliche Kraft eine große Anzahl an Empfindungen, sowohl positive als auch negative. Jedoch wird jedes Gefühl, das Ihnen Schmerzen oder auch Kummer bereitet, stets durch ein gegenteiliges Gefühl ausgeglichen werden, was Ihnen ein großes intimes und persönliches Vergnügen bereitet. Diese Empfindung gibt unserem Leben von der ersten Minute an eine Bedeutung. Alle Kinder zum Beispiel erleben alle Emotionen mit großer Intensität, aber keine so sehr wie die Liebe, denn die mütterliche Liebe ist das Alpha und Omega ihres Dasein. Alles beginnt und endet mit diesem Menschen, der sie nährt, sie erzieht, sie streichelt, sich um sie kümmert, sie umarmt, ihnen Sachen beibringt und der sie über alles liebt. Schritt für Schritt wird das Kind größer und entdeckt die Liebe zu seinen Nächsten. Es fängt an sich zu formen, indem es anfängt, Verwandte, Freunde und Kollegen kennenzulernen und diese mit Empfindungen zu beurteilen. In diesem Moment werden die ersten persönlichen Verbindungen verknüpft, die erste Empathie aufgebaut, die dem Leben eines Individuums eine Bedeutung geben und die die Grundpfeiler für eine ausgewogene und liebevolle Zukunft ebnen. Und kurz darauf kommen auch die großen Lieben der Jugend. Eine so intensive, fest verwurzelte und tiefe Empfindung, die den Jugendlichen fühlen lässt, dass sein Leben nicht mehr lebenswert ist, wenn er es nicht mit der geliebten Person teilen kann. Die Existenz eines Einzelnen macht nur unter dem Schutz und an der Seite eines geliebten Menschen einen Sinn. Mit den Jahren setzten wir unsere Gefühle etwas überlegter ein. Die familiären, freundschaftlichen und Liebesbeziehungen werden entspannter und klarer, und manche werden sogar zu unseren ewigen Reisebegleitern, durch eine unfaire, harte und oft sinnlose Welt. Doch der Zusammenhalt und die Zuneigung derer, die sich an unserer Seite befinden, sorgen dafür, dass es das doch lebenswert wird. Wir beenden unser Leben nach einem langen und oft unschönen Gang durch einen dunklen und kalten Tunnel, um am Ende die Dämmerungen der Liebe zu erkennen, die dort auf uns wartet und uns mit Wärme und Licht umhüllt. Jedes Erlebnis packen wir im schweren Koffer der Lebenserfahrungen rein, durch die Jahre hinweg erlittenen Wunden leichter und leichter wird. Doch die Intensität und der Einfluss der Gefühle und der Emotionen bleiben intakt.

Die Liebe ist also erwiesenermaßen das, was das Herz aller Menschen bewegt und wahrscheinlich das, was uns auch zu Menschen macht. Und wegen eines schlechten Erlebnisses dieser

Kraft den Rücken zuzuwenden ist ein schwerwiegender Fehler, für den Sie vielleicht ein Leben lang in der Dunkelheit der Gefühle fallen werden und zu der Energie und Schwingung, die dieses Universum ausstrahlt, keinen Zugang mehr haben werden. Lassen Sie also zu, dass diese unendliche Magie, diese göttliche Kraft durch alle Poren Ihres Körpers fließt. Lassen Sie zu, dass diese Energie in Ihrem energielosen Körper strömt und Sie von innen heraus heilt. Verbannen Sie daher Angst, Zweifel und somit auch die Menschen, die sich nur in ständiger Dunkelheit bewegen, denn diese sind Gift für ihr Dasein. Also lassen Sie zu, dass dieses erwärmende Licht jede noch so dunkle Ecke Ihres Körpers durchleuchtet und stärkt. Lassen Sie auch zu, dass die Liebe Sie vibrieren, leiden, empfinden und zugleich genießen lässt. Lassen Sie zu, dass die Liebe durch Sie hindurchfließt, denn nur sie gibt Ihrem Dasein eine Bedeutung. Nutzen Sie jeden Tag Ihres Lebens so, als wäre er Ihr letzter, und lieben Sie alles um sich herum mit aller Kraft, denn nur so werden Sie wahres Glück erfahren können und nur wenn Sie so empfinden, wird alles in Ihrer Umwelt eine Bedeutung bekommen. Denn mit den Worten von einer meiner größten Idole, Wayne Dyer, beende ich diese gemeinsame Reise. „Wenn Sie die Art und Weise ändern, wie Sie Dinge betrachten, werden sich die Dinge, die Sie betrachten, auch ändern."

„ If you change the way you look at things, the things you look at change."

Autor und Redner: Dr. Wayne Dyer

Wichtige Punkte zu Schritt 8

Glauben Sie und entscheiden Sie sich für die Liebe

1. Partnerwahl ist kein Wunschkonzert, keine Wunschliste an den Osterhasen und keine Bestellung wie in einer Pizzeria.
2. Sogar Albert Einstein hat mal gesagt, dass die Liebe die universelle und stärkste Kraft des Universum ist.
3. Sie können nur gewinnen, wenn Ihr Mut zu siegen größer ist als Ihre Angst vor dem Verlieren.
4. Daher fordere ich Sie auf, dass wenn Sie in Ihrer Beziehung nur noch leiden, sich schleunigst zu trennen.
5. Beziehungen sind unheimlich wichtig und deswegen sollten Sie sie wertschätzen und lieben, denn der Mensch ist nicht geschaffen worden, um allein zu sein.
6. Der Fokus sollte auf gemeinsamen Interessen und Festigung der Beziehung liegen.
7. Die Verbindlichkeit und die Einheit zwischen zwei Menschen spielt in einer Liebesbeziehung eine ausschlaggebende Rolle.
8. Wenn zwei Menschen unterschiedliche Sprachen sprechen, ist eine vernünftige Kommunikation schwierig bis unmöglich.
9. Sie können sich die Zuneigung einer Frau weder erkaufen noch erzwingen und auch nicht erarbeiten.

Rezept

Lasagne Bolognese

- 8 / 10	Lasagne Pasta / Blätter, gegart
-1 Dose	Tomatenmark (der Marke Mutti)
- 600 g	Hackfleisch (Mageres Rindfleisch)
- 3 EL	Olivenöl (Extra Vergine)
- 1 große	Möhre
- 1 Stück	Sellerie
- 1 große	Zwiebel
- 2 Zehen	Knoblauch
- 200 ml	Weißwein / trocken
- 500 ml	Gemüsebrühe
- Gewürze	Salz, Pfeffer, Chili (Jeweils eine Prise)
- 1 Prise	Zucker
- 2 EL	Butter
- 3 EL, gestr.	Mehl
- 500 ml	Milch
- 1 Prise	Muskat
- 100 g	Parmesan, frisch gerieben
- 100 g	Mozzarella

Zubereitung:

Arbeitszeit ca. :	1 Stunde
Koch-/Backzeit ca.:	1 Stunde
Gesamtzeit ca. :	3 Stunden

Das Gemüse (Möhre, Sellerie, Zwiebel) gründlich waschen, schälen und in kleine Würfel schneiden. Sowohl den Knoblauch schälen und alles in kleinen Würfel schneiden. Das Olivenöl leicht erhitzen, dann die Gemüsewürfel gut anbraten und wieder aus der Pfanne nehmen. Nun das Hackfleisch zur Hälfte zufügen und auch

nur leicht anbraten. Das Fleisch wieder aus der Pfanne nehmen und das restliche Hack braten.
Das bereits gebratene Hack und Gemüse wieder zufügen, mit dem Wein ablöschen, aufkochen lassen und fast verkochen lassen. Tomatenmark dazugeben, etwas angehen lassen und mit der Brühe auffüllen. Mit Deckel dann auf leichter Stufe einkochen lassen. Mit Salz, Pfeffer und einer Prise Zucker würzen.

Für die leckere Béchamel ein wenig Butter in einem Topf zerlassen. Das Mehl einrühren und kurz anschwitzen, dann unter Rühren nach und nach die Milch zugießen. Mit Muskat und Salz abschmecken und einmal aufkochen lassen.

In der Zwischenzeit können Sie eine Auflaufform (Größe: 30 x 20 x 10 cm) fetten und mit Lasagne-Platten belegen. Einige Löffel Béchamel darauf verteilen, mit etwas Parmesan bestreuen und etwas von der Bolognese darüber gießen. Wer es mag kann auch Mozzarella-Würfeln dazugeben. So weiter schichten, bis alle Zutaten verbraucht sind. Die oberste Schicht sollte aus Béchamelsauce bestehen, die gleichmäßig mit Parmesan bestreut wird.

Im vorgeheizten Backofen bei 180 °C Ober-/Unterhitze ca. 25 Minuten überbacken. Bevor die Lasagne portioniert wird, einige Minuten abkühlen lassen. In quadratische Portionen schneiden und mit einem leckeren Rotwein genießen.

Einen guten Appetit ☺

Top 15 Best Dating-Websites / February 2020

1. **Match.com** / 35.000.000 - Geschätzte monatliche Besucher

2. **Pof.com** / 23.000.000 - Geschätzte monatliche Besucher

3. **Zoosk.com** / 11.500.000 - Geschätzte monatliche Besucher

4. **Okcupid.com** / 10.150.000 - Geschätzte monatliche Besucher

5. **eHarmony.co.uk** / 7.100.000 - Geschätzte monatliche Besucher

6. **Badoo.com** / 6.000.000 - Geschätzte monatliche Besucher

7. **Christianmingle.com** / 5.500.000 – Geschätzte monatliche Besucher

8. **Ourtime.com** / 3.500.000 - Geschätzte monatliche Besucher

9. **Datehooup.com** / 3.000.000 - Geschätzte monatliche Besucher

10. **Blackpeoplemeet.com** / 1.200. 000 - Geschätzte monatliche Besucher

11. **Meetic.fr** / 3.000.000 - Geschätzte monatliche Besucher

12. **Seniorpeoplemeet.com** / 900.000 - Geschätzte monatliche Besucher

13. **Speeddate.com** / 850,000 - Geschätzte monatliche Besucher

14. **Chemistry.com** / 550,000 - Geschätzte monatliche Besucher

15. **Jdate.com** / 500,000 - Geschätzte monatliche Besucher

Quelle: ebizmba.com

Über mich

Sind Hobby-Schreiber, die ihr angeborenes Talent aufgreifen und in Eigeninitiative wundervolle Meisterwerke erschaffen, weniger wert als Bestseller-Autoren, die ihr Können von namhaften Universitäten erlernt haben? Diese Frage habe ich mir schon als Teenager gestellt. Bei Recherchen bin ich auf viele berühmte und erfolgreiche Autoren gestoßen, die wie ich mit einem alten Computer und einem Traum im Kopf angefangen haben. Einige von ihnen zweifelten ebenfalls zu Beginn ihrer Karriere damit, ob sie sich zum Olymp der Literatur als Noname wirklich in diesem harten Business durchsetzen können. Heute weiß ich selbst, dass dieses Vorhaben funktionieren kann. Mittlerweile bin ich sogar stolz darauf und dankbar, dass die Quelle der Kreativität quasi in mir steckt und ich nur aus ihr schöpfen muss, natürlich geknüpft an sehr viel Disziplin, Fleiß und Durchhaltevermögen.

Ich bin in Nürnberg / Bayern geboren, wuchs Größtenteils im Ausland auf und studierte Betriebswirtschaft / MBA in Nürnberg. Ich habe schon etliche Bücher veröffentlicht. Eines davon ist: „Das Geräusch des Windes", das auch in englischer Sprache erschienen ist, mit dem Titel: „The Sound oft he Wind". Es hat weltweit sehr viele Leser begeistert. Nach dem Diplom und der Tätigkeit als selbstständiger Geschäftsmann arbeitete ich viele Jahre im Showbusiness als Tänzer für Musicals und als Schauspieler. Ich liebe das Showbusiness und würde für das Theater und die Bühne mein Leben geben. Für verschiedene Projekte bin ich heute immer noch tätig, wenn auch nur im Background. Jedoch ist Schreiben meine große Leidenschaft und Berufung. Ich schreibe derzeit an verschiedenen Zeitschriften, Projekten und bin auch als freier Mitarbeiter tätig.

Mein Vater hatte mit Literatur und Büchern an sich nichts zu tun, denn er war auch kein begeisterter Leser. Doch meine Mutter verschlang regelrecht alle möglichen Liebesromane. Ich glaube auch, dass sie in diese Storys flüchtete, um den grauen Alltag zu umgehen. Doch beide ließen mir stets alle Freiräume, um meine Fantasie und Kreativität auszuleben. Das Bedürfnis, etwas Eigenes und Einzigartiges zu erschaffen, um damit die Weltherrschaft an mich zu reißen, war seitdem ich denken kann tief in mir verwurzelt. So probierte ich mich schon als Tänzer, Musiker, Schauspieler und vieles mehr. Ich kreierte mit meiner Tanzgruppe und anderen Künstler tolle Choreographien und Musikstücke, entwarf die spektakulären Kostüme, bastelte, baute und malte oft monatelang. Mit meiner Tanzgruppe gingen wir dann auf Tour, erhielten sogar einen Plattenvertrag und reisten fast um die ganze Welt, um unsere Tanzshows und Musik vorzustellen. Zu meinen Liebesbeziehungen und Affären verrate ich Euch nicht viel, ich sage dazu nur „durchwachsen". Zudem habe ich einige wahre Anekdoten von mir in deisem Programm offenbart.

Trotz dieser stark ausgeprägten musikalischen und künstlerischen Begabung führte mich mein beruflicher Weg in eine ganz andere Richtung. Jedoch hat mich die Leidenschaft des Schreibens nie losgelassen. Ich war immer auf der Suche nach einer Möglichkeit, meine Emotionen, meine Gefühle, meine Visionen ausdrücken und besondere Momentaufnahmen auf Papier festhalten zu können. Denn für mich ist Schreiben Magie, es überwindet Zeit, Raum und formt das Universum. Ein geschriebenes Wort ist unheimlich stark. Es ist so, weil die Intention eines Individuums große Energien in vielen auslösen kann. Für mich war klar, dass, wer so eine Magie ausübt bzw. die Macht des Schreibens beherrscht, auch die Verantwortung dafür tragen muss, für die Botschaft, die ein Autor überbringen will.

Neben dem Schreiben war es vor allem die Poesie und die Malerei, die mich in ihren Bann zogen. Ich begann, sehr viel darüber zu lesen und probierte unermüdlich neue Techniken aus. Über die Jahre nahm mich mein viel geliebtes Hobby mehr und mehr in Anspruch. Ich schrieb so viele Gedichte und machte es zu einem neuen Projekt und zwar ein Gedichtbuch, das in Kürze auch erscheinen wird. Dies war auch der Startschuss für viele weitere Ideen und Richtungen. Heute darf ich meinen Leidenschaften, das Schreiben und Malen, tagtäglich nachgehen, womit ich meinen Traum täglich auslebe.
Ich lasse mich gern von interessanten Menschen und Dingen inspirieren. Deshalb sind Portrait-Bilder oder wunderschöne Körper häufige Motive meiner Werke. Doch meine besondere Leidenschaft ist die erotische Malerei und Aktfotos. Doch Gesichter, Augen und der Ausdruck faszinieren mich zutiefst. Ich finde es spannend, aus der Mimik eines Gesichts zu lesen, ihre Empfindung mit dem Bleistift zu erfassen und regelrecht in die Seele zu blicken. Vor allem tiefe Empfindungen, wie Angst, Leidenschaft, Trauer, Glückseligkeit und Liebe spielen in meiner Inspiration eine führende Rolle. Denn sie spiegeln meine Emotionen, meine Art, die Dinge zu sehen, und regen zum Nachdenken an.

Danksagung

Mein neues Meisterwerk ist endlich erschienen, so stehe ich als der Autor im Vordergrund. Das ist aber nicht besonders fair, weil es immer vieler Menschen bedarf, die eine solche Veröffentlichung überhaupt erst in die Realität umwandeln. Das war natürlich auch bei diesem Buch der Fall. Und diese lieben Menschen, die mir während des Schreibens eine Hilfe gewesen sind, sollen hier nun besonders erwähnt werden. Ich hoffe, dass ich an alle gedacht habe. Zunächst richtet sich ein besonderer Dank an meinen Verlag. Sie fanden mein Projekt großartig und haben es mit Begeisterung veröffentlicht. Und das ist schon was ganz besonderes. Dafür vielmals danke für die Zusammenarbeit und die Professionalität.

Das war bestimmt nicht immer einfach, denn oft stand ich immer wieder vor einem leeren Blatt, mit einem Traum in meinem Herzen und wusste nicht weiter. Und was ich daraus gemacht habe, ist einfach phänomenal. Wort für Wort und Seite für Seite bin ich am Ziel angekommen.

Innigen Dank also an Dr. G. F, Plotkin, Anja Wirth, Nina Simon, Patricia Stöckel, Thomas Wißmeier, Jasmin Fuller, Manuel Schreiner, Armita, Nigar Bostan, Murad Altun, Castrenze C..

Ohne euch hätte ich das niemals geschafft. Und selbstverständlich geht der größte Dank auch an den lieben Gott – der mir immer wieder die Kraft und die Inspiration gegeben hat, nicht aufzugeben und dieses Buchprojekt zu realisieren.

Auch meinen Eltern und meinen Brüdern möchte ich für die stets aufmunternden Worte ein herzliches Dankeschön sagen.

Im gleichen Atemzug möchte ich natürlich auch meiner Korrektorin danken, die während der Lektüre des Manuskripts bestimmt vor Scham fast erblasst ist, wenn ich an all meine Komma- und Rechtschreibfehler denke. Herzlichen Dank für die Mühe und die Geduld, liebe Nina Simon. Von ganzem Herzen danke ich auch all den Menschen, die mich motiviert haben, die mir Kraft gegeben und mich immer wieder auf neue Ideen gebracht haben. Keinen geringen Anteil an der Fertigstellung haben auch die großen Autoren dieser Welt, denen ich ebenfalls nicht genug danken kann. Immer, wenn ich davor war, alles hinzuwerfen, haben mich ihre Erfolge, ihre Verkaufszahlen, wieder aufgebaut und mich ermutigt, weiterzumachen.

Vielen Dank an alle. Ich weiß das sehr zu schätzen.

Q

Notizen

Notizen

Notizen